감정노동의 시대,
누구를 위한 감정인가?

이론부터 대안까지

이 도서의 국립중앙도서관 출판예정도서목록(CIP)은 서지정보유통지원시스템 홈페이지(http://seoji.nl.go.kr)와
국가자료공동목록시스템(http://www.nl.go.kr/kolisnet)에서 이용하실 수 있습니다.
CIP제어번호: CIP2017003501(양장), CIP2017003512(학생판)

감정노동의 시대,
누구를 위한 감정인가?

Emotional labor, who is it for? : From theory to practice

이론부터 대안까지

사회건강연구소 기획 | 정진주 외 지음

한울
아카데미

차 례

제2부 사례로 본 감정노동과 건강

제3부 대안과 길 찾기

책을 펴내며

최근 한국 사회에서 부상하고 있는 이슈 중 하나는 단연 감정노동이다. 서비스산업의 발전으로 물품 판매와 사람 돌봄을 하는 서비스직 종사자가 증가한 것이 중요 요인이지만, 서비스 노동자에게 요구되는 감정적 친절 범위가 도를 넘어섰기 때문이다. 땅콩 회항, 라면 상무, 주차장 사건 등 신문과 방송을 떠들썩하게 한 이슈들이 노동자에게 과도하게 요구되는 감정노동과 연관되어 있다.

이런 극단적인 사례가 아니더라도 흔히 '갑을 관계'로 묘사되는 과도한 감정노동은 '고객을 위한 최고의 서비스 제공'이라는 미명하에 조직으로부터 강제되고 있다. 그러나 과도한 감정노동을 예방하기 위한 조치는 매우 미약하다. 이에 노동계와 시민사회는 노동자의 안전 및 건강과 관련된 사업주의 의무를 강제화할 수 있는 법안 마련을 강력히 요구하고 있다.

또한 감정노동은 육체적·정신적 질환, 자살 등을 발생시킨다는 인식이 확산되고 있는 추세이다. 일례로 유럽연합 직업안정보건청(EU-OSHA)은 2007년 발간한 보고서에서 이 분야의 전문가들이 제시한 '주목할 만한 사회심리적 위해(emerging psychosocial hazards)' 중 하나로 '감정적 요구도(emotional demand)'

를 제시한 바 있다. 현대사회에서 과도한 감정적 요구가 노동자의 건강에 매우 중요한 영향을 미칠 수 있다고 본 것이다.

감정노동은 혹실드(Arlie Hochschild)가 그의 책 『관리된 심장: 인간 감정의 상품화(The Managed Heart: Commercialization of Human Feeling)』(1983)에서 본격적으로 다루었고 한국에서는 2009년에 『감정노동: 노동은 우리의 감정을 어떻게 상품으로 만드는가』로 번역되어 출간되었다. 하지만 우리 사회에서 감정노동에 대한 연구는 훨씬 늦게 이루어졌고, 감정노동에 대한 책은 주로 교육 실무용으로 발간되었다. 특히 감정노동과 관련된 대부분의 책은 주로 개인적 차원에서 개별 노동자가 감정노동에 대해 어떻게 대응하고 치유할 것인지에 초점을 맞추고 있으며, 감정노동과 건강을 관련지어 서술한 책은 찾아볼 수 없다. 사회과학자들이 감정노동과 관련한 연구를 하고 있는 동안 건강 분야에서는 별 진전이 없다가 최근 노동과 건강을 연계해 분석하고 개선책을 찾아가는 과정에 있다.

이 책은 몇 가지 문제의식에서 출발했다. 첫째, 감정노동과 건강을 위한 대안은 조직 변화와 예방책에 우선적으로 관심을 두어야 한다. 최근 감정노동에 대한 인식이 높아지고 노동자 건강과 관련해 기업의 책임을 묻는 과정에서 상담, 치유 등 단기적인 대책을 마련해 예방의 책임을 회피하려는 움직임이 일고 있다. 과도한 감정노동에 대한 규제는 지속적이고 장기적인 조직 변화와 예방책을 통해서 가능하다. 그러나 감정노동 '예방'에 초점을 맞춰, 사회 곳곳에서 일어나고 있는 과도한 감정노동의 현실과 이를 극복하려는 조직적·사회적 노력에 관해 집필한 책은 찾아보기 어렵다. 감정노동에 관심을 갖고 변화를 만들어가려는 사람들이 한 걸음 더 나아가도록 하는 데, 이 책이 도움이 되었으면 한다.

둘째, 감정노동과 건강에 관한 정보는 여러 기관과 연구자에 의해 산발적으로 수집되었기 때문에 통합적인 정보를 마련할 구심점이 필요했다. 감정노동에 대한 연구 논문은 있지만, 감정노동과 건강에 대한 통합적인 내용을 함께 담아낸 책은 없었다. 특히 감정노동과 건강에 관심은 있으나 관련 논문을 접할 기회가 적었던 기업의 관리자, 노동조합원, 활동가, 공무원, 노동자에게 도움이 되었으면 한다. 물론 감정노동과 건강에 관심이 많은 연구자들에게도 필독서가 되리라 믿는다.

셋째, 감정노동과 건강에 대한 정보 생산은 다학제적 성격이 강하다. 따라서 감정노동에 대한 연구에는 사회과학·의학·보건학 분야 연구자의 연구 결과와 과도한 감정노동을 개선하기 위해 현장에서 실제로 이루어지고 있는 활동 내용이 포함되어야 한다. 그렇기 때문에 다학제적이며 전문성과 현장성을 함께 담고 있는 글을 수록했다.

종합적으로 볼 때 이 책은 감정노동에 대한 이론과 실질적인 예방책을 담고 있다. 열악한 환경에서 일하는 감정노동자들이 건강하게 일할 수 있고, 존중받을 수 있는 기반을 마련하는 데 이 책이 기여하기 바란다. 일터와 소비자의 변화가 동시에 이루어져 노동자는 적정한 서비스를 제공하고, 소비자는 필요한 서비스를 받으며, 조직은 공정한 서비스 정착과 노동자의 건강을 보장하는 데 주력해야 한다.

이 책은 크게 3부로 구성되어 있다.

제1부 '감정노동과 건강의 관계'에서는 우리 사회의 감정노동의 실체와 감정노동에서 비롯된 건강 문제를 다룸으로써 건강한 노동이 건강한 노동자를 만든다는 점을 분명히 하고자 한다. 1장에서는 감정에 대한 사회학적 탐구와 함께 감정노동이 한국 사회의 성격과 어떤 관련이 있는지 알아본다. 2장에서는 과도한 감정노동이 노동자에게는 열악한 노동조건이 될 뿐만 아니라 노동자의 건강을 악화시키는 요인이라는 사실, 그리고 어떤 과정을 통해 건강이

나빠지는지 보여준다.

제2부 '사례로 본 감정노동과 건강'에서는 다섯 장에 걸쳐 다양한 직종에서 강제되고 있는 감정노동의 구체적인 모습을 살펴보고, 현장에서의 감정노동 현황과 개선책을 다룬다. 민간 부문의 유통 판매, 콜센터, 금융, 병원 노동자와 공공 영역의 다양한 직종에 속한 노동자들의 감정노동을 살핀다. 감정노동을 많이 한다고 알려진 유통 판매직과 콜센터 노동자를 사례에 포함시켰고, 최근 들어 연구가 시작된 심각한 수준의 감정노동을 하는 금융·병원 노동자의 감정노동도 알아보았다. 공공 영역에서는 국공립 공원, 휴양림, 고궁, 박물관, 전시관 등의 노동자와 수도·가스 검침원 등의 감정노동을 다루고 있다. 민간 부문의 노동자에게 '고객의 이름으로' 감정노동이 강제된다면, 공공 영역에서는 '시민의 이름으로' 과도한 감정노동이 요구된다. 따라서 건강한 미소로 서비스를 제공할 수 있는 여건을 만들 필요가 있다. 각 사례는 감정노동이 다른 노동조건과 분리되는 것이 아니며, 과도한 감정노동에서 비롯된 폐해를 완화하기 위해서라도 질 높은 노동조건이 필요하다는 것을 보여준다.

제3부 '대안과 길 찾기'에서는 한국 사회에서 확산되고 있는 과도한 감정노동에 대해 어떤 대안이 마련되고 실행되고 있는지 검토한다. 또한 정부, 소비자, 노동계, 시민사회, 지역사회 차원에서 진행되고 있는 과도한 감정노동의 개선 방안에 대해 자세히 살펴보았다. 8장에서는 국회의 감정노동 관련 법안 발의 내용, 중앙정부 차원의 법제도 개선을 통한 시도, 외국의 사례 등을 보여준다. 아직까지 감정노동에 대한 정부의 규제가 강력히 실천되고 있지 않지만, 과도한 감정노동을 더는 방치할 수 없는 상태에서 현재 시도되고 있는 내용을 실었다. 이 책을 읽는 독자들도 감정노동 규제 방안 마련에 힘을 실어주기 바란다.

9장에서는 지방정부 차원에서 과도한 감정노동 규제 방안의 수단으로 활용할 수 있는 '감정노동 가이드라인'을 소개한다. 이 가이드라인은 공공 기관 종사자의 감정노동 예방과 치유에 대한 폭넓은 내용을 담고 있으며, 2015년 말에 통과된 서울시 감정노동 관련 조례의 기반이 되었다. 따라서 다른 지자체에서도 벤치마킹해 적용해볼 수 있다. 10장은 감정노동과 직장 내 폭력에 관한 한국형 측정 도구를 소개한다. 과도한 감정노동이 발생하는 현장에서 이 도구를 사용해 감정노동의 현실을 측정하고, 조직을 변화시킬 수 있기를 바란다. 이 책은 주로 감정노동의 예방에 초점을 맞추고 있지만, 건강에 이미 문제가 생긴 감정노동자들을 치유하는 것도 중요하다고 보았다.

11장에서는 감정노동자를 치유하는 방법과 프로그램을 소개한다. 감정노동자의 치유는 조직의 변화와 함께 이루어져야 최대 효과를 거둘 수 있지만, 단기적이고 즉각적인 치유 프로그램도 운영하면 좋을 것이다. 12장에서는 감정노동자의 감정노동을 감소시키고 완화하는 것은 조직의 책무이며 소비자와의 관계를 재정립해야 할 필요가 있다는 점을 강조한다. "고객은 왕이다"라는 모토 아래에 감정노동이 강하게 요구되었지만, 소비자가 실제 원하는 것은 정확한 정보 제공 등 다른 측면의 서비스라는 것이 조사에서 드러나고 있다. 이는 노동자와 소비자가 공정하고 조화로운 감정을 상호 제공하는 관계로 발전해야 한다는 것을 시사한다.

13장과 14장에서는 감정노동자의 건강을 위해 시민사회와 지역사회가 전개하고 있는 활동을 보여준다. 13장에서는 감정노동자의 문제를 개인이나 개별 단체가 해결하기에는 역부족인 상황에서 다양한 부문의 여러 단체가 '감정노동전국네트워크'를 결성해 법제도를 개선하고, 감정노동 단체협약 및 현장의 감정노동 모범 사례를 만들어가는 과정을 보여준다. 이를 통해 노동계의 대응과 전략이 정부와 국회의 법제도 개선을 견인하고 있다는 것을 알게 된다. 마지막으로 14장에서는 지역사회에서 감정노동자가 서로 모여 자신의 이야기를 하고, 감정을 치유하며 조직화되어가는 활동 사례를 보여준다. 특히 중요한 존재이지만 그동안 이론적으로 감정노동자 개념에 포함되지 않았던 엄마, 자원봉사자, 지역아동센터 교사, 시장 상인을 감정노동자에 포함시켰다는 점이 주목할 만하다. 해당 지역의 요양 보호사, 콜센터 노동자 등이 소모임을 만들어 감정노동자로서의 문제를 자각하고 해결해나가는 시도를 통해 지역사회 차원의 감정노동 예방과 치유가 얼마나 중요한지를 강조한다.

이 책은 2015년 사회건강연구소에서 진행했던 '감정노동과 건강: A부터 Z까지'라는 강연에서 발표한 내용을 수정·보완한 것이다. 서울시 노동정책과의 지원으로 진행된 강연이 있었기에 이 책의 집필 작업을 한층 수월하게 마무리할 수 있었다. 서울시에 깊은 감사의 마음을 전한다. 이와 함께 사회건강연구소 회원들의 후원금도 많은 도움이 되었음을 밝힌다. 또한 이 책을 출간해 준 한울엠플러스(주)에도 감사드린다.

이 책이 감정노동을 예방해야 하는 위치에 있는 사람, 법제도 개선을 모색하는 사람, 감정노동을 하는 이들에게 많이 읽혀 건강한 감정으로 일할 수 있는 사회가 되기를 희망한다.

2017년 1월

사회건강연구소 소장 정진주

제1부

감정노동과 건강의 관계

01

감정노동의 사회적 맥락과 쟁점*

신경아 한림대학교 사회학과 교수

1. '감정노동' 담론의 사회적 맥락

대다수의 노동문제가 외면당하는 한국 사회에서 '감정노동(Emotional Labor)'에 대한 관심은 적은 편이 아니다. 2000년대 중반 감정노동에 관한 학술 논문들이 나오고, 2008년 국가인권위원회의 콜센터 여성 노동자에 관한 연구 보고서가 발표되면서 감정노동에 대한 세간의 관심이 급증했다. 이후 몇몇 기업에서는 노동조합을 중심으로 감정노동에 대한 보상 요구가 제기되어 감정노동 수당이 지급되기 시작했고, 2015년에는 서울시가 산하단체 노동자의 과도한 감정노동을 보호하기 위해 지침과 안내서를 제작했다. 국회에서는 여

* 이 장은 필자의 「감정노동의 사회학적 탐색: 이론적 고찰」(≪민주사회와정책연구원≫ 29권, 2016.1)을 수정·보완한 것이다.

러 개의 '감정노동자 보호 법안'이 발의되어왔다.[1]

한국 사회에서 감정노동 개념과 문제의식이 처음으로 대두된 것은 여성학 연구자들 사이에서였다. 이화여자대학교 여성학과 조순경 교수가 혹실드의 감정노동 이론을 소개하면서 고미라의 석사 논문 「감정노동의 개념화를 위한 일 연구: 서구 이성 중심적 노동 개념 비판」(1995)과 박홍주의 석사 논문 「판매 여직원의 감정노동에 관한 일 연구」(1995)가 발표되고, 이성식과 전신현이 편역한 『감정사회학』(1995)이 출간되었다. 뒤이어 간호사의 감정노동(강현아, 2002), 감정노동과 노동자 건강(정진주, 2002; 2013), 콜센터 여성노동자의 감정노동(신경아, 2009) 등이 여성학적 관점에서 다루어졌다. 이후 감정노동에 대한 연구는 사회학과 경영학, 심리학 등 사회과학은 물론, 의학과 간호학 등 의료 보건 분야와 관광학 등 서비스 여가 산업 분야에 이르기까지 광범위한 영역으로 확대되어왔다(윤세준 외, 2000; 김수연, 2002; 김양희 외, 2006; 김왕배 외, 2012; 문현주 외, 2014; 김유경 2015).

감정노동은 노동문제 중 매스컴의 관심을 가장 뜨겁게 받은 영역이기도 하다. 〈KBS 특집 다큐: 일하는 당신 행복하십니까?-병든 웃음, 감정노동〉(2015년 5월 21일 방영)과 〈SBS 스페셜: 가면 뒤의 눈물〉(2013년 6월 9일 방영) 등의 기획 취재는 물론, 뉴스와 다양한 보도 기사에서 감정노동은 단골 소재로 등장해왔다. 감정노동이 공공 영역에서 사회문제로 가시화된 '120 다산콜센터(이하 '다산콜센터')' 사건이 발생했을 때 언론은 이 문제를 비교적 상세하게 다루었고, 최근에는 감정노동에서 비롯된 우울증도 산업재해로 인정받을 수 있다는 기사가 거의 모든 매체에서 쏟아져 나왔다. 감정노동 문제가 지닌 대중적 확산

1 2015년 5월 국회 정무위원회 김기식 의원(새정치민주연합)이 대표 발의한 '감정노동자 보호 법안'을 비롯해 다수의 관련 법안이 제기된 상태이다.

성과 공감대 형성의 용이성, 감정적 폭발성 등은 언론의 소재가 되기에 좋을뿐더러, '땅콩 회항 사건'이 보여주듯 응축되어온 한국 사회의 위계적인 노사 관계가 터져 나오는 계기가 되었다는 점을 인식했는지 노동문제에 인색한 한국의 언론도 감정노동 관련 사건에 대해서는 비교적 적극적인 자세를 보여왔다.

그러나 '감정노동이 중요한 노동문제'라는 사실을 알리는 것을 넘어, 이 문제의 원인을 규명하고 해결 방안을 찾기 위해서는 이런 시도에서 한 걸음 더 나아갈 필요가 있다. 실제로 '감정노동'이 문제라고 했을 때 감정노동의 어떤 요소가 문제를 낳는지도 명확하게 밝혀지지 않았다. 감정노동은 하지 않으면 않을수록 좋은 것인가? 사람과 사람이 만나는 서비스 현장에서 감정적 요소의 개입을 완전히 막을 수 있는가? 인간의 상호작용에서 배려와 돌봄이 중요하다고 한다면 감정노동을 오히려 필수적인 요소로 보아야 하지 않는가? 그렇다면 어느 정도의 감정노동을 정당한 것으로 인정할 수 있을까? 그리고 부당한 감정노동을 규제하기 위해서는 어떤 노력이 필요한가? 나아가 감정노동자가 자기감정을 통제할 수 있고 대인 관계 역량(social skill)이 충분하다면 부정적인 결과를 피할 수 있는가? 반대로 고객의 태도를 통제함으로써 과도한 감정 관리(emotional management)의 피해를 막을 수 있는가? 감정노동을 둘러싼 노동자와 고객의 갈등이 개인적인 성향이나 태도의 충돌로 편협하게, 그리고 왜곡되어 해석되지 않고, 감정노동이 조직의 노동규칙과 노동과정에 내재된 모순의 결과라는 사실을 이해하기 위해서는 어떤 노력이 필요한가?

이 장은 이런 질문에 대답하기 위한 시도의 하나로, 감정노동이 기획되고 수행되는 사회적 맥락을 살펴보는 데 목적이 있다. 지금까지 이루어져 온 감정노동 관련 연구들은 감정노동이 많이 필요하다고 알려진 직무에서 노동자들이 경험하는 과도한 감정노동과 소진(burnout) 수준을 측정하고, 이를 해결하기 위해 작업장 내에서 실시할 수 있는 방안을 제시하는 것이 대부분이었다.[2] 이런 미시적 연구들은 개별 작업장과 각각의 업무에서 노동자들이 경험하는 감정노동에 초점을 맞춤으로써 구체적이고 실증적인 결과를 도출해낼 수 있다는 장점을 지녔다. 그러나 감정노동이 문제가 되는 이유는 그것이 수행되는 조건, 즉 감정노동 과정과 조직의 감정 관리 규범에서 찾아야 한다. 항공사에서 여승무원들에게 지나친 친절을 요구하는 것은 해당 회사나 여승무원 또는 특정 고객의 개인적인 선호나 성향 때문이 아니다. 여승무원이 감정노동을 수행하는 상황은 감정노동에 대한 회사와 고객의 기대가 규범화되고 노동자가 이것을 실현하는 노동과정(labour process)이며, 이때 고객과 회사의 기대는 조직이 속한 사회적 맥락 속에서 형성된다. 따라서 감정노동을 체계적으로 이해하고 해결 방안을 찾기 위해서는 감정노동이 이루어지는 사회경제적 맥락을 살펴보아야 한다.

이 장에서는 이런 사회경제적 맥락과 관련 담론에 대한 이론적 고찰을 시도한다. 작업장 내 감정노동의 문제적 상황을 규명하기 위해서는 감정노동 행위와 조직의 규범은 물론 조직이 처한 사회경제적 조건에 대한 이론적인 이해가 필요하다. 그동안 작업장 내 감정노동을 둘러싼 미시적 관계에 대한 연구는 제법 축적되었지만, 이를 심층적으로 이해하고 설명할 수 있는 개념과 이론에 대한 연구는 상대적으로 부족했다. 이 장은 감정노동이 수행되는 사회적 조건으로서 감정 규칙(feeling rules)의 사회성과 감정의 상품화, 소비사회 내 서비스 노동과정이 갖는 특징을 살펴보고 여성이 주요 행위자가 되는 이유를 밝힌다. 나아가 전문직 감정노동을 통해 감정노동의 문제를 해소할 수 있

---

2 경영학·산업심리학·보건학 분야의 연구들은 주로 감정노동을 수행하는 노동자들의 직무수행과 직무 불만족, 소진의 상관관계를 밝히는 데 초점을 두고 있다(이정은, 2010; 김일성·송계충, 2012; 도현옥, 2012; 김태성·허찬영, 2012; 최영호·이규만, 2013; 성연옥, 2013; 김태경·박충환, 2014; 정경숙 외, 2015).

는 가능성을 탐색한다. 이와 같은 논의를 바탕으로 감정노동이 중요한 노동 양식으로 등장하고 그것이 노동자 통제의 핵심 요소가 되는 거시적 맥락의 특징을 규명하고자 한다. 감정노동을 둘러싼 권력관계의 지형과 모순을 드러냄으로써 미시적 현장 연구로는 밝히기 어려운 구조적 이해도 도모하고자 한다.

2. 감정 규칙의 사회성

1) 혹실드의 감정노동 개념화

혹실드는 감정노동이란 노동자들이 고용주가 정한 규칙과 지침에 따라 그들의 감정을 관리하도록 기대받는 과정이며, 그것은 기업 이전에 사회적·문화적 규범의 영향을 받는다고 보았다(Hochschild, 2003). 주어진 상황에서 무엇을 느끼고 무엇을 표현하는 것이 적절한지에 관한 판단은 사회문화적 규범에 영향을 받는다. 그리고 사회규범에 따른 감정의 인지와 표현, 즉 개인들의 감정 관리가 공적 노동 영역으로 이동할 때 감정노동이 된다. 따라서 감정노동을 이해하기 위해서는 감정의 인지와 표현이 어떻게 문화와 사회구조에 의해 규제되는지, 그리고 이것이 집단과 조직에 어떤 영향을 끼치는지 알아야 한다.

혹실드는 감정의 인지와 감정 규칙의 인식, 감정 규칙과 사회구조 사이의 관계, 감정 규칙과 감정노동 사이의 관계를 이론화했다. 감정 규칙은 사회구성원으로서의 의식(social membership)의 한 유형이며 사회계급에 따라 달라질 수 있다(Hochschild, 1979: 566). 미국 사회에서 중간계급 부모들은 자녀의 감정을 통제하는 데 더 많은 관심을 갖는 데 비해, 노동자계급 부모들은 감정보다는 행동에 더 관심을 갖고 통제하려 한다. 감정 규칙은 특히 이데올로기의 가장 밑바닥에 자리 잡고 있다. 이데올로기를 현상을 해석하는 프레임으로 정의할 때 감정 규칙은 이 해석적 프레임의 가장 저변에서 감정의 정상성과 비정상성을 판단하는 지침으로 작용한다.

2) 감정노동의 국가 간 비교

감정노동이 각 사회의 문화적 규범과 사회구조적 맥락에 영향을 받는다는 것은 사회학적 추론에 의한 논리적 주장이지만, 현실에서도 이를 검증하기 위해 노력하고 있다. 작업장에서 감정노동을 실증적으로 분석하기 위한 도구를 개발한 그랜디(Alicia Grandey)는 감정노동 연구 시 문화적 차이를 이해하는 것이 중요하다는 사실을 밝혔다(Grandey et al., 2005). 미국과 프랑스에서 서비스 노동자를 연구한 결과 프랑스 서비스 노동자들에게서는 감정 규제와 직무 불만족 사이의 관계가 약하게 나타났다. 이에 비해 미국의 노동자들은 감정에 대한 제도적 지향이 강해 감정노동 규칙을 깊이 수용하고 있었다. 프랑스 문화의 충동적 지향은 노동자들이 자신의 감정을 표현할 수 있는 자율성을 부여하는 반면, 미국 문화의 제도적 지향은 노동자들이 제도적 요구를 수용하고 감정 규칙에 따라 자신의 감정을 표현하도록 만든다는 것이다.

메스퀴타(Batja Mesquita)와 델보(Ellen Delvaux)도 일상적인 감정 규칙과 표현 규칙은 각 사회의 문화적 맥락에 따라 다르며, 그 결과 작업장에서 노동자들이 경험하는 감정노동의 성격도 달라진다고 주장했다(Mesquita and Delvaux, 2013). 그들은 특히 미국과 일본의 문화적 규범의 차이를 배경으로 미국인과 일본인, 유럽계 미국인과 아시아계 미국인은 일상생활에서 내면화해온 감정 규범의 차이에 따라 상이한 감정 규칙과 표현 규칙을 가지고 있으며, 감정노동의 결과도 다르게 경험한다고 보았다. 개인의 자율성과 자기표현을 중시하는 독립적인 문화에서 살아온 미국인 또는 유럽계 미국인과, 공동체와 관계 중심적인 삶을 우선시하는 상호 의존적 문화에서 살아온 일본인과 아시아계 미국인은 서로 다른 감정 규칙과 표현 규칙을 가지고 있어 감정노동의 해석도 달라진다는 것이다. 개성을 중시하는 미국인은 자신의 감정을 표현하지 못하는 경우 억압(suppression)을 경험하지만, 타인의 감정을 먼저 고려하는 일본인은 자기감정을 드러내지 않는 것을 성숙(maturity)이라고 해석한다. 이렇게 될 경우 각각의 노동자들이 겪는 감정노동의 결과는 달라질 수 있다. 일본인과 아시아계 미국인은 미국인이나 유럽계 미국인에 비해 감정노동을 좀 더 쉽게 수용하고 부정적인 결과에서 좀 더 자유롭다는 것이다.

앨런(Joseph Allen)과 동료 연구자들 역시 그동안 감정노동은 주로 북미의 사례를 중심으로 연구되어왔으며 이렇기 때문에 사회문화적 규범이 다른 사회와의 비교를 통해 보완되어야 한다고 보았다(Allen et al., 2014). 그들은 미국과 중국 노동자들의 감정노동 분석을 통해 미국에서는 표면행동(surface acting)의 결과로 소진을 초래할 수 있는 감정 표현 규칙이 분명한 데 비해, 중국에서는 훨씬 더 약하게 나타난다는 점을 밝혀냈다. 심층행동(deep acting) 역시 중국에서 훨씬 더 약하게 나타나며 비인간화(depersonalization)와의 관계도 약했다. 이런 결과를 토대로 앨런과 동료 연구자들은 집단주의 문화에서는 개인주의 문화에서보다 감정노동이 훨씬 덜 부정적인 결과를 가져온다는 결론을 내렸다. 개인주의 문화에서는 감정을 개인의 권리이자 중요한 경험으로 보기 때문에 감정 표현이 개인의 자기표현 수단으로 정의되고 있다. 이에 비해 집단주의 문화에서는 개인의 자기주장적 행위보다는 집단 내의 조화와 협동을 강조하는 경향이 있으며, 이때의 감정은 내적 자아보다는 사회적 상호작용과 관련된다. 따라서 집단주의 사회에서는 감정적 표현이 좀 더 통제되며 타인과의 관계에 미치는 영향에 초점이 맞춰진다. 그 결과 개인주의 문화는 감정적 표현을 촉진하는 데 비해, 집단주의 문화에서는 감정적 억제가 장려된다(Allen et al., 2014: 23).

감정노동은 또한 국가의 정치·경제적 구조에 따라 달라진다(Korczynski, 2009: 88). 각국에서 노동과 자본이 맺는 관계의 성격에 따라 노동조직과 그 안에서의 감정노동의 성격도 달라지는 것이다. 미국과 같은 단기적 관점의 신자유주의 경제에서의 서비스 노동조직은 스웨덴 같은 장기적 관점의 사회적 참여 체계를 갖춘 경제에서의 노동조직과는 다르다. 노동유연성의 차원에서 단기주의(short-termism)는 관리자들로 하여금 노동력 충원의 용이함과 해고를 통해 조직의 안정성과 유연성을 추구하게 한다. 이에 비해 장기적 관점의 사회참여 경제(long-termist socially embedded economy)에서는 관리자들에게 훈련을 통해 노동의 안정성과 유연성을 결합하라는 압력이 가해진다. 즉, 감정노동 역시 두 개의 정치·경제 체제에서 다른 양상으로 존재하게 된다. 감정노동의 의무를 지고 있더라도 강한 존재론적 안정성을 가진 노동자는 문제적 상황에 직면할 위험이 적은 데 비해, 존재론적으로 불안정한 노동자는 감정노동 수행에서 적지 않은 위험에 처할 수 있다(Ashman and Gibson, 2010). 따라서 장기적 관점을 지닌 스웨덴 사회에 비해 단기적 관점에서 노동력을 활용하는 미국의 노동자들은 감정노동 수행에 더 큰 어려움을 겪을 것이다.

3. 감정의 상품화

1) 감정의 재발견

감정은 사회구조에 의해 형성되고 사회구조는 감정에 영향을 받지만(Gordon,

1990), 사회학에서 감정은 주변적인 주제에 머물러왔다. 감정을 사적이고 비합리적인 느낌이나 감각으로 여기거나, 역사적으로는 여성의 히스테릭한 몸과 위험한 욕망에 관련된 것으로 무시해왔다(Williams, 2001). 서구 사상사에서 플라톤(Platon)이나 데카르트(Rene Descartes) 등 대표적인 이론가들은 감정을 이성에 의해 길들이고 억제하며 때로는 몰아내야 하는 것으로 정의했다. 인간 행위자는 합리적인 존재로서 탈육화된(disembodied) 추상적 언어로 규정되었고, 합리적 존재란 '효용'이나 '선택'의 관점에서 정의되었다.

그러나 사회학의 고전 이론가들이 감정에 대한 탐구 자체를 봉쇄한 것은 아니다. 마르크스(Karl Marx)는 인간을 이성과 감정을 지닌 존재로 내세웠고, 뒤르켐(Emile Durkheim)은 집합 의식과 같은 비합리적이고 신성한 에너지의 힘을 인식하면서 인간을 이성과 감성이라는 두 요소를 지닌 이중적 존재(homo duplex)로 보았다. 베버(Max Weber)도 카리스마적 리더십에서 감정적 요소의 힘을 확인했다. 고전 이론가 중 감정에 대해 가장 깊은 논의를 제시한 지멜(Georg Simmel)은 『메트로폴리스와 정신생활(The Metropolis and Mental life)』에서 대도시에서 나타나는 개인성의 심리학적 토대를 감정에서 찾았다. 그러나 고전 사회학 이론가들이 감정의 중요성을 발견하기는 했지만, 그들의 이론 안에서 감정은 비합리적이며, 이성의 지배 아래 놓여야 하는 것이었다.

감정과 이성의 관계를 역전시키고 인간의 삶에서 감정이 지닌 중요성을 밝힌 것은 페미니스트들이었다. 여성주의 이론가들은 감정에 오염되지 않는 이성 관념이나 세계를 이성적으로 통제할 수 있다는 생각은 남성의 경험에서 만들어진 탈육화된 환상이라고 비판했다. 그들은 이성 중심적 서구 사상에 내포된 남성 중심적 편견과 가부장적 뿌리를 드러내면서 이성과 감정, 머리와 마음, 사실과 가치는 서로 영향을 주고받으며 강화해나가는 것이라고 주장했다(Simon, 2001). 감정은 오히려 이성에 방향을 제시하며, 신뢰할 만한 지식이 적절한 감정을 낳고, 적절한 감정이 신뢰할 만한 지식 형성을 촉진한다는 것이다(Jaggar, 1989: 151~176).

2) 감정사회와 탈감정사회

이성에서 감정으로, 머리에서 몸으로 사회적 관심이 이동하면서 후기 근대 사회의 감정은 점차 자본주의적 생산의 도구이자 이윤 추구의 수단이 되어왔다. 이는 감정의 상품화 현상이다. 금욕과 자기 규율, 자기 억제를 강조한 근대적 노동 윤리가 쇠퇴하고, 상품 미학과 감각적 욕망 충족을 자기실현의 이상으로 삼는 소비 윤리가 대두하면서, 성취 논리는 개인적 표현의 감정 논리로 대체되어왔다(Simon, 2001: 9에서 재인용). 그 결과 감정 관리가 시장에 도입되어 상품이 되거나 상품화된 노동 양식을 낳았다. 서비스산업의 팽창과 포스트 포드주의 경제조직으로의 전환은 감정이 점차 팔릴 수 있는 자산이나 시장 상품이 될 수 있다는 것을 보여주었다. 이제 감정은 노동에 포함되어 상업적 이윤을 낳는 큰 산업(big business)이 되었다(Simon, 2001).

감정을 관리하고 제조된 감정을 판매하는 산업이 팽창하면서 사회에는 이른바 '대중요법 전문가(therapeutic expertise)'가 늘어나고 있다. 심리 상담사, 정신분석가, 사회복지사, 자조 매뉴얼에 이르기까지 인간의 감정을 관리하고 골칫거리를 해결하며, 삶에서 최상의 것을 실현할 수 있는(혹은 할 수 있다고 여겨지는) 방법을 가르치는 사람들이 감정에 대한 기술적 개입을 장려한다. 이런 사회적 상황을 사이먼(Simon Williams)은 '감정사회'라고 이름 붙이고 그 특징을 여섯 가지로 정리했다(Simon, 2001). 그것은 ① 합리성에 대한 도전, ② 사회 이론에서 몸의 중요성에 다시 주목, ③ 소비문화와 감정노동의 확대, ④ 감정의 부침(浮沈)을 다루는 심리요법과 기분 전환용 약물 산업의 팽창,

⑤ 대중매체를 중심으로 한 감정의 과도한 노출, ⑥ 21세기의 생활 정치와 친밀성의 민주화이다.

반대로 메스트로비치(Stjepan Mestrovic)는 감정에 대한 기술적 개입을 거짓된 감정들의 생산으로 보아 후기 근대사회를 '탈감정사회'로 규정한다. 오늘날 사회적 삶에서 뚜렷하게 나타나는 특징은 감정적 삶의 기계화 경향이며, 이는 인간의 삶에서 진짜 감정을 몰아내는 현상이기 때문이다(Mestrovic, 1997). 그에 따르면, 21세기 서구 사회에서는 개인과 문화 산업 전반에서 합성된 유사 감정들이 생산되는 광범위한 조작이 일어나고 있다. '감정의 맥도날드화(MacDonaldization)'가 대표적인 현상으로, 극단적인 효율성과 합리성을 추구하는 맥도날드화가 감정 영역에서도 발생하고 있다는 것이다. 그 결과 대중은 한입 크기로 포장되고 합리적으로 제조된 감정을 소비한다. 감정의 해피밀이다. 이처럼 감정과 마음의 습관이 조작되어 진짜 감정은 사라지고 유사 감정들이 확대되고 있다. 그 결과 오늘날 서구 사회는 응어리진 분노와 면밀히 감시되는 친절함이라는 두 가지 유사 감정이 지배하게 되었다는 것이다(Mestrovic, 1997: 28).

감정사회나 탈감정사회 모두 인간이 느끼는 감정과 그것에 관련된 집합표상들이 제조되고 연출되며 상품화되는 현상을 가리킨다. 이것을 감정사회라고 보는 시각은 감정이라는 분야가 후기 근대사회에서 상품화의 주요 격전지가 되고 있다는 사실에 초점을 맞추기 때문이다. 이에 비해 탈감정사회라는 주장은 감정의 상품화로 개인들이 자신의 진짜 감정을 경험할 기회가 줄어들고, 이미 만들어진 유사 감정을 수용할 수밖에 없게 된 상황을 강조한다. 따라서 이 두 주장 모두 감정이 경제행위의 대상이 되고 경제적 교환의 논리에 지배당하는 감정자본주의의 수단이 되고 있다는 의미로 해석될 수 있다(일루즈, 2010).[3]

4. 소비사회와 서비스 노동과정

1) 소비사회의 서비스 노동

"우리는 더 이상 무엇을 만들지 않는다. 그 대신 우리는 어떤 것을 산다"(Warhurst and Nickson, 2009: 385~404). 소비사회(consumer society)에서 인간의 정체성은 무엇을 만드는지보다 무엇을 사는지에 따라 규정된다. 소비는 도구주의적 노동에서 경험한 소외감을 떨쳐 버리고 불안정해지는 고용조건 앞에서 자신이 살아 있다는 것을 느낄 수 있게 하는 강렬한 기회이다. 많은 사람들에게 생산영역에서의 삶은 엄격하고 견뎌내야 하는 것이며, 소비하는 쾌락을 누리기 위한 수단으로서만 수용될 수 있는 짐 같은 것이 되고 있다(바우만, 2009). 그 결과 "소비자는 왕"이라는 규범은 전 세계 자본주의 사회에서 지배적인 규칙이 되었다. 그러므로 개인들은 노동자보다 소비자로서 자신의 권력을 체험하고자 한다.

소비사회에서 서비스 노동은 자본주의의 문화적 모순이 내재된 노동과정이다(Korczynski and Ott, 2004). 생산과 소비가 직접 만나는 지점이기 때문이다. 제조업과 정보 기반 서비스에는 생산과 소비 사이의 시간적·공간적 완충지대가 존재하며, 이 완충지대는 두 영역 사이의 상이한 논리의 작용을 가능하게 한다. 그러나 생산과 소비가 동시에 일어나거나 때로 생산과 소비가 지리적으로 한 공간에 존재하는 대인 서비스 상호작용에서 이 상이한 두 논리는 어

3 감정자본주의란 감정 담론과 실천이 경제 담론과 실천을 구성하고, 경제 담론과 실천이 감정 담론과 실천을 구성하는 문화를 의미한다. 즉, 한편으로는 정서(affect)가 경제적 행위의 본질적 측면으로 변모하고, 다른 한편으로는 감정생활(특히 중류계급의 감정생활)이 경제적 관계, 경제적 교환의 논리를 따라가는 문화를 가리킨다(일루즈, 2010: 19).

떻게 구현될 수 있는가? 특히 고객에 의한 소비가 이루어지지 않으면(고객이 서비스를 구매하지 않으면) 생산조차 인정되지 않는 고객 응대 서비스(front-line services)는 생산과 소비의 대립이 현실화되는 과정이다.

고객 응대 서비스는 무형성(intangibility), 저장 불가능성(perishability), 변이성(variability), 생산과 소비의 동시성, 생산과 소비의 분리 불가능성이라는 특징이 있다(Macdonald and Korczynski, 2008). 따라서 기업의 입장에서 볼 때 서비스업의 노동과정은 매우 취약한(fragile) 과정이다. 고객은 어지간해서는 '관리할 수 없는(unmanageable)' 존재이므로, 노동자들은 감정노동으로 개성과 변덕, 비이성적 측면을 지닌 고객을 사로잡고 그들의 지갑을 열게 해야 한다. 따라서 고객 응대 서비스 노동에서는 감정노동에 대한 기업의 요구와 통제가 극대화된다.

2) 고객 지향 관료제의 이중적 전략

고객 응대 서비스의 노동과정은 관료제적 통제와 고객 지향이라는 이중적 논리에 의해 조직된다(Korczynski, 2009). 이를 고객 지향 관료제(customer-oriented bureaucracy)라고 하는데, 이것은 노동과정의 합리화와 고객의 비합리적 속성에 대한 지향성이라는 이중의 논리를 포함한다. 이런 이중성(dualism)을 오페(Claus Offe)는 다음과 같이 지적했다.

> 한편으로 상황과 고객 요구의 개별성, 개인성, 우연성, 변이 가능성이 충족되어야 하며, 다른 한편으로는 일반적 규칙에 일치하는 상태를 만들어야 한다. 서비스 노동은 개체화(individuation)와 분화 과정에 관심을 두는 반면, 조정과 표준화 요구도 중요시한다. 이 둘 사이의 균형이 이루

어질 때 서비스 노동은 성공한다(Korczynski and Ott, 2009에서 재인용).

첫째, 노동과정의 합리화는 단순화(routinization)를 포함하며, 리처(George Ritzer)의 맥도날드화를 의미한다. 효율성, 계산 가능성, 예측 가능성, 그리고 통제의 차원에 따라 노동과정을 표준화·단순화함으로써 생산과정에 대한 통제를 용이하게 하는 것이다. 리처는 많은 서비스 노동이 합리화된 결과, 높은 수준의 무의미성(nothingness)을 특징으로 한다고 보았다(Ritzer and Lair, 2009). 노동의 무의미성이란 중앙의 기획·통제 때문에 자신만의 독특하고 실제적인 내용이 부재하는 노동 양식을 말한다. 패스트푸드 레스토랑이 대표적인 사례이다. 프랜차이즈화된 패스트푸드 레스토랑은 노동과정의 구상과 기획이 중앙에서 이루어지므로 지역의 프랜차이즈 레스토랑에서는 어떤 혁신도 불가능하다. 또한 이런 패스트푸드 레스토랑은 장소, 사람, 사물, 서비스 모두에서 구별되는 특징이 없는 무의미성을 내포한다. 그것은 물리적 공간에서 지역적인 특징이나 지역과의 연결성이 없으며(non-places), 종업원들을 개성이나 인간성이 없는, 회사에 의해 규격화된 행동만을 수행하는 사람들(non-people)로 변화시킨다. 또 시간이나 계절, 장소나 지역과의 특정한 연결성을 상실한 상품들(non-things)과 획일적인 상품들을 생산한다. 개성과 인격이 없는 종업원들이 생산하는 서비스는 획일적이거나 공허한 것(non-service)이 될 수밖에 없다.

리처는 많은 서비스 노동이 높은 수준의 무의미성을 갖는다고 보았다. 서비스 노동도 공장 노동처럼 단순 반복적이고 합리적인 노동으로 대체할 수 있는 것이 되어가는데, 그것이 바로 맥잡(Mcjobs, 맥도날드화된 직무들)이다. 이러한 직무들에서 노동자와 고객의 상호작용은 회사에 의해 미리 계산되고 통제된다. 그리고 회사 시스템의 설정에 부합되지 않는 숙련된 노동이나 노동자의 개성은 축출된다(Ritzer and Lair, 2009: 37).

둘째, 서비스 마케팅은 고객의 감정과 개성을 고려하고 소비자 권력이라는 욕망을 충족시켜야 한다. 이를 위해 기업은 소비자 주권의 매혹적 신화를 활용한다. 소비자 주권의 매혹적 신화(the enchanting myth of customer sovereignty)란 고객 자신이 주인공인 환상의 세계(a fantasy world)로 데려가 왕처럼 절대적인 권력을 지닌 존재로 행동할 수 있게 만드는 것이다. 자본주의적 소비의 핵심은 '매혹(enchantment)'이다. 시간과 공간, 자아상, 사회적 관계, 상품의 배열에서 소비자 스스로 의미를 부여한다고 생각하게 하는 쾌락적 꿈과 환상을 창조하는 전략이다. 소비의 궁전에서 고객은 군주가 되고, 거짓인 줄은 알지만 진실처럼 느껴지는 환상 속에 머문다(Korczynski and Ott, 2009: 581).

"고객은 왕이다"라는 구호는 두 가지 의미를 지닌다. 첫째, 고객은 최고의 지배자, 절대 권력을 가진 존재라는 것이다. 둘째, 신고전주의 경제학에서 주장한 것처럼 고객은 자유롭게 선택하는 자율성을 가진 개인이라고 본다. 레스토랑에서 메뉴판을 제공하는 행위는 고객이 다양한 선택지 중에서 원하는 것을 결정할 수 있는 자율적 존재라는 느낌과 그러한 선택을 내릴 수 있는 권력을 지닌 존재라는 점을 확인시켜주는 의식(ritual)이다. 무릎을 꿇고 고객에게 메뉴판을 보여주는 서비스 노동자는 고객으로 하여금 자율적 선택과 권력의 쾌락을 느끼게 하는 의식을 거행하고 있는 것이다.

이러한 서비스 노동과정은 관리자-고객-노동자의 삼각관계(service triangle) 시스템 속에서 전개되며, 여기서 서비스 노동자는 두 명의 상사(bosses)를 모시는 셈이 된다. 그러나 이 두 상사를 대하는 규칙은 서로 상반되며(합리화와 고객 지향), 그 두 규칙 사이에서 노동자는 분열을 경험한다(two bosses dilemma). 따라서 백화점 노동자들은 고객과 깊은 모순적 관계에 있다. 한편으로 고객과의 관계는 만족의 핵심 영역이지만, 다른 한편으로 고객은 불만의 핵심적

자원(모욕과 고통)일 수 있다. 서비스 노동에서 고객은 노동자의 친구이자 적이 되는 것이다(Korczynski, 2009: 74).

5. 감정노동과 젠더

1) 감정노동과 여성

감정노동은 여성에 의해 수행되는 경향이 뚜렷하다. 노동조직이 성별화된 상황에서 타인의 감정을 배려하는 일은 여성에게 적합하다고 믿는 성별 고정관념이 낳은 결과이다. 혹실드는 노동자와 고객 사이의 상호작용은 젠더에 따라 달라지며, 여성들은 순종(deference)을 요구하는 직무에 많은데 그 원인이 그들의 낮은 사회적 지위에 있다고 보았다. 또한 여성은 남성보다 타인의 부정적 감정에 대해 지위 보호막(status shield)이 약하기 때문에 더욱 취약한 조건에 있다고 주장했다(Hochschild, 2003).[4] 토이츠(Peggy Thoits) 역시 여성

4 혹실드는 노동시장에서 여성은 남성보다 낮은 지위에 있으며, 이런 현실은 네 가지 결과를 가져온다고 보았다(Hochschild, 2003: 207). 첫째, 다른 자원이 없는 여성들은 감정을 자원 삼아 자신에게는 없는 물질적 지원을 얻는 대가로 남성에게 보상을 한다. 둘째, 감정노동은 남성과 여성에게 각기 다른 방식으로 중요성을 갖는다. 이것은 남성과 여성이 서로 다른 종류의 감정노동을 할 것을 요구받는 경향이 있기 때문이다. 전반적으로 여성은 승무원과 같은 종류의 감정노동으로 특화되는 편이며, 남성은 추심 쪽으로 특화된다. 여성 승무원은 친절과 돌봄이라는 배려적 감정노동을 수행하는 데 비해, 남성 추심원은 공격적인 태도로 상대방의 공포심을 유발해 원하는 결과를 얻기 때문이다. 시장에서 감정노동이 이렇게 특화되는 이유는 어린 시절 여자아이와 남자아이가 서로 다른 방식으로 감정 훈련을 받기 때문이다. 각각의 특성화된 경향은 남성과 여성에게 각기 다른 감정적 과제를 부여한다. 셋째, 여성을 경시하는 문화는 다른 사람의 감정에 맞서는 여성 개인의 '지위 보호막'을 약하게

이나 소수 인종, 저숙련 노동자처럼 구조적으로 불리한 위치에 있는 사람들은 감정노동과 관련해 이중적인 규범적 구속(a normative double bind)에 갇혀 있다고 보았다(Erikson and Ritter, 2001: 146~163에서 재인용). 그들은 비슷한 유형의 감정적 반응을 이끌어내는 조건(예를 들어 분노 폭발)에 노출되어 있지만, 그들의 불리한 사회적 지위 때문에 자신들의 부정적인 감정을 숨겨야 한다. 규범과 경험의 불일치(norm-state discrepancy), 즉 감정 규범과 개인의 사적인 감정 경험 사이에서 불일치를 겪는 것이다.

특히 여성이 전통적으로 수행해온 돌봄 노동은 서비스 노동자의 종속성을 강화한다고 알려져 있다(Lively, 2000; Lopez, 2006). 돌봄 노동 자체가 높은 수준의 감정노동을 포함하지만, 돌봄 행위를 포함하는 직업들의 낮은 임금수준은 감정노동 수행자의 노동조건에 부정적인 영향을 줄 수 있다. 레스토랑의 서빙 업무도 여성의 가사 노동의 연장선상에서 이해되어왔기 때문에 평가절하된다는 지적이 있을 만큼 돌봄과 감정노동은 깊은 관련이 있고, 감정노동이 낮은 평가를 받는 원인이 되고 있다(Wharton, 2009에서 재인용).

2) 불평등의 상호 교차성과 감정 프롤레타리아트

맥도널드(Cameron Macdonald)와 메릴(David Merrill)은 서비스 노동에서 지배의 매트릭스(the matrix of domination)를 살펴볼 것을 주장한다(Macdonald and Merrill, 2009). 지배의 매트릭스란 첫째, 관리자-고객-노동자의 서비스

만든다. 넷째, 관리된 마음 중 상업적으로 활용되는 부분이 서로 다르다는 것이다. 여성은 성적인 아름다움이나 관계를 맺는 기술이, 남성은 분노 행사나 위협 능력이 시장가치를 지닌다.

삼각형 속에서 관리자들은 서비스의 성격과 의미에 대한 고객의 기대를 가정하고, 서비스 제공자의 '유형(type)'을 여기에 맞추려고 노력한다는 것이다. 가정된 고객 선호에 따라 관리자는 노동자를 고용하고 훈련시키며, 이 과정에서 성별과 인종을 포함한 지위 기표들을 활용한다. 둘째, 실제 서비스 노동 과정에서 노동자들은 자신들이 지닌 성별이나 인종과 같은 귀속적 특징에 따라 상이한 노동을 수행하도록 요구받는다.

나아가 감정노동은 권력과 지위, 젠더의 교차성(intersectionality)의 맥락에서 검토되어야 한다(Wharton, 2009). 노동자의 성별과 인종, 계급, 연령, 섹슈얼리티, 장애, 그리고 다른 지위와 관련된 특징들은 서비스에 관한 고객의 기대를 형성하는 서비스 상호작용의 기표로 기능한다. 따라서 감정노동은 단순히 젠더나 인종, 계급 같은 개별적인 요인의 작용이기보다는 이런 요인들이 상호교차하면서 하위집단을 형성하고 서비스 노동의 종속성이 재생산되어 만들어진 것이다. 이런 관점에서 맥도널드와 시리아니(Carmen Sirianni)는 노동시장에서 가장 하위에 위치한 감정노동 수행자들을 감정 프롤레타리아트(emotional proletariat)로 규정했다(Macdonald and Sirianni, 1996). 그 대표적인 집단으로 고객 응대 노동자를 들 수 있다. 대면 또는 음성으로 서비스 노동을 수행하는 노동자들은 그들의 감정노동을 규제하는 감정 규칙 통제력을 갖지 못하며, 고객과 종속적 위치에 있다는 것이다. 미국의 경우 2000년에 실시된 센서스 조사 결과, 전체 직업 중 73개의 직업이 여기에 해당하며 남성보다 여성이 두 배 더 많았다(Macdonald and Merrill, 2009: 119). 또 흑인과 라틴계 여성이 백인과 아시아 여성에 비해 감정 프롤레타리아트에 조금 더 많이 분포했다.

6. 전문직 감정노동과 노동자의 자율성

서비스 노동자에게 "고객은 친구이자 적"이라는 말은 생산과 소비가 직접적으로 부딪치는 서비스 노동에 내포된 모순을 보여준다. 그리고 감정노동은 서비스 노동의 실현에서 가장 핵심적인 요소로 기업에 의해 통제된다. 그러나 모든 감정노동이 종속적인 것은 아니다. 전문직 서비스 노동에 대한 연구는 변호사나 의사와 같이 권력과 권위를 지닌 전문직에서도 고객(client)과의 상호작용이 중요하다는 사실을 보여준다(Pierce, 1995; George, 2008). 그러나 이들은 서비스 노동과정에서 훨씬 더 큰 자율성을 갖는다. 이들은 서비스 노동자라기보다 특권을 지닌 감정 관리자로서 오랜 기간 고객에 대한 감정 관리 기법을 훈련받으며 자율성을 행사할 수 있는 자원을 축적한다. 그 결과 전문직 서비스 종사자들은 고객과의 상호작용에서 감정적 중립성, 감정적 거리두기를 수행하고 이를 통해 오히려 자신의 권위를 확보한다. 전문직 서비스 안에서도 여성이 돌봄과 더 많은 감정노동을 수행하고 있지만, 감정 프롤레타리아트라고 일컬어지는 하위 서비스 노동자들과 달리 이들은 노동과정의 자율성을 가지고 감정적 거리를 유지한다.[5]

또 서비스 노동과정에서도 노동자들이 자율성을 얻기 위해 여러 가지 방식의 저항을 시도하고 있다는 보고도 있다(Wharton, 2009에서 재인용). 패스트푸드 레스토랑이나 콜센터 근무자들은 세밀한 대본에 따라 일하고 엄격하게 모니터링받는다. 이런 규칙들은 노동자들의 자아 정체감을 훼손할 수 있지만,

5 또 감정노동 과정에 대한 젠더의 영향은 분명하지만, 그 결과인 소진에 대한 효과는 젠더보다는 노동의 자율성에 따라 달라진다는 연구도 있다(Erikson and Ritter, 2001). 젠더만이 아니라 노동자의 지위와 노동과정의 자율성 같은 여러 가지 요인의 착종적 결과가 중요하다는 것이다.

늘 부정적인 결과만 가져오는 것은 아니다. 노동자들이 작지만 의미 있는 인간적인 방식으로 고객과의 상호작용에 변화를 주거나 주어진 대본으로부터 거리를 두는 전략을 취하고 있기 때문이다. 반대로 대본에 철저하게 의존함으로써 무례한 고객과의 감정적인 관계 맺기를 거부하고 자신을 보호하기도 한다. 이처럼 다양한 실천을 통해 노동자들은 자율성을 회복하고 자기 존중감을 유지해나가려고 한다.

이러한 사례들은 감정노동의 해결 방안에 중요한 방향을 시사한다. 서비스 노동은 인간과 인간의 상호작용을 통해 이루어지는 만큼 감정적 요소를 배제할 수 없다. 적절한 감정과 돌봄은 서비스의 질을 향상시키고 노동자와 고객 모두에게 만족을 줄 수 있다. 그러나 고객에 대한 노동자의 일방적 복종과 무조건적인 친절의 강요는 감정노동을 가장 문제가 많은 노동으로 만들 수도 있다. 중요한 것은 노동자의 자율성이다. 고객의 감정에 관심을 갖되 수평적 관계에서 일정한 거리를 유지하며 고객의 요구에 충실히 응하려는 태도와 훈련이야말로 감정노동의 폐해를 예방할 수 있는 중요한 수단이 될 것이다.

7. 맺음말

지금까지 서구 사회에서 제기되어온 감정노동 관련 논의를 살펴보았다. 감정노동은 기업이 속한 사회적 맥락과 사회의 감정 규범에 따라 규칙이 주어지고 통제된다는 것을 알 수 있었다. 후기 근대사회에서 나타나는 감정의 상품화와 소비사회의 고객 주권 신화, 생산과 소비가 맞부딪치는 서비스 노동과정의 특징은 감정을 이윤 추구의 수단으로 변질시키고 감정노동을 엄격한 노동 통제의 대상으로 만들어왔다. 그리고 이런 사회적 맥락에서 젠더와

계급, 인종 등 노동자가 지닌 귀속적 특징들이 서로 뒤엉키게 되었고, 고객과 관리자는 이를 감정노동의 기표로 해석해왔다. 그 결과 서비스 노동의 가장 하위 집단으로서 고객 응대 노동을 수행하는 종속적인 감정노동자들이 대규모로 생산되었다.

한국 사회에서 감정노동 논의는 사회학과 경영학, 보건의료학 등 각 학문 영역에서 구체적인 직무를 중심으로 이루어졌다. 이는 다양한 산업에 종사하는 서비스 노동자들의 감정노동과 감정 부조화, 스트레스와 소진의 정도 및 상관관계를 파악하고 노동조건의 변화를 통해 해결 방안을 제시하려는 시도들이다. 또 감정노동을 측정하기 위한 척도 개발과 감정노동 수행자의 규모와 피해 정도를 확인하기 위한 연구, 감정노동자의 건강을 보호하기 위한 의료적 접근 등 다각적인 노력도 시도되었다(장세진 외, 2013; 김인아 외, 2014). 이런 연구들은 작업장 내 근로조건을 개선하고 노동자의 자기 점검을 위한 도구(체크리스트 등)를 제시하는 미시적인 것에서부터 공공 부문과 민간 부문의 비교, 정규직과 비정규직의 비교를 거쳐 근로 환경의 변화를 탐색하는 시도에 이르기까지 폭넓게 존재한다(김왕배 외, 2012).

이 장에서는 이런 실증적인 연구들의 유용성을 인정하는 동시에 다른 시각으로 감정노동 문제를 다루어보고자 했다. 이 장은 2000년대 이후 감정노동이 한국 사회에서 중요한 문제로 부각된 사회적 맥락을 어떻게 이론적으로 읽어낼 수 있는지에 대한 고민에서 시작되었다. 그리고 이를 위해 서구에서 수행된 감정노동 연구를 살펴보았다. 한국 사회에서는 거시적 맥락을 이해할 수 있는 이론적 접근이 더 필요하다는 의도에서였다.

지금까지의 논의를 토대로 한국 사회의 감정노동의 사회적 맥락을 짚어보면, 1960년대 이래 국가의 강력한 노동 통제와 자본의 절대적 우세 속에서 노동자의 자율성을 극도로 제한하는 방식으로 노동과정이 조직되어왔다는 사실을 알 수 있다. 여기에 1990년대 들어 후기 근대적 소비문화가 확산되고 시장중심주의가 지배적인 이데올로기로 자리 잡게 되면서 서비스산업이 팽창했으며 감정노동의 영역이 확산되었다. 특히 1990년대 말 외환 위기를 겪으면서 신자유주의 경제체제를 더욱 적극적으로 수용해온 한국 기업은 비정규직 등 노동의 유연화와 일상적인 구조 조정을 통해 노동에 대한 지배력을 극대화했다. 또 서구에 비해 여전히 폭넓게 존재하고 있는 가부장적·권위주의적 조직 문화는 노동의 위계와 노동자의 종속성, 여성 노동의 저위성을 지속시켰다. 이런 맥락에서 서비스산업을 중심으로 고객이나 소비자와 직접 접촉하는 노동과정의 최전선에 위치한 노동자들은 기업의 통제와 고객의 요구를 일방적으로 수용할 수밖에 없는 가장 종속적인 상황에 처해 있다. 이른바 '갑을 관계'의 전형적 사례가 바로 감정노동자와 고객, 기업의 삼각관계에서 발생하고 있다는 것이 이를 증명한다.

따라서 한국 사회에서 감정노동은 개인 간의 갈등이 아니며, 심리적인 차원의 문제만도 아니다. 그것은 노동과 자본, 국가, 소비자까지 포함된 서비스 생산 및 판매의 노동과정에서 가장 취약한 위치에 있는 노동자의 경험이다. 따라서 감정노동의 해결도 개인적·심리적 차원에만 국한될 수 없다. 노동과 자본, 국가와 소비자의 사각 구도 안에서 노동자의 조직적 협상력과 노동과정의 자율성을 확보할 수 있을 때 그 실마리를 찾을 수 있을 것이다.

02

과도한 감정노동과 건강 문제

김현주 이화여자대학교 의료원 직업환경의학과 교수

1. 머리말

감정노동은 세계적으로 서비스산업이 지속적으로 성장하고 있는 가운데 그 안에서 빠르게 확산되고 있는 직업적 유해 인자이다. 감정노동은 '대인 업무를 하는 동안 조직적으로 바람직한 감정을 표현하기 위한 노력, 계획, 관리 과정'으로 정의할 수 있다(Morris and Feldman, 1996). 즉, 감정노동이란 단순히 고객을 친절하게 대하고 도움이 되는 행동을 하는 차원이 아니라 노동자가 기업이 요구하는 목표에 따라 자신의 감정을 만들어내기 위한 목적의식적인 감정 활동이며, 현대사회에서 새롭게 주목받는 노동의 한 형태이다.

미국에서는 노동인구의 약 3%에 해당하는 200만 명 정도가 감정노동 직종에 종사하는 것으로 알려져 있으며, 고객 서비스를 담당하는 소매업, 금융업, 보험업, 호텔과 레스토랑 노동자, 행정 및 지원 업무를 담당하는 노동자를 그

예로 들 수 있다(U.S. Bureau of Labor Statistics and U.S Department of Labor, 2006). 국내의 경우 감정노동 및 건강과 관련된 한 종설에 따르면 감정노동을 수행하는 대표적인 업종에서 대부분의 근무시간을 감정노동으로 보내는 노동자의 비율은 30~60%였다. 취업자 수로는 약 32만 명으로, 전체 취업자의 약 2.2%에 해당되며, 이를 통해 감정노동 고노출군의 규모를 가늠할 수 있다(Korean occupational safety and health institute, 2006). 한편 최근 국내의 한 연구 보고서에서는 감정노동자를 '근무시간의 절반 이상을 감정노동 수행에 사용하는 노동자'라고 정의했을 때 그 규모를 약 500만 명 이상으로 추정하고 있어(김인아 외, 2014), 한국에서 감정노동과 관련된 건강 문제의 규모는 상당할 것으로 생각된다.

감정노동에 관한 외국의 앞선 연구들은 감정노동이 소진(Brotheridge and Grandey, 2002)과 직무 불만족(Pugliesi, 1999) 등의 부정적인 결과와 관련이 있을 뿐 아니라 우울증과 같은 정신 건강 문제를 유발한다고 보고하고 있다. 최근 들어 감정노동이 사회적 이슈로 떠오르면서 국내에서도 감정노동 실태에 관한 연구가 폭발적으로 증가하고 있지만, 감정노동과 건강의 관련성을 파악할 수 있는 자료는 그다지 많지 않다. 예를 들어 국내의 한 학술 논문 검색 사이트에서 감정노동을 검색하면 총 414편의 논문이 확인되지만, 여기에 건강이라는 키워드를 추가하면 약 26편의 논문만이 남는다.

이 장에서는 과도한 감정노동이 건강에 영향을 미치는 기전과 그 구체적인 건강 문제에 대해 살펴보는 한편, 과도한 감정노동과 함께 다양한 직무 스트레스 요인이 감정노동자의 건강에 어떠한 영향을 미치는지에 대해 설명하고자 한다.

2. 과도한 감정노동이 건강에 영향을 미치는 기전

1) 과도한 감정노동이란

감정노동은 육체노동, 정신노동과 같이 노동의 성격을 설명하는 단어로, 그 자체로 유해한 것은 아니다. 하지만 어떠한 노동이든 과도하게 수행하면 건강에 유해할 수 있다. 감정노동의 '과도함'에 대해 정의하기는 어려우며, 이에 대한 논의 역시 드물다.

'과도한 감정노동'의 개념을 이해하기 위해서는 우리나라의 관련 법이 규정하고 있는 유사 개념을 살펴볼 필요가 있다. 국내 노동 관련 법에서 유사한 개념은 '직무 스트레스'와 '과중 업무' 등을 들 수 있는데, 이는 주로 대표적인 과로 관련 질환인 뇌심혈관 질환의 예방 및 보상과 관련해 규정되어 있다. '산업안전보건기준에 관한 규칙'은 직무 스트레스를 "장시간 근로, 야간작업을 포함한 교대 작업, 차량 운전, 정밀기계의 조작 및 감시 작업 등"을 신체적 피로와 정신적 스트레스(이하 '직무 스트레스')가 높은 작업으로 규정하고 있으며(규칙 제669조), '산업재해보상보험법'은 "업무의 양, 시간, 강도, 책임 및 업무 환경의 변화 등에 따른 만성적인 과중한 업무"(시행령 제34조 3항)라는 표현을 사용하고 있고, 고용노동부는 주로 근로시간을 토대로 업무상 과로의 판단 기준을 제시하고 있다.

감정노동의 과도함을 정의하기 위해서는 감정노동의 구성 부분에 대한 이해도 필요하다. 모리스(Andrew Morris)와 펠드먼(Daniel Feldman)은 기존의 연구는 감정노동을 감정 표현의 빈도와 같은 양적인 측면에서만 바라볼 뿐 질적인 면을 고려하지 않는다고 비판하고, 감정노동의 개념을 다차원적으로 제시했다(Morris and Feldman, 1996). 그는 감정노동의 차원을 '적절한 감정 표현의 빈도', '바람직한 감정 표현이 요구되는 정도', '표현되는 감정의 다양성', '감정의 부조화' 등으로 구분했고(Morris and Feldman, 1996), 이런 주장은 감정노동의 구성 부분을 논의하는 계기가 되었다. 감정 부조화는 감정노동이 일어나기 위한 선행조건 혹은 감정노동 그 자체를 유발하는 한 요인으로 간주되기도 하고(Kruml and Geddes, 2000), 감정노동을 수행한 결과 해당 직무 수행자가 갖게 되는 일종의 심리적 갈등상태(Brotheridge and Grandey, 2002)로 파악되기도 한다.

이런 측면에서 보았을 때 '과도한 감정노동'이란 먼저 감정노동의 양과 시간의 측면에서 정의할 수 있다. 즉, 내적인 감정이 외적으로 표현되는 행위[1]의 양, 시간, 강도 등을 중심으로 감정노동의 과도함을 평가할 수 있다. 예를 들면 업무 시간 중 감정노동 수행 시간이 차지하는 비중, 하루에 상대해야 하는 고객의 수 등이 지표가 될 수 있다.

감정노동의 과도함을 평가하기 위한 기준으로서 감정노동의 강도를 파악할 때 유의해야 할 개념은 '감정 부조화'이다. 감정노동이 정신노동이나 육체노동과 구별되는 특징은 감정을 목적의식적으로 관리한다는 점이다. 감정노동자들은 자신의 고유한 감정과는 다른 감정을 표현하도록 요구받는 경우가 발생할 수 있고, 이런 상황에서 노동자는 감정을 관리하며 업무에서 요구되는 표현을 해야 한다. 이를 위해서는 더 많은 노력을 기울여야 하므로, 감정노

1 감정노동을 노동의 형태로 처음 파악한 사람은 혹실드이다. 그는 1983년, 감정노동을 "일반 대중으로부터 주목받는 표정이나 몸짓을 창출하는 데 따르는 느낌(feeling)을 관리하는 것"이라고 기술했다. 즉, 감정을 관리하는 노력이 재화나 서비스를 구매하는 데 영향을 미침으로써 상품의 가치를 결정하기 때문에 이를 노동의 새로운 형태로 보아야 한다는 것이다. 이에 대해 애슈포스(Blake Ashforth)와 험프리(Ronald Humphrey)는 혹실드가 말한 '느낌'이란 현실적으로 파악하기 어려운 것이므로 경험된 내적인 감정보다는 외적인 표현 행위를 중심으로 감정노동을 파악해야 한다고 했다(Ashforth and Humprey, 1993).

동의 강도가 증가할 수 있다.

선행 연구에서도 감정노동의 수행 그 자체가 직무 수행자에게 부정적인 영향을 미친다기보다는 직무 수행 과정에서의 감정 부조화 경험 등 질적인 차원이 감정노동의 매우 중요한 전제 조건이라고 보고하고 있듯(Park, 2009), 과도한 감정노동을 판단하는 중요한 기준의 하나는 감정 부조화의 정도이다. 특히 감정노동자가 인격적 무시, 폭언, 폭행 등을 경험했을 경우 내면에 상처를 입었음에도 부정적인 감정을 이겨내고 업무에서 요구되는 감정을 표현하기 위해 평소보다 더 많은 주의를 기울여야 하기 때문에 감정노동의 강도가 더욱 증가하게 된다.

한편 감정노동의 과도함을 평가할 때 고려해야 할 요소 중 하나는 기업이 감정노동을 통제하는 방식이다. 최근 우리나라의 각 기업에서 앞다투어 시행하고 있는 다양한 고객 만족 제도(Customer satisfaction)의 시행과 운영이 노동자들이 감정노동에 노출되는 데 어떠한 영향을 미치는지를 파악할 필요가 있다. 서비스 품질관리를 목적으로 다양한 방식으로 시행되고 있는 이런 제도들과 관련해 그 실태에 대한 학문적 접근을 찾아보기 어렵다. 하지만 언론 보도 등을 통해 알려진 실태로 볼 때 고객 만족 제도는 노동자의 삶의 질과 건강을 악화하는 원인 중 하나로 제기되고 있다. 근로시간을 기준으로 과로를 판단할 때 야간작업 등 직무 스트레스가 심한 경우 이를 감안해서 해석하듯, 감정노동자가 악성 고객으로부터 자신을 보호할 수 없는 규정을 포함하는 고객 만족 제도를 수행하는 경우 이를 고려해 감정노동의 과도함을 판단해야 할 것이다.

2) 감정노동이 건강에 미치는 영향에 대한 개념적 틀

과도한 감정노동의 결과에 대한 개념적 틀은 그랜디에 의해 제기되었고 (Grandey, 2000), 박찬임 외(2010) 등이 이를 수정해 다음과 같이 제시했다. 이는 감정노동의 결과에 이르는 과정을 상황적 단서 → 감정 규제 과정 → 장기적 결과의 세 단계로 설명한 것이다. 제1단계의 상황적 단서는 앞서 말한 '과도한 감정노동'에 부합하는 개념이다. 이 모델에서 '고객과의 상호작용'은 감정노동을 수행하는 양과 시간의 측면에서 감정노동으로 인한 스트레스의 양적인 수준을 반영하는 것이며, '감정에 부정적인 영향을 주는 사건의 경험과 조직의 행위 규칙 통제'는 감정노동의 질적인 수준 및 강도의 증가 요인으로 설명할 수 있다.

제2단계는 '감정 규제 과정'인데, 이 과정에서 다양한 감정노동의 형태가 나타난다. 이 가운데 감정 부조화와 자발적 연기는 감정노동 때문에 발생하는 결과에 초점을 둔 것이다. 감정 부조화는 조직이 노동자에게 요구하는 감정이 자신의 실제 감정과 같지 않다는 것을 인식하고, 자신의 감정을 표현하는 데 어려움을 느끼는 것이다. 자발적 연기는 조직이 자신에게 기대하는 행위와 감정을 자신의 것으로 내면화한 정도를 말하는 것인데, 심층 행위를 통해 얻은 결과로 근로자가 자발적 연기 단계에 이른다면 감정노동 행위에서 비롯된 정신적 긴장감과 스트레스는 상대적으로 적다고 볼 수 있다.

제3단계는 감정노동이 지속될 경우 나타나는 장기적 결과로 개인의 경우 직무 소진이나 직무 만족, 개인의 사회심리적 건강 문제 및 우울증의 발생 등으로 나타난다. 이 단계에서 과도한 감정노동이 건강에 영향을 미치는 생물학적 기전은 다른 직무 스트레스 요인이 건강에 미치는 영향과 다르지 않을 것이다. 미국 산업안전보건청에 따르면 직무 스트레스란 노동자의 능력, 자원,

〈그림 2-1〉 감정노동과 건강에 대한 개념적 틀

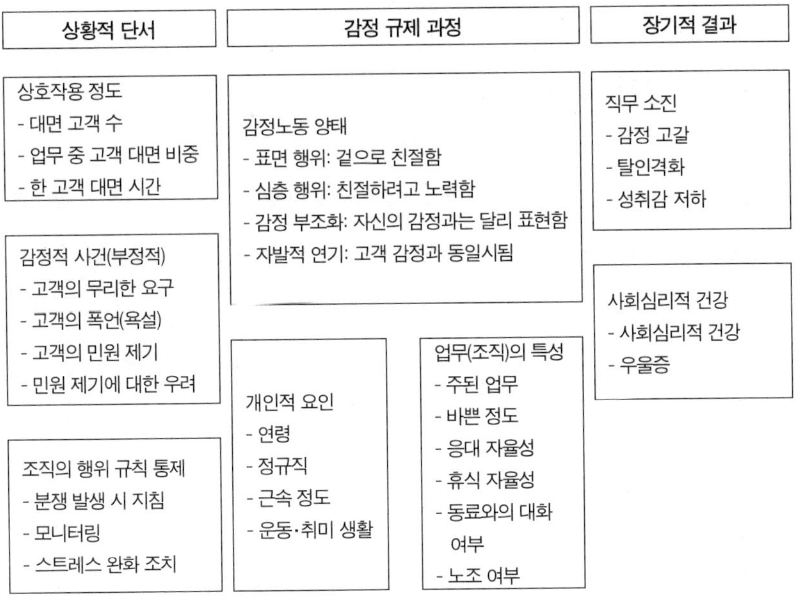

자료: 박찬임(2010).

요구 등이 작업 요구와 조화를 이루지 못할 때 발생하는 유해한 생리적·감정적 반응으로 노동자의 건강 장해와 사고를 초래할 수 있다(Sauter et al., 1999). 여기서 유해한 생리적 반응이란 스트레스 요인에 노출되었을 때 자율신경계 및 신경내분비계에 나타나는 변화를 말한다. 충분히 회복할 수 있는 기회 없이 지속적으로 스트레스 요인에 노출되거나 한 개인이 감당하기 어려울 정도로 강도가 높은, 극단적인 스트레스 요인에 노출되는 경우 질병으로 발전하게 된다. 노동자에게 나타나는 스트레스와 관련된 대표적인 건강 문제는 심근경색, 뇌졸중 등의 뇌심혈관 질환, 우울증 및 적응 장애와 같은 정신 건강 문제, 위궤양, 역류성 식도염, 과민성 대장증후군 등 위장관 질환, 근골격계 통증의 악화 등이 있다.

3. 과도한 감정노동의 건강 영향

1) 감정노동과 관련된 건강 문제

과도한 감정노동이 직무 스트레스 요인의 하나로 스트레스 반응을 일으켜 건강에 영향을 미친다는 점을 생각할 때, 이로 인해 발생한다고 알려진 작업 관련 뇌심혈관 질환, 근골격계 질환, 소화기 질환 등 다양한 건강 문제가 유발될 수 있을 것이다. 그러나 아직까지 관련 연구는 초기 단계이므로 다양한 건강 상태를 분석한 결과와 감정노동의 관련성에 대한 실증적 연구는 부족한 실정이다.

김현주의 종설에 따르면 감정노동의 부정적 건강 결과에 관한 연구는 주로 우리나라에서 2000년대 이후에 발표되었다. 하지만 감정노동의 부정적 결과와 관련된 우울 증상(Kim et al., 2002) 또는 신체 증상에 대한 조사가 이루어졌을 뿐, 대부분의 연구는 소진(Ahn and Park, 2009), 직무 만족도(Park, 2008) 와 이직 의도 및 조직 시민 행동(Ahn et al., 2007) 등의 결과와 감정노동의 관련성에 대한 것이었으며, 감정노동의 건강 영향에 대한 연구는 드문 편이었다(〈표 2-1〉).

추상효 외(2010)가 은행 노동자를 대상으로 한 논문을 살펴보면 감정노동에 쏟는 노력(emotional effort)과 우울 증상 간의 비차비가 남성 1.5, 여성 1.9였지만, 감정 부조화의 비차비는 남성 4.5, 여성 5.9였다. 이는 감정적 노력 및 감정 부조화에 노출되는 노동자는 그렇지 않은 노동자보다 우울 증상의 발생 위험이 1.5~5.9배 높아진다는 의미이다. 여기서 주목할 만한 점은 감정 부조화가 감정노동에 대한 노력보다 우울 증상에 더 많은 영향을 미친다는 것이다(Chu et al., 2010).

〈표 2-1〉 감정노동과 건강 관련 연구

저자(발표 연도)	연구 대상	결과
김수연(2002)	서비스업 노동자 339명	우울 증상 증가
Cho and Jung(2006)	백화점 판매직 574명	신체 불편감 증가
Ahn, Jeon and Kim(2007)	호텔 노동자 165명	직업 만족도 감소
Han et al.(2008)	승무원 268명	직업 만족도 감소
김진덕·이명종(2008)	호텔 노동자 255명	감정적 소진 증가
박봉규(2008)	호텔 노동자 465명	직업 만족도 감소
김인순(2009)	공공 부문 591명	감정적 소진 증가
Park(2009)	간호사 266명	이직 의도 증가
Ahn and Park(2009)	호텔 노동자 351명	감정적 소진과 이직 의도 증가

앞선 국내 연구들은 감정노동의 부정적 결과에 대한 매개변수를 탐구한 결과 몇 가지 조절변수를 확인했다. 박상언(2009)은 종합병원에 근무하는 임상 간호사 234명을 대상으로 한 연구에서 상사와 동료 지원 요인은 임상 간호사들의 고갈되기 쉬운 감정 자원을 보충해주고, 감정 부조화의 부정적인 영향을 완화해주는 의미 있는 심리적 직무 자원으로 기능한다는 사실을 보고했다. 하지만 예상과 달리 이 연구에서 직무 자율성이 완충적 조절 효과를 보여주고 있지 못해 앞으로 추가적인 연구가 필요할 것으로 보인다.

호텔 노동자를 대상으로 한 다른 연구에서는 정서 지능과 조직 지원의 수준이 높고 정규직일수록 감정노동이 직무 만족에 긍정적인 영향을 미치는 것으로 파악되었다(Cho and Jung, 2006). 김상표 외(2008: 15~102)는 상사의 정서적·도구적 지원은 노동자의 감정 고갈을 완화하며, 고객 제일주의 등 고객의 만족을 지나치게 강조하는 경우 노동자의 감정 고갈 및 감정 소외가 악화된다고 보고했다(Chu et al., 2010).

이상에서 볼 때 노동자의 정서 지능을 향상하기 위한 교육 훈련과 상사 및 동료의 지원을 강화하는 것은 감정노동의 부정적 결과를 완화할 수 있으며, 아직까지 실증적인 연구는 부족하지만 감정노동으로 인한 직업병의 예방에도 기여할 수 있을 것으로 예상된다.

2) 감정노동자의 건강 문제

과도한 감정노동이 건강에 미치는 영향에 대해 알아보기 위해서는 감정노동자가 일하고 있는 실제 작업 현장 속에서 그 의미를 탐색하는 것이 필요하다. 감정노동자는 과도한 감정노동으로 인한 건강 문제가 발생할 수 있는 다양한 작업 환경에 놓여 있기 때문이다.

2012년 서울시 여성 건강관리 사업의 일환으로 실시된 일하는 여성 건강 실태 조사 결과(김현주, 2015)는 감정노동자의 건강 문제에 대한 이해를 높이는 데 도움을 준다. 이 연구는 한 지역사회를 대상으로 감정노동을 수행하는 대표적인 직종을 포괄해 4939명을 조사하여 감정노동과 관련해 발생할 수 있는 대표적인 질환인 우울증, 근골격계 질환, 월경곤란증 등에 대해 평가하고, 해당 질환과 감정노동 및 직무 스트레스와의 관련성을 보고했다는 점에서 의의가 있다.

이 연구에서 감정노동자는 직무 스트레스 요인뿐 아니라 개인적인 건강 위험 요인에도 더 많이 노출되는 것으로 나타났다. 이 연구의 대상자들은 심혈관 질환의 위험 요인인 흡연율과 고위험 음주율이 일반적인 경우보다 더 높았고 그중에서도 콜센터 상담원과 판매직 등 감정노동을 더 많이 수행하는 것으로 알려진 직종에서 특히 더 높았다. 이는 감정노동에 따른 스트레스로 개인의 불건강 행동의 위험이 증가할 가능성을 시사하는데, 이런 불건강 행동은 심혈관 질환과 암 발생의 핵심적인 위험 요인으로 알려져 있다. 즉, 감정노동은 그 자체로도 독립적인 건강 위험 요인이지만, 감정노동자는 감정노동

〈표 2-2〉 금천구에서 일하는 여성의 건강 위험 요인

(단위: %)

건강위험 요인		전체	사무직	생산직	판매직	콜센터 상담원	기타
조사 지수(명)		4,939	2,426	478	580	716	709
업무 관련 스트레스 요인	장시간 노동 (주당 60시간 이상)	11.8	4.3	12.1	45.3	4.8	16.6
	야간 근무 (주당 15시간 이상)	10.3	38.6	13.1	15.3	10	23.1
	일-가정 갈등	28.2	22.8	26.2	58.8	22.1	29.3
	직무 요구도	9.0	10.4	3.7	6.9	11.4	7.3
	직무 자율성	18.9	11.8	37.9	23.5	19.5	26.0
	관계 갈등	29.0	25.3	40.7	36.2	19.1	37.9
	고용 불안정	17.2	19.7	8.5	16.6	16.1	16.1
	감정적 노력	18.8	16	6.2	25.2	30.8	13.7
	감정 부조화	36.9	37.1	18.7	38.4	51.1	32.5
개인적 건강 위험 요인	흡연율	9.3	5.8	2.1	15.4	26.6	4.9
	고위험 음주율	13.6	12.4	11.2	17.6	16.6	12.3
	비만율	9.5	6.6	12.6	4	19.1	12.5

뿐 아니라 다른 직업적 건강 위험 요인에 복합적으로 노출되면서, 흡연 및 고위험 음주와 같은 개인적 건강 위험 요인에 더 많이 노출된다. 따라서 이들의 건강 보호를 위한 방안이 더욱더 절실하게 요구된다.

장시간 노동을 주당 60시간 이상 근무로 상정했을 때 전체 조사 대상자의 11.8%가 여기에 해당했고, 이는 판매직(45.3%)에서 가장 높았다. 밤 10시부터 다음 날 새벽 6시까지의 시간대에 주당 15시간 이상 근무하는 경우를 야간 근무로 상정했을 때 야간작업 종사자는 10.3%였고, 인원은 사무직(38.6%), 판매직(15.3%), 생산직(13.1%) 순으로 많았다. 일-가정 갈등을 경험하는 사람

은 전체 인원 중 28.2%였으며, 판매직(58.8%)에서 가장 높게 나타났다.

감정노동을 감정적 노력과 감정 부조화로 구분했을 때 전체 인원 중 18.8%가 감정적 노력을 했고, 36.9%는 감정 부조화를 경험했다. 감정노동을 가장 많이 한 집단은 콜센터 상담원으로, 감정 부조화를 경험한 이들이 51.1%에 달했다. 직무 요구도가 높은 군은 9.0%로서, 직종별로 큰 차이를 보이지 않았다. 직무 자율성의 평균은 18.9%로, 생산직(37.9%)과 판매직(23.5%)에서 그 비율이 높았다. 관계 갈등에 노출되는 집단은 전체의 29.0%로, 생산직(40.7%)과 판매직(36.2%)에서 더 높게 나타났다. 고용 불안정을 느끼는 사람은 전체 17.2%로, 생산직(8.5%)에서 가장 낮았고, 다른 직종들은 유사했다.

〈표 2-3〉에는 일하는 여성의 우울증에 영향을 미치는 요인을 파악하고자 다변량 분석 결과를 제시했는데, 가장 크게 영향을 미치는 요인은 '감정 부조화'였다. 감정적 노력을 많이 하는 군은 그렇지 않은 군에 비해 우울증의 위험이 1.31배, 감정 부조화가 심한 군은 그렇지 않은 군에 비해 2.81배 증가했다. 우울증 유병률은 근무시간이 60시간 이상인 경우는 주 40시간 근무자에 비해 1.45배, 일-가정 불균형군은 균형군에 비해 1.41배, 직무 요구도가 높은 군은 그렇지 않은 군에 비해 1.83배, 관계 갈등을 경험한 군은 그렇지 않은 군에 비해 1.69배, 고용 불안정을 느끼는 군은 그렇지 않은 군에 비해 2.03배 더 증가했으며, 이상의 결과는 통계적으로 유의했다.

작업장에서 가장 흔한 건강 문제인 근골격계 증상과 가장 관련이 있는 요인은 일-가정 불균형(1.40배), 높은 직무 요구도(1.59배)였고, 감정적 노력(1.27배)과 감정 부조화(1.38배) 역시 통계적으로 유의한 관련성이 파악되었다.

월경곤란증의 경우 근골격계 증상과 유사한 양상을 보였는데, 감정적 노력 및 감정 부조화(각 1.33배)가 가장 관련성이 높은 요인이었고, 다음으로 일-가정 불균형(1.25배)였으며, 직무 요구도(1.32배), 고용 불안정(1.28배) 등도 통

〈표 2-3〉 일하는 여성의 다양한 직무 스트레스 요인과 건강 문제의 관련성

(단위: 비차비)

건강 문제		우울증	근골격계 증상	월경곤란증
감정노동	감정적 노력	1.31 (1.07~1.61)	1.27 (1.05~1.54)	1.33 (1.09~1.62)
	감정 부조화	2.81 (2.37~3.34)	1.38 (1.20~1.60)	1.33 (1.14~1.55)
근무시간	40~51시간	0.99 (0.77~1.27)	1.29 (1.07~1.54)	0.89 (0.72~1.07)
	52~59시간	1.15 (0.82~1.60)	1.49 (1.14~1.94)	0.92 (0.69~1.22)
	60시간 이상	1.45 (1.03~2.02)	1.54 (1.17~2.02)	1.11 (0.82~1.49)
야간 근무		1.14 (0.87~1.49)	0.97 (0.77~1.20)	0.84 (0.66~1.08)
직무 스트레스	직무 요구도	1.83 (1.41~2.36)	1.59 (1.21~2.09)	1.32 (1.02~1.71)
	직무 자율성	0.78 (0.62~0.98)	0.95 (0.80~1.13)	0.87 (0.72~1.06)
	관계 갈등	1.69 (1.41~2.03)	0.85 (0.74~0.99)	0.93 (0.79~1.09)
	고용 불안정	2.03 (1.67~2.46)	1.05 (0.88~1.26)	1.28 (1.06~1.54)
일-직장 균형	(적당하지 않은 편 / 적당한 편)	1.41 (1.16~1.71)	1.40 (1.18~1.64)	1.25 (1.05~1.49)

주: 연령, 근무시간, 흡연, 고위험 음주, 운동 부족, 사업장 규모, 고용 형태를 보정한 결과이다.

계적으로 유의한 관련성을 보였다.

이 연구에서 감정적 노력보다 감정 부조화를 경험한 군에서 우울증의 위험이 더 높게 나타난 것은 앞서 추상효(2010) 등이 은행 노동자를 대상으로 한 논문에서 감정적 노력보다 감정 부조화가 우울증에 더 큰 영향을 미친다는 보고와 유사한 결과이다. 우울증, 근골격계 증상, 월경곤란증 등 건강 문제는 감정노동뿐 아니라 장시간 노동, 일-가정 불균형, 높은 직무 요구도, 고용 불

안정, 관계 갈등과 같은 업무 관련 스트레스 요인과도 관련이 있는데, 이 연구 결과를 통해 감정노동뿐 아니라 다른 스트레스 요인에 복합적으로 노출될 경우 우울증 발생 위험이 더욱 증가한다는 것을 알 수 있다.

4. 맺음말

감정노동과 우울증, 근골격계 질환, 월경곤란증 등과 같은 스트레스성 건강 문제와의 관련성은 지속적으로 보고되고 있으며, 과도한 감정노동은 스트레스 반응을 통해 다양한 건강 문제를 유발할 가능성이 높다.

감정노동 때문에 발생하는 직업병을 예방하기 위해서는 과도한 감정노동에서 비롯되는 스트레스 반응을 감소시키기 위한 개인적 대처 전략들과 감정노동 자체의 부담을 줄이려는 노력이 필요하다. 근본적인 요인들에 대한 중재로 감정노동에 따른 건강 문제를 더욱 효과적으로 예방할 수 있기 때문이다.

한편 과도한 감정노동은 건강에 부정적인 영향을 미치는 독립적인 요인이지만, 이는 작업장에서 독립적으로 존재하는 유해 인자는 아니라는 점을 기억해야 한다. 우리 사회의 서비스직 노동자의 상황을 고려할 때 과도한 감정노동은 고용 불안정, 장시간 노동, 높은 직무 요구도 등 작업장의 유해 인자와 함께 존재하기 때문에 감정노동자들의 건강이 더 취약한 상황에 놓이게 되는 것이다. 즉, 감정노동자들의 건강을 보호하기 위해서는 과도한 감정노동을 규제하는 동시에 이들이 노출되는 다양한 직무 스트레스 요인을 감소시키기 위한 노력이 필요하다.

제2부

사례로 본 감정노동과 건강

03

고객 감동의 시대, 매출이 인격인 곳

유통업

김종진 한국노동사회연구소 연구위원

1. 어떤 노동이 필요한가

어제는 내가 고객에게 질책을 받고 뺨까지 맞았는데, 오늘은 바로 앞 매장 직원이 고객 앞에서 무릎을 꿇고 사과한다. 내가 무엇을 잘못했는지 모르겠지만 그래도 "죄송합니다, 고객님"을 되풀이한다. 고객의 화가 풀릴 때까지 주위에서는 아무런 도움도 주지 못한다. 자칫 잘못했다가는 더 큰 일이 벌어질 테니까. 나 하나로 끝나는 것이 아니다. 고객이 점장을 나오라고 할 땐, 이미 시말서를 써야 할 상황이다. 사태가 심각해지거나 찍히면 다음 매장 개편 때 매장이 빠지는 것까지 각오해야 한다.

이는 바로 유통업 감정노동자들이 일터에서 겪는 현실이다.
사실 개별 기업에서는 고객에게 표출하는 감정적 서비스의 양과 질이 '매출'과 밀접하게 연관되어 있다는 것을 매우 잘 알고 있다. 이런 이유로 판매 목표량에 따른 인센티브 제도를 설계해 노동자들이 자발적으로 경쟁하고 노력하게 만들고, 기업은 매출 향상이라는 이윤을 추구한다. 일부 기업은 아직도 고객에게 눈 맞춤(eye contact)은 기본이고, 무릎을 꿇고 서비스를 제공하게끔 한다. 그 순간 고객과 서비스 노동자들은 동등한 인간일 수 없다. 아무리 서비스(service)의 어원이 라틴어 '노예(servus)'에서 출발했다 하더라도 노동자들에게 강요된 서비스는 비인간적이다. 우리나라에서 서비스 노동자의 길을 선택하는 순간 인권은 존재하지 않는다.

우리는 백화점이나 할인점 등 대형 유통 매장에 들어서면서부터 서비스 판매직과 마주한다. 서비스 판매직은 고객과의 대면(face-to-face) 혹은 전화 응대(voice-to-voice)를 통해 고객과의 상호 과정이 형성되는 대표적인 감정노동 직군이다(김종진, 2011). 지난 10여 년 사이 유통업은 대표적인 서비스업으로 자리 잡았고, 서비스 노동은 이전의 제조업의 육체노동과는 다른 공간(front)에서 일(work)을 하고 있다는 것에 주목해야 한다.

문제는 우리나라 몇몇 재벌 대기업이 유통업에서 독과점 형태를 이루면서 과도한 감정노동을 요구하는 규칙과 매뉴얼이 확대·강화되고 있다는 점이다. 기업은 경영전략으로 자리매김한 다양한 평가와 모니터링을 통해 각 매장에서 감정노동을 강요한다. CCTV는 기본이고 각종 서비스 평가(미스터리 쇼퍼, 모니터링)와 스마일 존(service line)과 같은 통제 방식들이 대표적으로 활용된다. 과연 우리는 누구의 편인가. '왜 서비스가 엉망인가'를 질문하기 이전에, 좋은 서비스가 제공되기 위해서는 '무엇이 필요한가'를 먼저 질문해야 하지 않을까.

유통업 매장의 판매 서비스 노동자 규모는 통계청지역별고용조사(2014년 10월) 자료에 따르면 약 90만 7000명(45.1%) 정도인데, 이 중 61.5%(기간제

51.5%, 일용 9.8%)가 비정규직이다.[1] 영미권 나라들은 물론이고 선진 유럽 대부분 모두 유통업은 저임금 노동자, 여성, 청년으로 채워지고 있다. 우리나라 또한 이와 비슷한 경로를 밟고 있다. 그렇기에 우리는 유통업에서 확인되고 있는 서비스, 여성, 저임금, 비정규직, 감정노동이라는 다섯 가지 공통된 노동의 성격을 어떻게 볼 것인지 질문해야 한다.

2. 우리의 노동은 당신에게 맡겨졌다

1) 대형 유통 매장 '갑'에 구속된 일터

유통업 감정노동과 건강 문제를 이해하기 위해서는 복잡한 유통업 고용구조를 이해할 필요가 있다. 우리나라 대형 유통 업체의 고용구조는 '직영 사원'(유통 업체 정규직, 직접 고용 비정규직)과 '비직영 사원'(파견 용역 간접 고용 비정규직, 입점 협력 업체 소속 직원, 개인 사업자 형태 전문 판매 직원 등)으로 구분된다. 우리가 자주 찾는 백화점과 할인점, 면세점 등은 표준산업분류상 종합 소매업이며, 직영 사원보다 입점 협력 업체(수수료, 임대 매장) 종사자가 더 많다. 백화점과 면세점은 약 90%, 할인점은 60~70% 내외가 협력 업체 소속이다.

그래서 유통업 판매직의 노동과 건강은 이른바 '갑'에 의해 결정된다고 봐야 한다. 특히 대형 유통 업체(갑)의 업무 시설을 활용해야 하는 입점 협력 업

1 이 절에 제시된 주요 유통업 판매직 실태 조사 통계자료는 국가인권위원회의 원자료 「유통업 서비스 판매 종사자의 건강권 실태」(김종진 외, 2015)를 인용한 것이며, 이 장의 주요 내용도 해당 내용을 수정·보완해 재구성했음을 밝힌다.

체(을) 종사자의 처지에서 휴게실이나 모성보호 시설 등을 요구하는 것은 불가능하다. 이런 이유로 유통업 판매직 종사자의 노동권이나 건강권은 은폐되어 잘 드러나지 않는다.

사실 우리나라 유통업 서비스 판매 종사자의 노동조건은 기본적으로 백화점, 면세점, 할인점의 영업일과 시간에 좌우된다. 주 1회였던 대형 유통 업체의 정기 휴점일은 IMF 외환위기 이후 월 1~2회로 축소되었고, 그것도 일요일이 아닌 주중으로 옮겨지고 있다. 설과 추석에도 '정상 영업'이라는 팻말을 내거니 1년 365일 영업이라 해도 지나치지 않다. 심지어 '두타몰'은 "야근하는 당신을 위해 새벽까지 연장 영업한다"라는 광고 문구까지 내걸기도 했다.

반면에 유럽 몇몇 나라 중에서는 일요일에 영업을 하지 못하도록 법률이나 조례를 제정해놓은 곳도 있다. 서비스 노동자들도 휴일을 가족과 함께 보내고 쉴 권리가 있다는 취지가 반영된 결과이다. 2015년 대법원은 '근로자의 건강권 보호의 필요성'이 크다며 대형 마트의 영업시간 제한 규제가 타당하다고 결론을 내린 바 있다. 하지만 경제 활성화나 일자리 축소, 소비자 권리를 내세우며 헌법 소원까지 고려한 것을 보아 재벌 유통 기업의 이윤 추구 앞에 인간의 존엄성은 그리 중요하지 않은 듯하다.

> 퇴근 후 항상 시간에 쫓겨 사는 것 같아요. 집에 가면 지쳐 아무것도 할 수가 없을 정도로 피곤하거든요. 일을 마치고 무언가를 배우거나 취미 생활 혹은 운동을 하는 건 이 일(유통 판매직)을 하면서 생각도 못하고 살았어요. 개인 시간요? 가지고는 싶죠. _ 2015년 유통 판매직 1

> 백화점은 8시에 폐점이지만, 문 닫고 한 30분 정도는 연장 근무를 하죠. 마감도 해야 하니까. 그러다 보면 시간이 늦어져서 친구들 만나는 게 부담

스러워요. 그러니까 이 직종의 친구들하고 더 어울릴 수밖에 없더라고요. 제가 이 일을 한 지 이제 10년이 되어가는데 외부 친구들이랑 연락이 많이 끊겼어요. _ 2015년 유통 판매직 2

선진 유럽과 달리 우리나라 유통업 서비스 판매직 노동자들은 '시간 빈곤(time poor)'에 빠져 있다. 일을 시작한 이후 자신을 위한 시간을 보내지도 못하고, 어쩌다 가족과 함께 휴식을 취하는 날도 마음 편하게 보내지도 못한다. 모처럼 쉬는 날에는 해야 할 일들이 왜 이리 많은지, 늘 시간에 쫓기니까 자신을 위해 시간을 보내는 것은 허락되지 않는다. 스스로가 시간을 주도적으로 활용·조정할 수 있는 처지가 아니다 보니, 주말에도 나와서 일을 하라고 강요받는다. 대형 유통 업체에서 주말 휴가는 상상조차 할 수 없다. 어쩌다 주말에 가족 행사라도 겹치는 날에는 언제 휴가를 신청해야 할지 하루 종일 관리자 눈치를 봐야 한다. 그래서 유통 판매직 노동자들은 가족과 함께 찍은 사진이 없다. 유통업 서비스 판매직의 73.3%가 시간 부족을 겪고 있는데, 주말에도 근무를 해야 하는 유통업 특성상 개인적 관계(25.9%)는 물론 사회적 관계의 단절(44.2%)까지 겪고 있다.

2) 장승처럼 하루 종일 서서 일한다

유통업 판매 직원의 하루 일과를 보면, 먼저 유니폼으로 갈아입고 각자 메이크업(화장)을 한다. 개점(오픈) 전 판매 사원의 주요 업무 중 하나는 해당 브랜드 매장마다 청소나 정리(진열 등)를 하는 것이다. 개점 전 업무 준비가 마무리되면 판매 사원들은 근무지 매장 조회(15분 내외)와 자체 회의 등을 진행한다. 브랜드나 매장별로 상황이 다르지만 신제품이 출시되었을 경우에는 이

시간에 주로 매니저들이 사원들을 대상으로 신제품에 대한 설명이나 교육을 진행하기도 한다(김종진, 2013b).

유통업 판매 사원의 주요 업무 중 하나인 본사 보고용 서류 작업이나 고객이 주문한 상품 발송 등은 오전에 이루어진다. 특히 온라인(인터넷 등)이나 오프라인(매장)을 통해 주문된 상품의 확인과 발송 작업은 서류 작업과 함께 오전에 처리해야 할 주요 일과 중 하나이다. 판매 사원의 하루 일과 중 오후 3시부터 저녁 8시까지는 집중 업무 시간이며, 특히 저녁 6시 이후에는 고객이 많은, 하루 중 가장 바쁜 시간이다. 판매 사원은 1일 평균 약 54.9명(성수기 기준)의 고객을 대면하게 되는데, 그중에는 구매 이외에 제품 테스트나 기타 상담 등을 해야 할 응대 고객이 있다. 이는 기업의 매출(이윤)로 확인되지 않는 숨겨져 있는 노동량(그림자 노동)이며, 고객 1명당 14.8분 정도 응대하게 된다.

유통업 서비스 판매직의 하루는 쉴 틈 없이 해야 하는 일들로 가득 차 있다. 몰려오는 고객, 본사에 보고해야 할 서류 등 1시간의 점심시간은 '근로기준법'에나 나오는 꿈같은 이야기이다. 12시에 직장 동료들과 점심을 먹고, 스타벅스 매장에서 커피 한잔 마실 여유는 사무직(화이트칼라)이나 가능하다. 매장이 마감한다고 퇴근을 하는 것도 아니다. 폐점 이후 매장 정리는 물론 판매 물품과 금액을 확인해야 하는 작업이 남아 있다. 만약 당일 판매액이 장부와 어긋날 경우에는 퇴근 시간이 늦어진다. 이 때문에 한두 시간만이라도 일찍 문 닫고 퇴근할 수 있으면 얼마나 좋을까 하는 소박한 희망을 갖고 산다.

> 제일 힘든 것은 10시간 정도 서 있는 거잖아요. 장승처럼 하루 종일 서 있는 거죠. 8시에 집에서 나와 9시 지나야 집에 가니, 거의 13시간 넘는 시간을 밖에서 할애하는 거잖아요. 재고 조사하면 저녁 10시나 11시, 어쩔 때는 12시에 퇴근해요. 그런데 다음 날은 또 8시까지 출근해야 하고. 그러

니 3년 미만의 젊은 직원들이 그만두죠. 왜냐하면 한창 놀 나이인데 못 놀잖아요. 그러니까 퇴사하게 되는 거죠. _ 2015 유통 판매직 3

아침 8시에 출근해서 메이크업·청소·테스트·체크하고, 모닝 브리핑, 백화점 오픈과 동시에 쏟아지는 서류 요청. 노트북 앞에서 서류를 보고 있으면 백화점에서는 대기 자세를 하라고 해요. 다시 서류 보고 있으면 손님이 오니 제품 판매해야 되고, 고객 서비스도 완벽하게 해야죠. 오더(주문), 행사 계획, 결과 보고, 제품 신청, 관리, 러브콜. 제 몸이 두 개였으면 좋겠어요. 이렇게 일하고도 처리하지 못한 서류는 집에 가져가서 정리해 와야 해요. 교육 자료도 만들어야죠. 새벽 2시가 되어야 잠들어요. _ 2015 유통 판매직 4

2015년 국가인권위원회 조사 결과 유통업 판매 사원의 일주일 평균 근무시간은 46시간(1일 평균 9.2시간)이었고, 주 52시간 이상 근무자도 17.7%(3470명 중 588명)나 된다. 파트타임 노동자가 포함된 노동시간이라는 점을 고려하면 장시간 노동이다. 주말에도 나와서 일해야 하고, 밤 12시가 되어야 집에 가는 날도 있으니, 일과 삶의 균형(Work-life balance: WLB)을 유지하는 것은 불가능한 상황이다. 모처럼 친구들과 일정을 맞춰 휴일을 잡았다가도 신상품이 입고되는 날과 겹치면 제품을 포장해야 하는지라 매장에 출근해야 한다. 회사의 예측 불확실한 스케줄도 시간을 앗아가는 데 한몫한다. 그러니 '이곳에서 오래 일할 생각이 없다'라고 하는 것은 어쩌면 당연하다.

유통업 종사자의 직장 생활 만족도(평균 47.5점) 중 '임금수준'(35.5점) 이외에 '노동시간'(36.9점)과 '노동강도'(39.7점)에 대한 불만이 가장 높았다. 실제로 지난 1년 사이 유통업 노동자들은 본인의 업무량 증가(55.1%)뿐 아니라 해야 할 일의 종류가 증가(59.1%)한 반면에 인력은 오히려 감소(38.6%)했다. 이를 반영하듯 1년 이내 이직을 고민하고 있는 사람(33.3%) 중 다수는 직업 불만 요인(40%)을 꼽았다. 결국 유통 판매 서비스 일터는 노동강도 자체가 증가한 것이 현실인데, 이는 직간접적인 이직 요인과 건강 문제에 영향을 줄 수 있다.

3) 아픈 데는 다 이유가 있다

"임신하고 일을 할 때 다리가 부어와도 쉴 수가 없었습니다", "마트 생활 3년이면 골병이 든다고 합니다", "아프지 않고 일하고 싶습니다. 오랫동안 동료들과 함께 일하고 싶습니다", "우리들에게 편안한 보금자리는 언제쯤" 2016년 1월 26일 국가인권위원회 토론회에 현장에서 나온 발언들이다. 유통업 서비스 판매직 노동자들의 건강권 해결을 요구하는 목소리였다. 과거 1970년대 구로공단의 여성 노동자들이 외쳤던 목소리와 무엇이 다른지 모를 정도이다.

사실 유통업 판매직 노동자의 건강권 문제는 2000년대 중반부터 제기되었다. "서서 일하는 노동자에게 의자를"이라는 표어로 진행된 캠페인이 대표적이다. 지난 몇 년 동안 일부 대형 유통 업체에 의자가 놓인 것 정도가 성과라고 할 수 있으나 현실적으로 관리자와 고객의 눈치 때문에 앉지 못한다. 그나마 비치된 의자는 애초에 계산대 높이와 맞춘 것이 아니라 오히려 일하기 불편하다는 말도 나온다.

유통업 판매 사원들 사이에서 "우리는 걸어 다니는 종합병원이에요"라는 말이 자주 나온다. 병을 달고 산다는 것이다. 매년 시즌 행사와 브랜드 입점 등으로 건물 공사를 자주 하는데, 이때 발생하는 미세 먼지 때문에 내부 직원들의 기관지가 좋지 않아 감기도 자주 걸린다. 물을 자주 마셔야 하지만 정수기까지의 거리도 멀다. 게다가 밝은 조명 아래 매일 대기 자세로 서 있다 보니 눈이 나빠져 안경을 써야 하는데, 고객들에게 좋지 않은 이미지를 준다고 렌즈를 끼다가 최근에는 많은 사원들이 수술(라식, 라섹)을 한다.

불편한 신발(유니화)을 신고 하루 종일 서 있어야 하니 몇 년이 지나면 유통업 판매 직원 중에는 발가락이 정상인 사람이 거의 없다. 잠시 쉴 수 있는 의자를 비치한 곳도 몇몇에 불과하다. 게다가 화장품 판매직은 고객들에게 제품 테스트와 판매를 하는 과정에서 보이는 손이 아름다워야 한다는 이유로 매일 네일(nail) 케어를 한다. 하루도 빠짐없이 해야 하는 네일 케어로 손톱이 착색되거나 손상을 입는다. 이를 반영하듯 유통업 판매직 종사자 10명 중 1명은 업무상 부상을 경험했다. 특히 근골격계 질환 증상을 가진 고위험군자가 절반가량(44.7%)이나 된다. 업무상 질병 관련 진단을 받은 사례도 많았고, '족저근막염'(7.3%), '방광염'(17.3%)과 같은 직업 특성과 연관된 대표적인 질병들도 확인된다.

다리는 항상 아프고, 구두 같은 것을 신으니까 발도 마찬가지인데다 아침저녁으로 항상 부어 있어요. 허리도 안 좋아졌고. 옛날에는 안 그랬었는데, 한 3~4년 전에 매장에서 그냥 이유 없이 약간 삐끗했거든요, 그것 때문에 한 한두 달 정도 병원에 계속 다녔었어요. 그 후부터 무거운 것을 못 들겠더라고요. _ 2015 유통 판매직 5

체력이 뒷받침되지 않는다는 것을 느낀다. 근무 시 하루 종일 서 있으니 몸은 계속 붓고 하체 쪽은 전기가 찌릿찌릿 올라오며, 매장의 냉기 때문에 하도 움츠려 있었더니 목과 어깨가 결려 항상 통증을 느낀다. 적응할 때도 되었을 텐데 몸은 점점 약해진다. 서 있을 때 휘청거릴 정도로 어지럽고 잠시 눈을 감았다 뜨려고 하면 어지러움은 배가 된다. 그 상태로 집에 들어가 언 몸을 녹이고 겨우 몸을 일으켜 씻고 바로 기절. 평균 8시간 수면을 해도 내 몸은 컨디션 조절에 실패한다. 병원을 가도 딱히 병명도 없고 오래 서 있지 말라는 말뿐. 돈 좀 덜 받아도 되니 9시간만 근무했으면 좋겠다. _ 2016년 1월 유통업 판매직 게시판 글 재인용

문제는 유통업 종사자 중 지난 1년 사이 직장에서 '몸이 아픈 데도 나와서 일한 출결'(프리젠티즘 53.1%, 기간 5.8일)이 '몸이 아파 출근하지 못한 병결'(앱센티즘 17.9%, 기간 6.8일)보다 거의 세 배가량 된다. 특히 유통업 판매직 중 지난 1년 사이 몸이 아픈 데도 어쩔 수 없이 출근한 사람들 가운데 비정규직과 무기 계약직이 많다는 점이다. 고용이 불안정한 비정규직 용역 노동자(77.8%) 및 정규직과 동일 업무를 수행하거나 혹은 정규직 전환 여지가 있는 무기 계약직(59%)이 상대적으로 출결(presenteeism)이 높았다. 건강과 관련해 취약 계층의 노동 인권침해와 차별이 더 심각함을 보여주는 단면이다.

4) 숨겨진 공간, 비좁은 휴게실

유통업은 대표적인 다중 이용 시설이다. 그 건물 안에 1000명 이상의 직원들이 일하는 곳이 대부분이다. 그런데 직원 화장실과 휴게실이라고는 고작 한두 개에 불과하다. 화장실 등 기본적인 시설이 미흡하다 보니 방광염과 같은 직업병이 생긴다. 심지어 고객들이 집중적으로 몰리는 '집중 영업시간'에는 휴게실조차 사용하지 못하도록 한다. 제품을 팔아야 할 시간이니 쉬지 말고 일하라는 것이다. 그나마 한두 개 마련해놓은 휴게실은 비좁고 불편해 제대로 쉴 수도 없다. 그래서 서비스 노동자들은 계단이나 창고에 상자를 깔고

잠시 쪼그리고 앉아 눈을 붙인다. 임신한 여성 노동자도 에스컬레이터와 엘리베이터는 고객의 것이니 계단을 이용해야 한다. 재벌 대기업이 운영하는 유통 업체에는 모성보호를 위한 법도, 인간에 대한 최소한의 배려도 찾아볼 수 없다. 우리들은 몰랐던, 백화점과 면세점의 화려한 조명 뒤에 감춰진 서비스 노동자의 모습이다.

> 매장에 근무할 때 임신을 했어요. 휴게 시간이 따로 정해져 있지 않고, 휴게실도 워낙 협소해서 배가 뭉치고 다리가 부어와도 쉴 수가 없었어요. 제가 근무하던 곳은 직원이 1000명이 넘었는데 앉아 쉴 수 있는 공간은 작은 방 한 칸 정도였거든요. 하물며 매장은 9층인데 휴게실은 지하 2층이었고, 부른 배를 잡고 계단에 박스를 깔고 앉아 쉴 수밖에 없는 형편이었어요. 직원들은 에스컬레이터를 이용할 수도 없으니 저는 배가 나온 상태로 직원 계단을 이용해야 했죠. _ 2015 유통업 판매직 6

> 백화점 고객 화장실은 가면 좋잖아요, 깨끗하고. 직원 화장실은 최악이에요. 저희가 쓰는 게 네 칸인데, 1~3층에 있는 직원들이 다 써야 해요. 1층에는 화장실이 없는 데다 화장실에 몇 분 동안 서 있으면 "아, 진짜 좀 나오지?"라고 이야기하죠. 기다리다 미치죠. 줄이 너무 긴데 볼일은 급하니까. 그럼 4층까지 내려가는 거예요. _ 2015 유통업 판매직 7

이 때문에 유통업 내 휴게실 확보와 자유로운 이용, 그리고 편리한 공간 제공, 의자 설치 등이 검토되어야 한다. 2015년 12월 면세점 특허권을 새로 획득한 신라면세점의 경우 영업을 시작한 지 3개월가량 되었는데도 제대로 된 직원 휴게실조차 하나 없다. 게다가 애경(AK)백화점에서는 휴게실조차 모든 직원들이 사용하지 못하고 매장 고참(매니저급)에게만 열쇠를 주어 사용하도록 하고 있다.

일단 건물 제일 끝으로 가면 조그만 비상구라든지 계단이 있거든요. 휴게실은 지하 1층에 있고요. 두세 개 층 직원이 거길 다 같이 쓰는데, 앉을 자리도 없고 의자도 없어서 불편해요. 지하철 좌석 같은 소파가 있기는 한데 자리도 없고, 왜 1층 직원이 여기 오냐고 그래요. 우리가 2~3층으로 가면 싸움 나요. 오지 말라고 해요, 자기들 자리도 없다고. 우리도 없거든요. 우리만 말 못하고 그렇게 돼요. _ 2015년 유통업 판매직 8

너무 좁아요. 휴게실이 너무 좁아 터져서 몇 명만 들어가도 공간이 이렇게 없는 거예요. 사람들이 휴게실을 번갈아가면서 이용해도, 그 시간대에만 몰리잖아요. 여기 한 열 몇 명이 들어갈 수 있는 장소에 100명 정도가 어떻게 쉬겠어요. 또 매장 매니저만 쉬도록 하는데, 만약 그 휴게실 열쇠를 같이 사용하다 발각되면 다음에 사용하지 못하게 백화점에서 키를 빼앗아가요. _ 2015년 유통업 판매직 9

2015년 국가인권위원회 실태 조사 결과를 보면 휴게 공간 만족도(100점 만점 기준)는 평균 35.8점에 불과했고, 휴게실 공간이나 크기는 32점, 공기 청정도는 29.6점에 그쳤다. 문제는 현장에서 휴게 공간을 자유롭게 활용하지 못하고 있다는 점이다. 유통업 협력 업체 판매직 대부분이 휴게 시설 이용이나 활용이 자유롭지 못한 상황(100점 만점 기준 평균 43.3점)이었다. 실제로 유통업 판매직 노동자들은 집중 영업시간 동안 휴게실 사용(26점)이나 휴식 시간 중 휴게실 사용(37.8점)이 자유롭지 못한 상황이다.

경기도 광명시에 위치한 '이케아' 매장의 휴게 공간은 국내 유통 매장보다 10배는 넓고 인간 중심적이다. 우리나라의 대형 유통업 휴게실 수용률은 100명당 한 명도 안 된다. 건물을 지어놓고 보니 막상 직원 휴게 공간이 필요해서 대충 지하 한 귀퉁이에 창고처럼 휴게실을 만든 기업, 전 세계 어느 곳, 어느 매장이든 크기, 디자인 등 동일하게 휴게실을 설계한 기업, 유통업 서비스 판매직 노동자들의 삶과 쉴 권리조차 빼앗은 재벌 유통 기업 등 이러한 기업들을 어떻게 평가할 것인가.

3. 고객 감동의 시대! 감정노동은 어떻게 강요되나

1) 갈수록 고객의 요구에 지쳐간다

최근 몇 년 동안 유통업의 감정노동 문제가 사회적인 이슈가 되었고, 정부(중앙정부, 지방정부)나 일부 기업에서도 감정노동 관련 정책이나 대응 방안을 마련하고 있다. 이는 지난 10년 동안 감정노동 문제를 해결하기 위한 노동단체와 시민 사회단체의 목소리가 그나마 반영된 지체된 적응(lagged adaptation)의 반응 정도에 불과하다. 유통업의 감정노동은 고객으로부터의 폭언, 폭행, 성희롱, 따돌림 등에 심각하게 노출되는 수준이기 때문이다. 반면에 기업의 대응 매뉴얼은 현실을 따라가지 못하고 있다. 다수의 감정노동 문제는 업무상 판매직의 과실이 아닌 고객의 무리한 요구에서 비롯된 경우가 대부분이다.

> 무리한 요구나 심각한 언어폭력을 하는 고객이 점점 많아지는데도 직원들은 그저 당하고 인내하는 방법밖에 없어요. 고객이 욕설과 인격 모독을 하

는 상황에서 정말 이대로 무시를 당하고 일을 해야 하는지 회의를 느끼거든요. 회사 매뉴얼은 실제 고객을 상대할 때와는 맞지 않는 듯한 느낌이에요. 무조건적으로 머리를 조아리는 식의 사과는 더 이상 없었으면 합니다. 항상 고객의 불만은 결국 직원의 태도 문제로 몰아가요. _ 2015년 유통 판매직 10

남편이 아내가 구매한 제품을 가져와서 환불하려는 상황이었습니다. 폐점 직전 오셔서 영수증도 가져오지 않은 상태로 다짜고짜 환불을 요청했으나 그때 결제한 카드도 지참하지 않았고, 백화점에서도 마감을 해 환불을 해드릴 수 없는 상태였거든요. 직원이 고객님께 상황을 말씀드리니 욕을 하며 제품을 던지려고 하는 등 난리를 치다 가셨죠. _ 2015년 유통 판매직 11

언어폭력보다 더 심각한 것은 무리한 요구를 넘어선 지속적인 괴롭힘이며, 이는 정신적 고통으로까지 연결된다. 특히 고객으로부터의 괴롭힘은 제품 구매 과정에서 성희롱에 가까운 추행이나 불쾌한 언행으로 빈번하게 일어난다. 이는 주로 제품 테스트나 제품 설명 등 판매직과 고객과의 상호 과정에서 발생한다. 문제는 고객에 의한 몰래 카메라와 같은 인권침해가 발생해도 적절한 대응 방안이나 규제가 없다는 점이다.

자기가 오렌지색 립스틱 세 개를 선물하려고 하는데, 테스터 제품을 가지고 와서 보여달라고 하는 거예요. 오렌지 컬러를 보여줬더니 마음에 드는 게 없대요. 그러더니 "자기 팬티도 오렌지색인데 보여줄까"라고 하더라고요. 솔직히 백화점에서도 그 고객이 문제가 있는 걸 알고 있었거든요. _ 2015년 유통 판매직 12

〈그림 3-1〉 유통업 고객의 불쾌한 언행,이에 따른 정신적 고통과 해소 완화 프로그램

(단위: %)

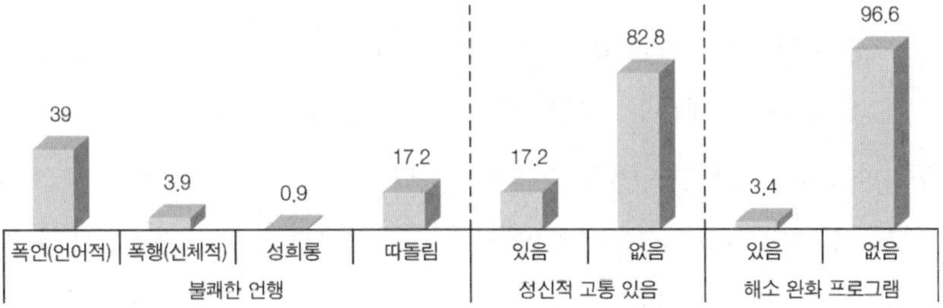

자료: 김종진 외(2015).

핸드 마사지 행사가 있는 날이었는데요, 남자 고객님이 제품 좀 보겠다고 하셨고, 스킨케어에 관심이 있다 하셔서 자리 안내 후 니즈를 파악하는데, 고객님께서는 직원과 눈을 마주치는 것이 아니라 가슴 쪽만 쳐다보고 계셨어요. _ 2015년 유통 판매직 13

2015년 국가인권위원회 실태 조사 결과, 유통업 노동자가 고객으로부터 폭언, 폭행, 성희롱을 경험한 비율이 10명 가운데 4명이나 되는데도 해소 프로그램을 적용받은 노동자는 거의 없었다. 이런 현실을 참고 일하다 보니 우울증의 고위험군〔우울증 자가 진단 척도(Center for Epidemiologic Studies-Depression scale: CES-D) 26.4%, 여성 28.6%, 남성 16.4%〕 비율이 일반 시민에 비해 두 배는 높은 상황이다. 특히 유통업 매출은 판매 실적이 임금에 반영되는 구조이기에 어쩔 수 없이 고객의 불쾌한 언행을 감내해야만 한다. 결국 각 기업의 성과급 형태의 인센티브 제도가 유통 판매직 노동자들의 감정노동을 강화하는 요인이 되고 있다. 그런데도 오히려 유통 기업은 1년에 네 차례 이상 친절 교육을 시킨다.

2) 매출이 인격인 노동

"매출이 인격이다"라는 말은 유통업 판매직들이 공통적으로 하는 말이다. 오늘 내가 판매한 제품의 가격이 곧 급여와 연동되는 상황이다 보니 고객의 무리한 요구나 불편한 언행도 감내해야 한다. 유통업 판매직 급여의 약 25% 정도는 인센티브(성과급)이다. 기업은 판매 실적이 높은 매장과 직원을 우수 매장 및 사원으로 인식하고 있다. 기업들은 연간·분기별·월별 매출 목표와 할당량을 정해놓고 있다. 이런 매출 압박과 실적에 스트레스(67.5%)를 받는 건 당연하다.

> 저희는 목표를 달성해야만 월급을 더 많이 받는 시스템(인센티브)인데다 본사에서 직접적으로 말은 안 하지만 한 달에 한 번씩 매출 실적에 대한 순위가 다 나와요. 저희 밑에 있는 직원은 불면증이 생길 정도로 매출에 대해 스트레스를 받더라고요. 내가 노력한 만큼 결과가 나오지 않으니까. 그런 게 힘든 거죠. _ 2015년 유통업 판매직 14

통상 감정 부조화나 손상 경향이 높은 사람은 장기근속 여성인데, 그들의 경우 현재 나름의 대응 방안을 모색하고 있으며 자신의 상태를 이해하고 공감해줄 수 있는 주변 동료들과의 대화(수다)에서 그 방안을 찾는다. 하지만 유통업 판매직 중 근속 기간이 짧은 사람의 경우 고객으로부터 불쾌한 언행을 당했을 때 이를 해소하기 위한 암묵지(노하우)를 터득하지 못해 스트레스나 우울증 등 정신 질환을 겪는 경우도 허다하다.

> 노하우라는 게 적당히 생기기 때문에 이런 고객이 있으면 이렇게 응대

하고 그런 건 있겠죠. 장기근속자의 경우 스트레스 해소 방법을 스스로 터득해서 풀 수 있겠지만. 아무래도 신입들은 스트레스를 받을 경우에 풀 수 있는 방법이 없어서 본인 스스로 스트레스를 받겠죠. 저는 주변 사람들하고 수다를 떨곤 해요. 그 상황을 아는 사람들끼리만의 대화일 수밖에 없죠. 말을 하면서 푸는 방법밖에 없는 것 같아요. _ 2015년 유통업 판매직 15

2015년 국가인권위원회 실태 조사 결과, 유통 판매직 감정노동은 의식적 노력 96.1%, 기업에 규정된 감정 표현 89.3%, 감정 조절 필요 92.4%, 감정 표현 85.9%, 감정적 힘듦 83.8% 등의 어려움을 겪고 있는 것으로 파악된다(김종진 외, 2015). 특히 유통업 감정노동 수행 고위험자가 될 확률이 여성이 남성에 비해 적게는 30%p에서 많게는 40%p 정도 높았다. 사실 감정노동은 오랜 현장 경험이 쌓인다고 해서 자체 해결이 가능해지거나 완화되지 않는다. 특히 자신의 실제 기분 상태를 숨기고 지속적·반복적으로 감정노동을 할 때, 실제 기분과 겉으로 표현해야 하는 감정의 괴리가 심각할 경우 '감정 격차'나 '손상'이 나타날 수밖에 없다. 유통업 판매직은 감정노동 수행 과정에서 감정 부조화나 손상 정도가 심해지고, 우울증 발생 관련성도 높아진다.

3) 친절 교육부터 스마일 존까지

유통업 판매직은 매출 달성 압박부터 반복적으로 방문하는 미스터리 쇼퍼(mystery shopper)까지 수많은 요구에 견딜 수 없을 정도로 심각한 스트레스를 받고 있다. "매장에 출근해서 유니폼으로 갈아입는 순간 자신의 감정도 사물함에 넣어둔다"라고 할 정도로 감정노동 문제는 심각하다. 재벌이 운영하는 유통 기업일수록 인권침해는 더 심각하다. 대표적으로 롯데마트와 이마트는 '서비스 라인'과 '스마일 존'을 설치해놓고 노동자들에게 로봇처럼 인사를 시킨다. 동화면세점은 2015년까지 "직원의 불친절한 행동에 대한 마음의 상처를 보상해드리지는 못하니 5만 원의 상품권을 지급하겠다"라는 고객 서비스를 운영하고 있었다.

> 일단 매출이 가장 중요하고, 그다음이 고객 관리, 그리고 제품 교육이죠. 1년에 한 번 방문하는 '미스터리 쇼퍼'라고 있는데, 스트레스가 엄청 커요. 그게 1년 동안 평가에 따라다니는 거예요. 손님을 가장해서 오니까 따로 통보도 없죠. 개개인별 점수가 다 들어가요. 처음에는 큰 매장만 하다가 지금은 전 매장 똑같이 적용을 받거든요. 모든 매장이 다 평가받는 거죠. 미스터리 쇼퍼에 따른 직원들의 스트레스가 극심한데, 법으로 금지시켰으면 해요. _ 2015년 유통업 판매직 16

그동안 우리나라 유통업은 입점 협력 업체의 판매 직원에 대한 부당 개입이나 통제 문제가 감정노동을 강요하는 메커니즘으로 자리 잡은 지 오래이다. 유통업 협력 업체 직원에 대한 평가는 미스터리 쇼퍼(암행 77.5%), 전화 대면 모니터링(80.9%), 국가 고객 만족 지수 평가(69.6%) 등 매우 다양하다. 문제는 고객 불평 때문에 판매직의 절반가량은 불이익을 받고 있으나, 악성 고객에 대한 규제는 거의 없다. 오히려 기업들은 매출 경쟁력을 높이기 위해 고객 응대 매뉴얼을 구체화하고, 미스터리 쇼퍼까지 동원해 관리·통제한다(김종진, 2013a; 김종진, 2014c). 유통 업체의 경영전략은 판매직의 감정노동에 대한 부담과 스트레스를 가중시키는 요인이다.

결국 감정노동은 단순히 고객으로부터의 불쾌한 언행만이 아니라 기업 및 조직의 적절한 대응 부재(또는 미흡)와 과도한 고객 서비스(경영)나 인사관리

정책(평가, 모니터링)이 만들어낸 사회적 산물이다. 특히 기업 조직의 매뉴얼과 규칙에 의해 요구되는 서비스를 고객에게 제공하는 과정에서 노동자가 감정을조절하고 통제(직무 요구 스트레스 고위험군 18%)하지 못하는 상황이다. 따라서 이제는 과도한 감정노동에 대한 제도적·사회적·주체적 대응과 규제가 필요하다.

4. 변화의 모습을 확인한다

1) 침묵하던 소수의 목소리

유통업 감정노동의 조직적 대응과 규제는 민주노총 산하 조직인 서비스연맹이 2006년 처음 '감정노동 가치 인정'을 사회적 의제로 제기한 것에서 출발했다. 서비스연맹의 '감정노동' 문제가 노동조합의 구체적인 사업으로 진행되고 국민들에게 알려지기 시작한 것은 2008년(시즌 1)과 2011년(시즌 2) "서서 일하는 노동자에게 의자를!"이라는 캠페인을 시작하면서부터이다. 그 이후 서비스연맹에 소속된 유통 기업의 노사 간 감정노동을 해결하기 위한 구체적인 행동들이 진행되었다(김종진, 2014c). 2016년(시즌 3)부터는 유통업 휴게 공간의 문제 해결을 위해 명예산업안전감독관 교육, 휴게 공간 확대 캠페인 등을 시행하고 있다.

서비스연맹 산하 유통 분과와 관광 분과의 감정노동 대응은 개별 사업장에서 감정노동 관련 연구 조사와 교육, 단체협약 체결(실태 조사, 전 직원 교육, 감정노동 홍보물 게시, 감정노동 수당, 해소 프로그램, 휴가)로 발전했다. 그 이후 일부 기업에서는 노사가 공동으로 감정노동 고객 대응 매뉴얼(삼진 아웃제, 서비스 제공 불가)까지 만들었다. 이는 주체의 요구로 고객으로부터 불쾌한 언행과 과도한 요구에서 벗어날 권리, 회피할 권리를 획득한 것이다. 주요 유통 기업에서 감정노동 수당이나 휴일 등이 노사 간 단체협약으로 체결되자 은행, 병원, 호텔 등과 같은 기업에서도 감정노동 문제를 안건으로 논의하고 있다(김종진, 2015).

이와 같은 노력은 과도한 감정노동 규칙(노동과정, 책임성)을 제거하고, 인간 중심적 정책 구현(가치 인정, 보호 체계 마련, 인격적 대우)에서 출발한 것이다. 사실 감정노동 문제는 노동의 권리 차원에서 정의(justice)의 관점에서 검토되었다(〈그림 3-2〉).[2] 현재 유통업 판매직 감정노동 문제는 포괄적 차원에서 감정노동에 영향을 미치는 노동환경 개선이 시급하기에, 노동조합뿐만 아니라 시민사회 단체까지 감정노동 해결을 요구하고 있다. 결국 유통업 감정노동자와 그들의 건강을 위한 대안적 사고는 현장의 일터를 바꾸려는 시민적 사고와 노력이 함께 모색되어야 한다. 예를 들면 장시간 노동을 유발하는 '영업시간 제한과 의무 휴점제 확대 강화'('유통산업발전법' 개정, '유통산업 근로자 보호에 관한 법률' 제정)나 '유통업 휴게 공간이나 이용 시설 확대 강화'('산업안전보건기준에 관한 규칙' 제9장 개정) 등이 있다.

이와 같은 모습들은 감정노동과 건강을 위한 기초 환경요인에 불과하다.

2 첫째, 감정노동을 수행하는 데 필요한 숙련 및 기술에 대한 인정(recognition)과 감정노동의 가치에 대한 인정 없이 감정노동을 평가절하하고 적절히 보상하지 않는 것은 분배적 정의(distributional justice)에 어긋나는 것이다. 둘째, 엄격한 대본, 과도한 통제, 암행 감사(mistery shopper)를 활용한 밀착 모니터링을 실행하는 것은 노동자들의 자율성, 자기표현과 목소리를 억압함으로써 절차적 정의(procedural justice)를 위반하는 것이다. 셋째, 고객과의 적절한 상호작용에 대한 고려 없이 고객에 대한 절대적 복종과 일방적 친절을 강요해 감정노동자들을 고객의 폭언, 희롱, 하대(disrespectful treatment)에 무방비로 노출시키는 것은 상호작용적 정의(interactional justice)에 필요한 존엄성을 부정하는 것이다.

〈그림 3-2〉 감정노동의 인간 중심적 모델로의 전환 방향

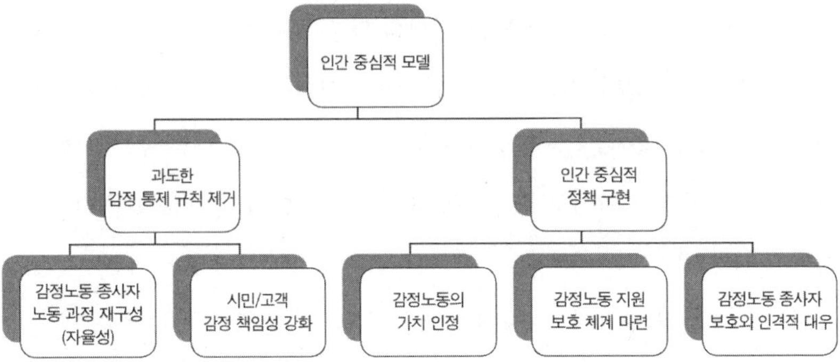

자료: 김종진 외(2015), Grandey and Gabriel(2015)와 Grandey, Rupp and Brice(2015)의 내용을 수정·보완해 재구성했다.

하지만 내적으로 실제 노동과정에서 발생하는 감정노동 문제를 해결하기 위해서는 과도한 감정노동을 강요하는 기업의 경영전략을 바꾸기 위한 시민사회 진영의 요구가 필요하다. 최근 국내 도시락 판매 업체(스노우폭스)는 "우리 직원이 고객에게 무례한 행동을 했다면 직원을 내보내겠습니다. 그러나 우리 직원에게 무례한 행동을 하시면 고객을 내보내겠습니다"라는 내용이 담긴 공정 서비스 권리 안내문을 게시했다. 안내문에는 "우리 직원들은 언제 어디서 무슨 일을 하든지 항상 존중을 받아야 할 훌륭한 젊은이들이며 누군가에게는 금쪽같은 자식이다. 직원들이 인격적 모욕을 느낄 언행을 하거나, 큰소리로 떠들거나 아이들을 방치해 다른 고객들을 불편하게 하는 행동을 하실 경우에는 정중하게 서비스를 거부할 수 있음을 알려드린다"라고 적혀 있다.

사실 감정노동 문제는 사후 관리보다 사전 예방과 규제 방안이 더 중요하다. 따라서 국내 한 유통업에서 제기된 공정 서비스 권리 안내문처럼 매장 곳곳에 시민과 고객의 책임성을 강화해나가야 한다. 더불어 화장품 판매 업체 LVMH(Moët Hennessy·Louis Vuitton S.A)처럼 직원들에게 과도한 감정노동이 발생할 경우 제품 판매를 제한할 수 있는 업무 매뉴얼 등의 보호 체계를 마련

할 필요가 있다. 물론 감정노동에 따른 정신적 피로와 스트레스 등을 예방하기 위해서라도 노동과정에 적정한 휴식은 필수이다. 현재 국내 몇몇 유통 서비스 판매직에 도입된 감정노동 휴가는 이런 의미에서 노동시간의 재설계로 볼 수 있다. 휴일 휴가는 전통적 의미에서 봤을 때 근로에 대한 대가인데도 연차만 유급휴가로만 인식하던 우리들에게 '감정노동의 가치'를 인정한 첫 사례이기 때문이다.

한편 노동조직 차원에서는 2012년 9월부터 민주노총과 한국노총 산하 주요 조직들이 감정노동 문제에 대응하기 위해 공동 사업을 진행했다. 양대 노총의 주요 조직은 감정노동 문제의 입법화를 목표로 정책 담당자 모임부터 진행했다. 이 모임이 확대·강화되어 2015년 2월 '전국감정노동네워크'라는 포괄적인 시민사회 네트워크 조직으로 발족했다. 감정노동네트워크는 감정노동 문제를 해결하기 위한 다양한 시민사회 단체(연구, 노동, 청년, 여성, 종교, 시민 등) 26개가 모인 네트워크 조직이며, 법안과 정책 마련 등 다양한 활동을 하고 있다.

2) 감정노동 보호 법제화까지

이처럼 감정노동이 사회적으로 부각되고 있는 상황에서 19대 국회에서만 감정노동 유관 법률이 16개나 상정되었고, 20대 국회에서도 두 개의 법안이 상정된 상태이다. 19대 국회(환경노동위원회)에서는 감정노동 법안을 '산업안전보건법'이라는 큰 틀에서 논의한 바 있다. 이 때문에 정부(고용노동부)에서도 감정노동 법안을 통과시키기 위해 각 분야 전문가와 노사 당사자의 의견까지 수렴했다. 게다가 2015년에는 감정노동 문제를 해결하기 위한 공청회(국회, 서울시)도 있었다. 특히 2016년 1월과 11월에 발표된 서울시 감정노동

조례(2016.1.7)와 감정노동 종합 계획(2016.11.9)은 감정노동의 정의와 적용 대상 및 보상과 규제 내용 등이 담겨 있다. 우리 사회에서 감정노동 문제가 처음으로 제도화된 형태로 만들어진 것이다.

사실 기업의 일방적 통제와 모니터링으로 직무 자율성을 제한하는 것은 감정 탈진, 감정 소진, 심리적 스트레스를 증가시킨다. 이에 따라 모니터링이 통제의 일환이 아닌 감정노동 스킬과 역량 개발을 위한 지원 시스템으로 전환될 필요가 있다. 더불어 고객에 대한 일방적 복종, 폭언과 희롱의 감수가 아니라 감정노동자와 고객의 상호 권리와 의무를 명시해 감정노동자의 존엄성과 노동을 존중할 수 있는 노동환경(작업 혹은 업무 중지권)을 조성해야 한다.[3] 특히 감정노동 제도나 정책(가이드라인)은 현장에서 작동할 수 있는 '매뉴얼 핸들링(체크리스트)'과 '실천 규칙(Codes of Practice)'이 함께 제시되어야 한다.

결국 감정노동 해결 방향은 우리 사회의 노동의 재구성이라는 측면에서 접근할 필요가 있다. 감정노동 업무를 '가치 있고, 보람 있는 직무'(업종, 사업장, 직무 재설계)로 인식하고, 제도 방향과 논의를 진척시켜야 한다. 현재 우리 사회에서처럼 감정노동 업무와 직무가 '욕먹는 낭비적인 일(waste)'이 아니라, '보람 있는 직무(good job)'와 '가치 있는 일(worthwhile)'로 전환되는 것, 즉 노동의 재구성을 의미한다(김종진, 2015). 다시 말하면 우리 사회의 감정노동과 건강 문제 해결은 천박한 자본주의 사회에서 상품화된 노동을 탈상품화된 인간 중심적 노동으로 변화시키기 위한 그 시작이라 할 수 있다.

---

3 '산업안전보건법'의 '작업 중지 요청권'과 관련해 캐나다, 독일, 프랑스는 자세한 중지 권한과 이후 조사 과정 제도를 갖추고 있다. 특히 프랑스에서 '위험'은 기계, 생산 공정, 업무 분위기〔스트레스, 신체적·언어적 공격(aggression), 위협, 괴롭힘 등〕뿐만 아니라, 알레르기, 비위생적인 업무 환경, 산업보건 당국이 정한 안전 보건 규칙에 위배되는 작업장까지도 포함된다.

부록: 2015년 유통업 서비스 판매 종사자 노동 환경 및 감정노동 실태 조사 비교

(단위: %)

영역		항목	실태(응답 비율)	여성	남성
질병 재해		업무상 질병/손상(1년)	9.1	10.0	4.9
육체적 건강		근골격계 질환 증상	의사 진료 필요 수준 44.7	52.5	26.1
		족저근막염 진단 경험	7.3	8.2	3.5
		치료 경험	6.7	7.9	2.4
		방광염 진단 경험	17.3	20.6	2.3
		치료 경험	19.5	23.7	1.3
		고위험 음주율		30.8	47.4
		병결(앱센티즘)	17.9	19.6	10.2
		출결(프리젠티즘)	53.1	58.2	31.2
정신적 건강	우울증	우울증 증상	고도 우울증 26.4	28.6	16.4
		우울증 진단 경험	7.0	7.8	3.3
		치료 경험	2.0	2.9	1.0
	직무 스트레스	직무 요구	고위험 18	19.0	31.2
		직무 자율성	고위험 12.2	14.0	4.4
		관계 갈등	고위험 13.2	13.6	11.9
		직무 불안정	고위험 26.7	27.5	7.0
불쾌한 언행 (유경험)		폭언	39.0	40.5	32.4
		폭행	1.9	1.7	2.7
		성희롱	3.9	4.3	2.1
		따돌림	0.9	0.9	0.7
		정신적 고통	17.2	19.0	8.8
		교육/해소 프로그램	3.5	3.0	5.9

감정노동	감정 표출 노력, 다양성		위험 58.0	65.3	25.3
	고객 응대 과부화, 갈등		위험 52.0	57.3	28.1
	감정 부조화, 손상		위험 53.5	59.1	28.2
노동상황	직장 생활 만족도(점수)		47.5점	46.1점	54.5점
	시간 부족 갈등		73.4	87	57.6
	일과 삶의 불균형		74.7	78.2	59.5
	여가 시간 부족		65.9	69.5	50.5
	일 시작 후 개인의 사회관계 변화		76.3	79.6	61.7
	1주일 근로시간(시간)		45.6	45.9	46.4
	52시간 이상 근로		17.6	16.6	22.2
	이직 횟수		1.67회	1.73회	1.35회
	1년 이내 이직 의향		33.3	35.9	21.9
	1일 평균 (성수기) 고객 응대 수		54.9명	56.6명	31명
	1일 평균 (성수기) 고객 응대 시간		14.8분	14.9분	13.9분
	월평균 총액 임금	정규직	237.7만 원	222.5	296.9
		무기 계약직	143.5만 원	136.5	177.0
		기간제	155.8만 원	153.5	168.1
		시간제	105.0만 원	103.4	130.7
		파견	168.7만 원	163.2	280.0
		용역	170.0만 원	170.0	287.1

자료: 김종진 외(2015: 237~240)에서 재구성했다.

04

'익면성'의 노동으로 고통받는 곳

콜센터

한인임 노동환경건강연구소 교육팀장 | **김성호** 공인노무사

1. '고객 불만' 처리하는 콜센터 노동자

1) 콜센터 산업의 규모와 업무 분야

우리나라 콜센터에서 일하는 노동자의 규모는 2002년 약 25만 명에서 2007년 약 40만 명으로 증가한 것으로 나타난다(한국콜센터산업정보연구소). 이는 연평균 성장률 12%에 달하는 수치로, 가파른 상승률을 보이고 있다. 한국콜센터산업정보연구소에서 임의 추출해 조사한 업종별 풀타임 상담원 수는 은행업에 가장 많은 것으로 나타나고 있으며 그다음으로 방송, 언론, 통신 서비스 순서이다.

기업들과 행정기관들은 콜센터를 통해 인바운드와 아웃바운드 활동을 하고 있는데 대부분이 인바운드 콜링인 것으로 나타난다. 인바운드는 고객으로부터 걸려온 (민원)전화를 받아 처리하는 업무로 주요 내용은 불만, 의견, 문

〈그림 4-1〉 콜센터 풀타임 상담원 수

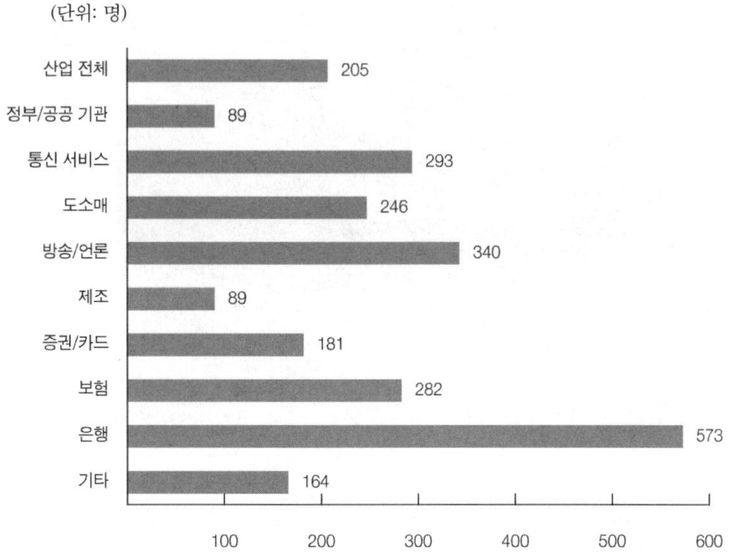

의 등으로 다양하다. 인바운드 업무는 이런 사항에 신속하게 대응하고 고객 만족을 지향하는 처리를 수행해야 하며, 이것은 다시 성과와 직결된다. 이렇기 때문에 기본 콜 수와 처리 속도, 상담 통화 모니터링(QA), 새로운 상품이나 정보에 대한 주기적인 교육과 시험 등이 업무 압박으로 작용한다.

이에 비해 아웃바운드는 고객에게 적극적으로 전화를 걸어 영업 활동을 하는 업무로 판매(계약)를 통한 수익 창출이 주된 성과 지표가 된다. 인바운드에 비해 업무 처리량이 적을 수 있으나 소득이 불안정하고, 성과를 맞추기 위해 연장 노동을 하는 경우가 있다.

또 인바운드와 아웃바운드를 동시에 다루는 블랜딩(혼합콜)도 있다. 최근 '개인정보 보호법'이 제정되고, 사회적으로도 개인 정보 유출 문제가 대두되어 독립적인 아웃바운드보다는 인바운드로 인입된 고객에게 상품 판매를 유도하는 방식의 블랜딩이 증가하고 있다.

〈그림 4-2〉 인바운드와 아웃바운드 콜링 비중

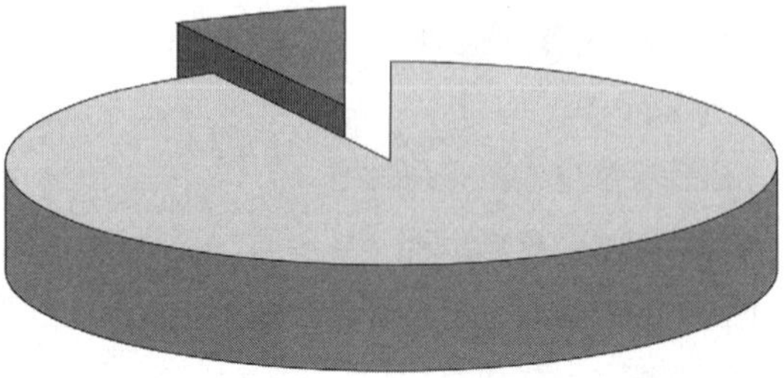

2) '고객 불만'의 메커니즘

인바운드 콜링에서 주요 응대 내용은 '고객 불만 상담'이다. 콜센터 노동자의 업무 특성이 바로 인바운드 콜링에서 나타나는 '고객 불만'을 해결하는 과정에서 비롯된다는 사실을 확인할 수 있다. 불만을 품은 고객들이 노동자에게 친근한 태도로 전화하지 않을 것이라는 점은 너무 분명하다.

여기에서 중요한 것은 고객 불만은 왜 생길까 하는 점이다. 이는 둘 중 하나이다. 첫째는 팔린 제품이나 상품에 문제가 있거나 후속 서비스가 제대로 실시되지 않은 경우이다. 이 모두는 기업의 전략 부재 또는 불완전한 경영 시스템이 가져온 문제이다.

> 분명히 이 펀드에 가입할 때 금리보다 높을 거라고 했어요. 자기 가족이랑 지인들도 다 가입했다는 거예요. 근데 2년 뒤에 찾았더니 -10% 손실을 봤어요. 왜 사람을 속이냐고요. _ 은행 이용 고객 불만 사항

> 우리가 상담할 때 월 2만 5000원까지 제공하는 상품을 팔았어요. 그런

〈그림 4-3〉 인바운드의 주요 응대 내용

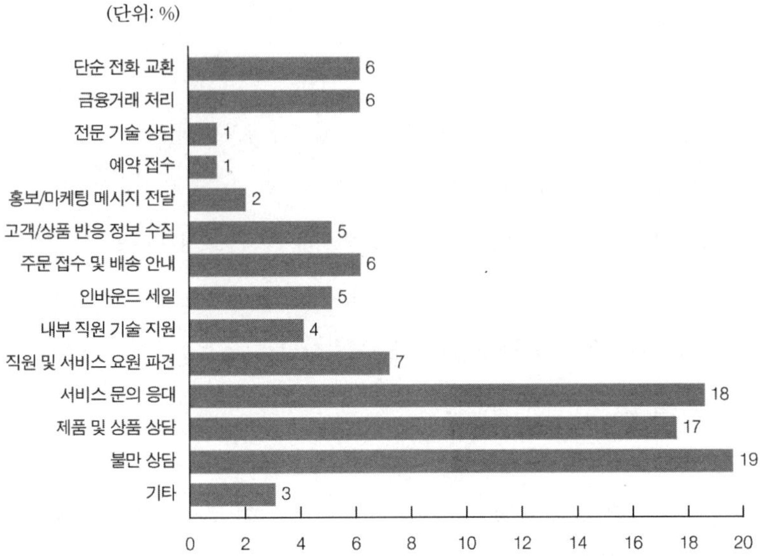

데 현장에서 영업하시는 분들이 1만 7000원까지 떨어뜨려 영업을 한 거예요. 그러니 난리 났죠. 전화로 욕하고 ……. _ IPTV 콜센터 노동자 1

두 번째 경우는 콜센터 노동자들이 정보와 결정권을 제대로 갖고 있지 못해서 발생하는 문제이다. 정확한 정보와 결정권을 가지고 원스톱 체계로 서비스를 제공하거나 무리하게 요구하는 서비스를 거부할 수 있어야 하지만, 현실은 그렇지 않다.

오전 9시부터 11시까지 전화만 받았어요. 왜 안 오냐? ……. 전부 욕하러 전화하는 거예요. 고장 나서 불편하다고 하고 설치받는 거 급하다고 하고 ……. 콜센터에서 통합 처리해야 하는데 오히려 '한 시간 안에 기사가 갈 거예요' 이렇게 임의로 정리하고 전산에 넣지도 않고 ……. 조직이 체

계가 없어요. 하루에 기사가 처리할 수 있는 양이 있는데 그냥 꽂아대니까. _ IPTV 콜센터 노동자 2

무조건 큰소리 내는, 말이 안 통하는 민원인과 통화할 때 (팀장이) 실시간으로 콜을 들으며 쪽지로 어떻게 말하라고 하면 그대로 응대했다. 그래도 민원인은 수긍하지 않았다. 결국 팀장을 바꾸라는 소리가 나왔고 민원인은 더 크게 화를 내고 ……. 시키는 대로 했는데 팀장은 내 탓이라고 한다. 왜 내 탓인가? 팀장은 도움이 되지 않는다. 팀원을 보호하기보다 무시하는 팀장. _ 다산콜센터 노동자 1

이런 문제들은 결국 친절만을 강요할 뿐 실질적인 교육 훈련의 부재, 내부 의사소통 시스템의 부재, 결정권을 부여하지 않는 조직의 전근대성에 근거하고 있다. 이로써 콜센터 감정노동자들은 '나쁜 고객'으로부터도 폭력을 당하지만 '정당한 요구'를 하는 고객으로부터도 폭력을 당하게 되는 것이다.

2. '닭장'에서 '전자적 원형 감시'를 받는 저임금 여성 노동자

1) 저임금, 불안정, 여성으로 상징되는 콜센터

콜센터 종사자의 약 85%가 여성인 것으로 파악되는데, 이 업무 조건들은 흔히들 말하는 사무직이다. 그러나 대부분의 노동자들이 2년 단위 계약직으로 근무하고 있으며, 이들의 연봉은 1500~1800만 원으로 동 업종 정규직의 38~44%에 불과한 것으로 조사된다. 직접 고용이 이루어지는 경우도 있지만 대부분은 외부에 도급되어 있는 형태이며, 도급사들의 경우에도 직원을 계약직으로 채용하는 경우가 대부분이다. 따라서 "우리는 통상 2년 단위로 계약을 한다. …… 문제가 생기면 다음에 재계약하기 어렵다. 회사에서는 업무 모니터링뿐 아니라 다른 불만 사항을 얘기하라고 하지만 속 시원히 얘기하지 못하는 것이 사실이다"라는 응답이 나올 수밖에 없다. 여기에 파견 업체를 통한 콜센터 외주화가 이루어진 경우 원청·하청 협력 업체-파견 업체-기간제와 같은 이중·삼중의 간접 고용, 비정규 노동 사슬이 형성되기도 한다.

한편, 경력 단절 여성의 노동시장 재진입의 주요 경로로 알려졌던 콜센터에 최근 들어 노동시장으로의 1차 진입이 이루어지는 등 변화의 모습이 감지되고 있다. 2010년 정보통신산업진흥원의 '콜센터 상담원의 고용 현황' 조사를 보면 상담사 중 29세 이하가 수요 기업의 경우 29.0%, 공급 기업의 경우 48.4%를 차지하고 있는 것으로 나타났다.

2) 최악을 피해 다니는 유목 노동

앞선 정보통신산업진흥원의 조사에 따르면 1~3년 미만 동안 근속한 종사자는 약 45%에 해당한다고 한다. 한 언론사의 기사[1]에 따르면 상담사의 20%를 주기적으로 채용할 정도로 이직률이 높다. 2014년 실시한 성동 지역의 콜센터 사업체 현황 조사에서도 응답 기업 전체가 1개월 미만을 주기로, 또는 수시로 채용을 진행한다고 밝혔다.

그리고 임금과 복지 수준이 현재보다 높거나, 일정 기간의 휴식으로 업무

1 이지숙, "상담사 '수급 비상' 잘나가던 콜센터 발목 잡나", ≪프라임경제≫, 2011년 7월 11일자. http://www.newsprime.co.kr/news/article.html?no=205532(검색일: 2016.12.27).

에 복귀할 수 있을 때 업체를 옮겨 다시 상담 업무를 시작한다. 최악의 노동조건을 피해 유목(遊牧) 노동을 이어가는 셈이다. 이런 유목 노동은 저임금, 불안정, 감정노동에 지친 상담사들이 콜센터를 떠나 업무를 거부함으로써 자신을 보존하고, 기업에 대한 저항을 표시하는 방식일 수도 있다. 그러나 콜센터의 임금수준이나 복지 정도가 전체적으로 하향 평준화되어 있는 실정이고, 노동에 대한 이해 대변체가 미비한 현실에서 상담사들의 안정적인 생계 공간은 결국 보장되지 않고 있다.

> 다른 곳에 있다가 A 카드로 옮겼어요. 기본급이 좀 낫기에 옮겼어요. 그럴 땐 다 옮기죠. 옮길 때 여섯 명이 같이 옮겼는데, A 카드에서도 'B 카드가 좀 낫다' 그러면 옮겼다가 그쪽이 좀 안 좋아지면 바꾸는 거죠. 수시로 얼마간. 그러면 다시 오는 애들도 있고. _ 신용카드사 콜센터 노동자

3) 전자적 원형 감시: 디지털 시대의 팬옵티콘(Panopticon)

저임금, 불안정 고용은 더 나쁜 노동환경을 감내하게 한다. 이들은 투명한 유리창 너머의 관리자로부터 매 순간 실시간으로 직접 감시를 받는다. 노동자의 상담 내용은 기록·저장된다. 은밀한 압력, 노동과정 전체가 완전히 노출된 것 같기도 하면서 폭력적인 지시를 직접 받기도 한다.

> 민원 전화를 받고 있으면 유리방〔통화품질관리자(Quality Assurance Analyst: QAA) 사무실〕에서 쪽지가 오는데 그것 때문에 스트레스를 엄청 받죠. 시간대별로 팀장에게 쪽지가 오구요. …… 그래서 하루에 자리를 비우는 시간이 5~10분 정도밖에 안 되는 거예요. 화장실만 잠깐 갔다 오

고 하루 종일 물도 안 먹고, 그렇게 일을 했어요. _ 다산콜센터 노동자 2

나의 일거수일투족이 컴퓨터에 기록되는 것이 무서울 때가 한두 번이 아니다. 심지어 나중에 보면 화장실에 몇 번 갔는지도 알 수 있다. 가끔은 내가 회사가 아닌 닭장 속에 들어와 있는 것이 아닌가 싶다. _ 은행 콜센터 노동자 1

일하다 보면 저쪽 끝에 있는 팀장이 누군가에게 손가락질을 하며 막 소리를 지른다. "후처리, 후처리!!"(전화 끊고 입력 작업을 계속하면 안 된다는 말 ……. 전화 통화와 동시에 입력 작업이 끝나야 한다고 아우성치는 소리) 과거에는 내가 숨이 턱에 차면 홀더 버튼을 누르고 전화를 받지 않을 수 있는 짬이 있었는데 지금은 전화를 끊자마자 대기 전화가 연결되는 자동 연결 체계로 되어 있다. _ IPTV 콜센터 노동자 3

4) '거대한 자동기계'에서 돌아가는 상담

콜센터의 '전자적 원형 감시'는 콜센터 업무가 마치 끊임없이 돌아가는 컨베이어벨트의 업무처럼 하나의 '거대한 자동기계(vast automaton)'를 연상하게 만든다. 특히 이들의 업무 밀도가 문제가 되는데 모든 콜센터의 업무 기준 중 가장 중요한 것은 빨리 상담을 마쳐야 하는 것이다. '콜 평균 응대 속도(ASA: 고객이 기다리는 시간의 개념)', '콜당 평균 상담원 통화 시간(ATT)', 콜당 평균 후처리 시간(Warp-up Time), 상담원 1인당 8시간 근무를 기준으로 했을 때 처리 콜 수 등이 주요 평가 기준이 된다. 콜 평균 응대 속도는 고객이 기다린 시간을 응대 통화 수로 나눈 값으로, 속도가 높을수록 고객이 오래 기다린다는 개념이다. 이 값이 높으면 고객 불만이 커질 가능성이 있는데 그 원인은

〈그림 4-4〉 콜 평균 응대 속도

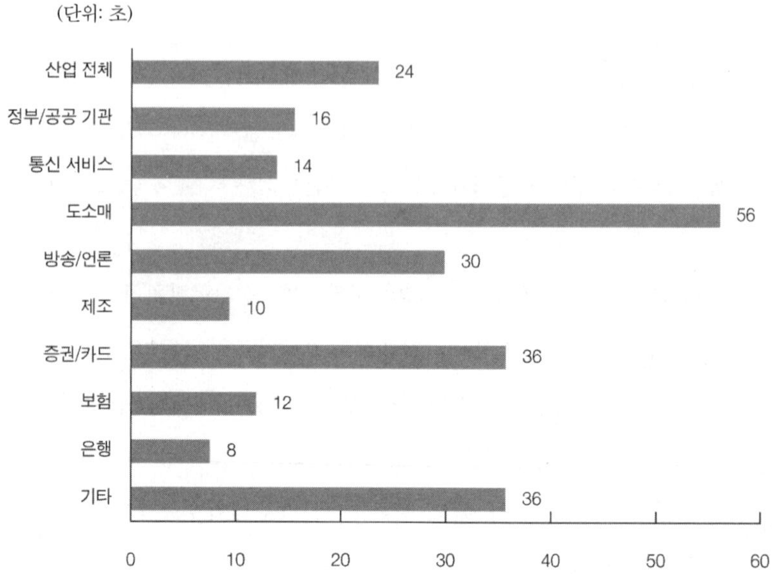

당연히 노동자의 숫자가 부족하기 때문이다. 그러나 기업에서는 이를 해결하기보다 노동자의 노동강도를 높이는 방식을 취하고 있다. 가뜩이나 하루 종일 고객의 상담 내용을 이해하기 위해 귀를 쫑긋 세우고 고객의 요구에 맞춰 말을 해야 하는 노동자 입장에서는 고통스러운 일이다.

서울시의 자료에 의하면 2013년 12월 기준으로 노동자 1인당 하루 평균 105.1건의 전화를 받고 있는 것으로 나타난다. 근무시간대별로 보면 주간 근무자 103.6건, 저녁 근무자 92건, 야간 근무자 119.7건을 응대했는데, 근무시간을 감안하면 시간당 12.4건, 4.9분당 1건을 처리한 셈이다.

> 민원을 받고 나서 마음이 많이 상해 울었는데 뺨에 물기만 마르면 일을 시작해야 하는 거예요.
>
> 감정적으로 추스르고 할 그런 시간 자체가 없어요. 대기인들이 기다리

고 있어서 전화를 끊으면 또 바로 받아야 하고 정말 끊임없이 전화가 와요. 중간에 대기하는 시간이 전혀 없어요. 우리는 기계가 아니라 사람인데 ……. 어떻게 7~8시간 쉬지 않고 전화받는 걸 당연하게 받아들이는 걸까요. 정말 너무 벅차서 진이 다 빠지는 것 같아요. _ 다산콜센터 노동자 3

완전히 노출된 밀착적인 감시와 폭력적인 요구에 화장실 갈 시간, 물 마실 시간을 확보하기 어려운 노동자들, 그중에서도 특히 여성 노동자는 남성보다 생리적인 측면에서 더 배려받아야 할 입장이지만 더 어려운 처지에서 일하고 있다. 감정적인 소진(emotional exhaustion)이 발생할 경우 이를 회복할 수 있는 휴식이 보장되지 않는 것은 감정노동의 문제를 더욱 심화하고 있다. 민간 콜센터의 경우는 업무량이나 강도 등이 더 심하지만 '근로기준법'이라는 통제 장치는 그 안에서 무력하기만 하다.

요새는 인원이 좀 보충되어서 받아야 하는 전화가 줄었어요. 많이 받으면 한 130~140통? 옛날에 미친 듯이 받을 때는 180통 정도 받았어요. 그런데 다다음 주부터 다시 좀 늘어날 것 같아요. 인원은 같은데 연결된 점포 수가 200개 가까이 늘어나요. 원래 500개 점포만 있었는데. 그래서 아마 사람을 더 뽑는 것 같아요. 통화 시간은 보통 2~3분. 길면 4~5분인데 본인 확인하고 절차를 밟는 경우 3분이 넘어가요. 단순 업무는 금방금방 되는데, 본인 확인하는 절차 자체가 1분 정도 까먹으니까.

연차를 한꺼번에 쓰는 건 여름휴가 때를 제외하고 한 달에 최대 1.5일로 제한하고 있어요. 연차 하나를 쓰고 급한 일 있을 때 반차까지는 허용해줘요. _ 은행 콜센터 노동자 2

3. 안전 보건의 치외법권 지역, 콜센터

1) 콜센터의 취약한 안전 보건 체계

콜센터 감정노동자들은 지금까지 안전 보건의 사각지대에 놓여 있었다. '산업안전보건법'에서 규정하고 있는 '안전 보건 교육'을 받지 않았으며 100인 이상 사업장에 반드시 설치해야 할 노사 합의 구조인 '산업안전보건위원회'도 운영되지 않았다. 실내 업무 공간의 경우 '실내 공기의 질'을 관리하도록 법에서 규정하고 있고,[2] 대부분의 노동자가 겪고 있는 '직업성 근골격계 질환 예방 관리'[3]도 해야 하지만 이런 조치가 이루어지는 곳은 없었다. 30인 이상 사업장에서는 '노사협의회'를 통해 안전 보건 문제를 논의해야 하고 고충 처리 위원을 두어 고충 처리를 해야 하지만, 그것도 이루어지지 않았다. 그야말로 이들 사업주는 아무것도 하지 않았던 것이다. 정부도 손을 놓고 감독 의무를 이행하지 않았다.

2) 콜센터 상담사의 업무상 질병 유형

노동자들은 어디에 하소연하지도 못하고 자신의 권리가 무엇인지도 알지

---

2 "다산콜센터 사무실 내의 이산화탄소 농도는 평균 1697ppm으로 측정되었다. 이는 미국 연방 직업 안전·보건국의 실내 환기 상태를 판단하는 800ppm 기준과 국내 관련 법 기준 1000ppm, 그리고 우리나라 사무실에서 조사된 일평균 농도 639~786ppm과 비교해 약 두세 배 높은 수치이다"라는 은수미 의원실 자료에서 드러나듯이 실내 공기 질 관리가 전혀 되고 있지 않은 것으로 나타난다.

3 '산업안전보건법'에서는 3년마다 근골격계 질환을 일으키는 원인을 찾아 개선하고 질환자를 관리하도록 규정하고 있지만, 본인의 책상도 없는 처지의 노동자들에게 이는 그림의 떡이다.

〈표 4-1〉 우리나라 노동자의 질병 노출 수준과 업무 관련성 여부

(단위: %)

	건강 문제 호소율(있다)		업무 관련 여부 (그렇다)
	IPTV 콜센터 여성 노동자	우리나라 노동자 평균	
1) 두통 / 어지러움	74	18	92
2) 눈의 피로 / 따가움	89	12	97
3) 목·어깨· 팔의 통증	95	37	97
4) 허리의 통증	80	15	95
5) 엉덩이, 다리, 무릎, 발 등 하지의 통증	66	27	93
6) 변비 / 설사	46	6	80
7) 호흡기 질환(감기, 천식 등)	47	18	88
8) 호흡 곤란(심리적 요인에 의한 것도 포함)	32	4	85
9) 심장 혈관 질환(심근경색, 협심증 등)	7	3	57
10) 뇌혈관 질환(뇌출혈, 뇌경색 등)	4	1	80
11) 고혈압	11	12	75
12) 당뇨	2	6	67
13) 위장 질환(위 / 십이지장염 및 궤양)	42	25	93
14) 우울 또는 불안 장애	52	4	91
15) 전신 피로	86	30	92
16) 불면증 또는 수면 장애	43	4	93
17) 암 / 종양성 질환	5	1	50

주: 이 표는 IPTV 콜센터에서 일하고 있는 여성 노동자를 대상으로 한 조사 결과이다. 우리나라 고용노동부에서 2012년에 전국의 노동자를 대상으로 조사한 '근로 환경 조사' 결과와 비교하면 대부분의 질병 영역에서 훨씬 높은 증상 호소 수준을 나타내고 있다. 이뿐만 아니라 대부분의 질병이 직업과 관련이 있다고 인식하는 것으로 나타났다.
자료: 노동환경건강연구소(2013).

못했다. 그 결과 젊은 여성 노동자들은 병을 달고 산다. 또한 그녀들은 자신들의 질병이 업무와 관련 있다고 생각하는 것으로 나타났다.

일하면서 스트레스를 받으니까 목덜미가 당겨서 혈압이 올라가는 느

〈표 4-2〉 IPTV 콜센터 여성 노동자 생리휴가 사용 현황

	응답(명)	응답(%)
생리휴가를 사용한 적이 있다	10	9.2
생리휴가를 사용한 적이 없다	99	90.8
합계	109	100.0

자료: 노동환경건강연구소(2013).

낌이 있다가 또 두통이 오고 ……. 긴장을 하니까 자주 체하는 거 같아요. 또 요즘에는 목 상태도 계속 안 좋아서 자꾸 쉰 소리가 나고 말할 때 많이 힘들어요.

야간 근무시간 13시간 중에 두 시간은 휴식이지만 11시간을 거의 앉아 있어야 해서 아침이 되면 온몸이 다 부어요. 콜이 많으면 30분 정도밖에 쉴 수 없어요. 정말 급하게 밥을 먹고 일하니까 소화제랑 두통약을 달고 살죠. 살도 많이 찌고 혈압도 생겼어요. 생리도 제때 못해요. _ 다산콜센터 노동자 4

특히 여성 노동자들은 생리휴가를 사용하지 못하고 있으며, 다른 직종에서는 찾아보기 어려운 '성대결절'을 호소하는 사람도 많다. 성대결절은 교사, 성악가, 가수 등 음성을 직업적으로 많이 사용하는 경우 발생할 가능성이 있는 상해로, 콜센터 상담사 역시 일반 톤보다 높은 '솔' 톤의 가공된 목소리로 하루 4~5시간 이상 통화하다 보니 이 같은 상해에 노출되어 있는 상황이다.

3) 콜센터 상담사의 감정노동과 그 메커니즘

특히 여성 노동자들이 겪는 감정노동 문제는 수위가 가장 높은 것으로 파

악된다. 그 이유는 바로 고객 대면 노동을 목소리로만 하고 있다는 노동과정상의 특징 때문이다. 얼굴을 맞대지 않으면 고객이 더 거칠어질 가능성이 있다. 얼굴을 보고 있지 않으니 의사소통이 대면 과정보다 훨씬 어려울 것이고, 또한 '익명성'이 생기면서 좀 더 과도해도 될 것 같은 느낌을 갖기 때문이다.

콜센터 노동자들이 감정노동을 겪게 되는 이유는 앞서 노동과정 특성에서 드러난 기업 시스템상 발생한 문제가 가장 중요한 원인이다. 즉, 기업이 고객의 '불만'을 만든 것에서 시작한다. 그 결과 콜센터 노동자들은 기업이 만든 불만을 최전선에서 온몸으로 막아내는 역할을 하는 것이다.

두 번째는 고객들의 불만을 그나마 잘 막아내도록 더욱 충실하게 교육·훈련을 시키고 업무에서의 재량권을 부여해야 하는데, 실제로는 이것도 매우 불충분하거나 거의 없는 상황이다.

세 번째는 이해할 수 없는 관리 기준을 가지고 있기 때문이다. 홈페이지 게시판에 민원이 올라오는 것이 왜 페널티에 반영되어야 하는지에 대한 문제이다. 민원이 발생하면 시시비비를 가려서 대응하면 되는 것이다. 그런데 아무런 이유 없이 민원이 제기되었다는 것만으로 노동자에게 가혹한 대우(해고 위협, 부서·팀 강제 전환 배치, 인사고과·성과급 불이익, 벌칙 적용, 회의 시 공개 망신 등)를 하는 것은 정상적인 일이 아니다. 시스템이 이렇다 보니 노동자들은 과도하고 무리한 요구나 폭력적인 태도를 거부하지 못하고 받아들이게 되는 것이다.

> 상담의 질은 중요하지 않습니다. 짧은 시간 안에 많이 받고 민원성 글이 서울시 홈페이지에 올라가지 않으면 됩니다. 민원 글이 올라가면 안 되기에 노동자들에게 무례하고 비상식적으로 행동하는 민원인에게도 무조건적으로 친절할 것을 강요하며, 민원인의 잘못에도 노동자가 사과까지 하도록 강요합니다. _ 다산콜센터 노동자 5

금융감독원이 그런 기준을 가지고 있어요. 민원이 얼마나 발생하느냐 하는 양에만 맞춰서 은행을 감독해요. 그러니까 은행은 지점에서 민원을 아예 원천 봉쇄를 하려고 악성 고객들에게 금전적 지원까지 하면서 막는 거죠. _ 은행 노동자

초강성 진상 고객은 새벽에도 전화해서 A/S를 하러 오라고 한다. 방통위에 민원을 넣는다고 협박하면 기어라도 가서 서비스를 해야 한다. _ IPTV 콜센터 노동자 4

네 번째는 고객 불만을 노동자에게 온몸으로 막으라고 요구하기 때문이다. 고객이 부적절하고 비윤리적인 행위를 했을 경우 피할 수 있어야 하지만 고객이 하는 욕설을 다 감내하라는 것은 감정노동 수준을 극대화한다.

욕을 세 번 할 때까지 참다가 "욕하시면 안내가 어려우니 종결하겠다"라고 하고 전화를 끊는 건 말이 안 되는 것 같아요. 물론 형편이 나아지긴 했지만 욕을 한 번 듣는 건 적은 건가요? 또 욕을 하지 않으면 아무리 고함을 지르고 반말을 해도 계속 듣고 있어야만 하는 건가요? 먼저 전화를 끊을 수 없으니까 저는 시민님한테 무슨 말씀을 하시냐고 물을 수 없잖아요? 그냥 죄송하다, 죄송하다 하지 ……. _ 다산콜센터 노동자 6

이런 제반 문제들이 결국 콜센터 노동자의 정신 건강을 악화하고 더 나아가 육체 건강까지 해치는 요소로 작용하고 있다.

4. 콜센터 노동자 보호를 위한 국내외 사례

1) 서울시의 다산콜센터

콜센터 노동자로서 가장 먼저 노조를 만든 다산콜센터의 경우 수차례의 투쟁을 통해 작업장에서 발생하는 감정노동으로부터 일정한 '독립'을 확보했다.

(1) 고용 안정을 확보했다

다산콜센터는 2007년 개소해 2년마다 세 개 위탁 업체를 선정하는 '민간위탁' 방식으로 운영해왔다. 그러나 ① 공공 행정 민원 서비스 업무의 공공성과 전문성 추구, ② 국내외 공공 행정 콜센터의 직영 운영 사례 존재, ③ 공공부문 모범 사용자 역할과 보람 있는 일자리 창출 구축, ④ 공공 부문과 시 정책 확장 및 당사자 의견 반영 등의 필요에 따라 서울시가 직접 고용하는 방식으로 재편했다.

(2) 원 스트라이크 아웃제를 도입했다

최근까지 각종 욕설과 성희롱에 대한 처방은 삼진 아웃제였다. 두 번까지 모욕을 겪고 나서야 전화를 끊을 수 있었다. 한마디로 들을 만큼 다 듣고 나서야 끊을 수 있다는 것이다. 이에 대한 처방으로 첫 통화부터 문제가 인지되면 끊을 수 있는 권리를 확보했다. 물론 통화는 녹음되고, 악성 고객의 경우 기업이 나서서 고발 조치하는 사례도 만들어졌다.

(3) 악성 민원인에 대한 법적 대응을 기업 차원에서 진행하고 있다

악성 민원인에게 극도의 심리적 스트레스를 받는 노동자들은 현행법상 개

인이 고소를 해야 하는 한계가 있다. 그러나 이를 개인이 직접 진행하는 것은 대단히 부담스러운 일이다. 이에 다산콜센터에서는 상습적이고 반복적인 악성 민원인에게 사전 경고 후 개선하지 않을 경우 기업이 나서서 법적 조치를 취하고 있다. 2014년까지 폭언, 성희롱, 업무방해로 29명을 고소·고발했다. 부록에서 확인할 수 있듯이 이를 통해 악성 민원이 줄어들었다.

(4) 민원 전담 관리반이 만들어졌다

악성 민원인과 통화 중 전화를 끊기 어려운 상황(집요한 억지 주장, 말꼬리 잡기 등)에 놓였을 때는 상담사가 전담반으로 전화를 돌릴 수 있다. 이 전담반은 팀장급 이상의 상담사로 구성되며 365일 24시간 대응 체계를 갖추고 있다. 능숙함과 지식, 자율적 권한을 부여받은 이들은 원스톱 서비스가 가능한 대응을 구사하고 있다. 다른 감정노동 서비스 분야에서도 반드시 필요한 영역이다.

(5) 불필요한 서비스를 제거했다

"무엇이든 물어보세요." 이는 다산콜센터를 알리는 슬로건이다. 그런데 전체 상담 전화의 약 20%가 음식점 위치를 묻는 등 행정과 상관없는 단순 생활 민원이었다. 다산콜센터는 이러한 전화에는 응대하지 않기로 방침을 정했다. 애초의 슬로건은 시민들에게 매우 높은 접근성을 허용했지만, 현실적으로 불가능하고 소모적이었다. 이제라도 제자리를 찾은 서비스 구조에 박수를 보낸다.

2) 해외에서는 어떻게 보호받나

(1) 서비스 분야 종사자 인권 보호와 관련한 국제 기준

국제노동기구(International Labour Organization: ILO)는 최소한의 국제 기준

을 협약과 권고의 형태로 제정하고 있으며, 회원국이 이 협약을 비준할 경우 이를 이행해야 하는 국제법적 구속력이 있다.

국제노동기구의 협약 중 서비스 분야 또는 모성보호와 관련된 협약은 '상업 및 사무직 부문의 근로시간 규제에 관한 협약'(제30호 협약, 1930), '상업 및 사무 부문의 위생에 관한 협약'(제120호 협약, 1964), '호텔·레스토랑 및 유사 업체들의 근로조건에 관한 협약'(제172호 협약, 1991), '모성보호에 관한 협약'(제183호 협약, 2000) 등이 있다(국가인권위원회 조사국 차별조사과, 2011).

그 내용을 보면 제30호 협약은 전화 업무를 포함한 상업 부문 사업장 등에 고용되어 있는 자에게 적용되는 것으로 하루 및 한 주 근로시간에 제한을 두고 있으며, 제120호 협약은 작업장을 포함해 근로자가 사용하는 모든 구역에 대한 설비, 공기의 질, 조명, 온도, 작업 위치, 음료, 세탁 시설 및 화장실, 좌석, 소음 등에 대한 규정과 위급 시 필요한 의무 시설 등의 설치를 정하고 있다.

콜센터와 직접 관련된 협약은 아니지만, 콜센터가 여성이 다수인 사업장이라는 것을 고려해 제172호 협약의 내용을 살펴보면 모성에 위험이 있는 업무의 금지, 출산휴가 등에 대한 보장을 의무화하고 있다.

한편 국제노동기구는 2010년 업무상 질병 목록을 개정하며 '정신 행동 장애(Mental and behavioral disorders)' 항목을 '정신 질환(psychological disorders)' 항목으로 대체해 이를 업무상 질병으로 인정하고 있다(송재철, 2012).

(2) 해외의 제도 사례

해외에서도 감정노동의 개념을 구체적으로 정의하고 이에 대한 별도의 보호 규정을 마련한 사례는 아직 찾아보기 어렵다(한인상, 2013). 그러나 감정노동으로 인한 질병을 산업재해로 인정하기 위한 노력들이 진행되고 있다.

일본의 경우 '심리적 부하에 의한 정신 장애'를 산업재해 인정 기준 등에 추가했다. '노동기준법' 시행규칙 별표 제1의2, 9호에 "사람의 생명을 위협하는 사고의 발생, 기타 심리적으로 과도한 부담을 주는 사건을 수반하는 업무에 의한 정신 및 행동 장애 또는 이와 관련된 질병"이 업무상 질병으로 예시되고, 이를 근거 규정으로 하는 '심리적 부하에 의한 정신 장애 등에 관한 업무상 외의 판단 지침'에는 ① 사고나 재해의 체험, ② 고객의 클레임이나 무리한 요구, 업무상 실수 등에 따른 업무 실패 경험, ③ 업무의 양과 질의 변화, ④ 퇴직 강요 등 신분의 변화, ⑤ 괴롭힘, 성희롱, 왕따와 같은 대인 관계 문제, ⑥ 대인 관계의 변화 등을 심리적 부하의 요인으로 반영하고 있다(정혜자, 2015).

독일 연방의회는 2013년 직업성 재해의 위험 평가 항목에 심리적 부담에 대한 사항을 수렴하도록 하는 '연방 산업재해기금법 개정안'을 통과시켰고,[4] 영국 보건안전청은 중간 관리자에게 직장 내 스트레스 수준의 평가 기준을 제공해 스트레스 수준을 비교·분석하고 해결 방안을 모색하기 위한 직장 내 스트레스 관리 규정을 발표했다(한인상, 2013).

덴마크는 '노동환경법'(우리나라의 '산업안전보건법' 성격)의 직장 평가에 관한 가이드라인에서 의무화된 노동환경 평가 항목에 일의 양적 부담, 감정 부담, 직장에서의 괴롭힘 등 심리사회적 스트레스도 포함시키고 있다(정혜자, 2015).

이 밖의 유럽 국가에서도 업무상 정신 질병을 인정하고 있다. 2012년 유럽의 산업재해 인정 현황(Eurogip) 보고서를 보면 독일과 덴마크를 비롯한 유럽 10개국(독일, 덴마크, 스페인, 핀란드, 프랑스, 이탈리아, 네덜란드, 스웨덴, 스위스, 벨기에)에서 업무상 정신 질병을 인정하고 있다고 밝혔다(김종진, 2014c). 나

4 정은희, "독일·일본, 감정노동 피해 산재로 일부 인정…그러나 우리는?", ≪참세상≫, 2013년 11월 21일 자. http://www.newscham.net/news/ view.php?board=news&category2=207&nid=72114(검색일: 2016.12.27)

아가 유럽연합(EU, 2000)은 직장에서의 정신적 괴롭힘을 일종의 '차별 행위'로 규정해 금지했으며, 원칙적으로 유럽연합 회원국에서는 국내법에 이를 반영하고 있다(김종진, 2014c에서 재인용).

법 이외에 제도적인 예로 프랑스는 일정 수준 이상의 노동환경을 갖춘 콜센터에 인증을 해주는 제도인 '사회적 책임 라벨'을 도입했다(2009). 벨기에 '웰빙법(Belgian Law of Well-being)'(2007)에서는 제3자에 의한 폭력 문제가 발생했을 경우 사업주가 회사 내 근로자들을 정신적으로 지지하는 구조를 만들어 제공해야 한다고 명시했고, 캐나다는 산업안전보건 차원에서 노동(labour)과 관련한 작업장 내 폭력을 예방하기 위한 단계적 접근 가이드(guide)를 제시하고 있으며, 또 폭력적인 고객을 다루는 팁을 소개하고 있다(김종진, 2014c).[5]

(3) 노사의 노력

2004년 유럽연합에서는 노사가 콜센터 일자리의 질에 대한 문제의식을 공유하고 이를 공동선언으로 만든 사례가 있다. 유럽연합 차원의 전자 통신 산업에 적용될 콜센터 일자리의 질과 관련해 '콜센터 협정(Call centres charter agreed)'과 유럽연합의 통신 부문 노사인 유럽통신네트워크운영사협회(the European Telecommunications Network Operators' Association: ETNO)와 유니-유럽 통신 노동조합(UNI-Europa Telecom for trade unions) 간에 맺은 '콜센터 헌장(Call centres charter)'이 그것이다. '콜센터 헌장'은 조명, 공기의 질, 책상, 전화기 등 보건과 안전에 관한 내용, 적어도 두 시간 노동에 10분 휴식을 보장하는 노동시간과 노동강도, 감독, 임금과 수당, 훈련 및 노동자 대표 제도 등에 관한 다양한 원칙을 규정하고, 나아가 '합리적인 산업 표준(reasonable

5 일부 내용은 김인아 외(2014)에서 재인용된 것을 인용했다.

industry standard)'을 설정하는 것을 목적으로 삼고 있다(김성희, 2008).

또한 독일의 경우 2013년에 독일연방노동사회성(Federal Ministry of Labour and Social Affairs: BMAS)과 독일고용주연맹(Bundesvereinigung der Deutschen Arbeitgeberverbände: BDA), 독일노총(Deutsche Gewerkschaftsbund: DGB)이 공동으로 '노동 세계에서의 심리적 건강을 위한 공동선언'을 발표했다. 이들은 업무로 인한 심리적 질병은 방지되어야 한다며, 노동과 건강 보호, 심리적 질병을 유발하는 위험 평가 개선과 이용, 경영상의 건강 보호에 합의했다.[6]

노사 합의가 아닌 노동조합이나 기업 자체의 노력도 있다. 영국노총(British Trades Union Congress: TUC) 산하 '공공 및 상업 서비스 노동조합(Public and Commercial Services Union: PCS)'은 콜센터 상담원의 열악한 근무 여건을 개선하기 위해 '콜센터 헌장: 근무자들의 권리를 위한 체계'를 제정했다(김종진, 2014c). 또 일본의 소니는 사내에 정신과 의사가 상근하는 '웰니스 센터(Wellness Center)'를 설치·운영하고 있고, 캐논은 보건 담당자인 간호사와의 상담과 연간 80시간의 스트레스 관리 교육을 시행하고 있다. 영국 브리티시 텔레콤은 직원들의 건강 상태와 스트레스 원인을 진단할 수 있는 온라인 진단 도구 '스트림'을 운영해 개인별 스트레스 요인을 분석하고 해결 방안을 제공하고 있다. 프랑스의 경우 콜센터 직원에게 전화를 걸면 "직원에 대한 폭언 또는 성희롱을 방지하기 위해 전화 내용이 녹음되고 있다"라는 안내 멘트로 시작한다(국가인권위원회 조사국 차별조사과, 2011).

6 정은희, "독일·일본, 감정노동 피해 산재로 일부 인정…그러나 우리는?", ≪참세상≫, 2013년 11월 21일 자. http://www.newscham.net/news/ view.php?board=news&category2=207&nid=72114(검색일: 2016.12.27)

5. 맺음말: 콜센터 노동자의 안전할 권리 찾기

1) 정신적·육체적 손상 예방

(1) 피할 권리의 부여

폭언, 욕설, 성희롱, 고의적인 괴롭힘 등 노동자의 인권을 심각하게 침해할 경우, 1회 경고 후 절차에 따라 즉각적으로 상담을 종료할 수 있는 방어권을 보장해야 한다. 과잉 친절을 요구하고 민원인 중심으로 규정되어 있는 다산콜센터의 감정 표현 규칙은 노동자의 인권을 보장하는 규칙으로 수정되어야 한다. 또한 고객과의 갈등이 생겼을 때 노동자에게 무조건 인내심을 요구하기보다 노동자가 충분히 자신의 의견과 감정을 표현할 수 있게 의사소통 창구를 마련해야 한다.[7]

(2) 원칙이 있는 고객 응대 매뉴얼

고객 응대 매뉴얼을 노동자가 동의할 수 있는 수준에서 만들어야 하고 이는 어떤 경우에도 지켜져야 한다. "사장 나오라 그래"라고 하면서 진상을 부리면 불가능한 것도 가능해지는 상황이 발생하는 것 역시 작업장을 혼란스럽게 하며, 제일선 노동자들을 고통스럽게 만든다. 원칙이 존재하면 그 원칙을 따르면 된다. 그러나 원칙이 없어 따를 수 없거나 원칙이 있어도 지켜지지 않으면 노동자들은 이른바 '멘붕 상태'에 놓이게 된다.

---

7 서울시 다산콜센터의 경우 "무엇이든 물어보세요"로 상징되는 불필요하고 과도한 상담 업무의 범위가 노동자의 감정노동을 심화하고 있다. '공공성' 중심의 합리적인 업무 조정을 통해 시정 및 구정과 관계없는 문의나 상담을 대폭 축소해야 상담의 질도 확보되고 시민 만족도도 제고할 수 있다.

우리는 고객 센터에서 모든 걸 다 처리한다. 강성 고객의 경우 원칙도, 기준도 없이 다 해준다. 어떤 고객은 연결해줄 때까지 전화를 끊지 않는 경우가 있다. 무지막지한 요구를 하는 경우도 많다. 진상 떨면 요금도 깎아주고 ……. 원하는 건 다 해준다. 위약금도 면제해주고 ……. _ IPTV 콜센터 노동자 5

(3) 없어져야 하는 '무조건 페널티'

고객이 홈페이지에 불만을 게시하거나 전화로 상급자에게 알리거나 한다고 해서 시시비비를 가리지 않고 벌칙부터 적용하는 방식은 이유를 불문하고 없어져야 할 반인권적인 행위이다.

또한 상담 응대율, 처리율, 불만 제기, 만족도, 처리 속도 등 지나친 성과 위주의 정량적 평가와 개인별·팀별 경쟁 평가 시스템을 개선해 상담의 질을 향상하고 노동자의 직무 자율성을 제고하도록 해야 한다.

고객이 전화를 걸어와 어떤 정보를 얻으려고 하다가 불만을 토로하거나 전화로 불만을 말한다면 그 이유가 무엇인지 살필 필요가 있다. 모든 고객이 악성 고객은 아니기 때문이다. 기업의 경영전략 중 무언가가 부족해 고객을 화나게 만드는 것일 수 있다. 또한 상담자가 충분한 정보를 가지고 있지 않아 고객에게 신속하고 정확한 정보를 전달하지 못하는 경우도 있다. 이 역시 불만의 대상이 된다. 따라서 접수된 불만, 상담 중 커지는 불만 사례를 정기적으로 모니터링해 고객의 불만을 줄일 수 있는 경영 시스템 구축, 직무 교육 시행 등을 고려해야 한다.

하나의 사례를 들면 '경동나비엔'의 경우 콜센터에 접수된 고객 불만의 내용을 모니터링해 기술 개발팀과 함께 공동 회의를 진행하고 있다. 기술 개발팀에서는 콜센터에 접수되는 불만 사항을 향후 기술 개발 시 반영해 고객 불만을 줄이기 위해 노력하고 콜센터 종사자는 기술 개발팀으로부터 부족한 정보를 얻는다. 이렇게 되면 종사자 간 직종은 달라도 상호 이해하고 소통할 수 있는 시스템 때문에 발생하는 갈등을 줄일 수 있는 가능성이 열린다. 종국에는 소비자 불만을 줄여 기업 경쟁력을 높이는 수단으로 작용하게 된다.

(4) 적절한 노동환경 제공

다산콜센터 노동자들의 심각한 건강권 침해는 열악한 근무 환경으로부터 비롯된 것이다. 따라서 업무 공간의 조도와 환기, 공기 정화, 난방 시스템을 유럽연합 콜센터 노사 선언 등 국제 기준을 참고해, 작업을 수행하기에 적당한 수준으로 유지해야 한다. 또한 1인당 적정 공간을 확보하고 의자와 책상, 전화와 컴퓨터 등은 인체 공학적으로 설계해 노동자의 건강과 안전을 보장하는 쾌적한 근무 환경을 조성해야 한다.

현재 대부분의 콜센터에는 휴게실이 있지만 자유로운 사용이 현실적으로 쉽지 않은 상황이다. 한국산업안전보건공단 '콜센터 근로자의 직무 스트레스 관리 지침'에는 "일반적으로 한 시간마다 5분의 휴식 또는 두 시간마다 15분의 휴식이 권장된다. 휴식은 피로를 회복하기 위해서보다는 피로가 발생하기 전에 주어져야 하고, 길고 가끔 있는 휴식보다 짧고 잦은 휴식이 더 권장된다"라고 제시하고 있고, '유럽연합 노사 선언' 중 건강과 안전 관련 사항에는 "상담원들은 적어도 두 시간 작업 후 스크린으로부터 떨어져 10분간 휴식을 보장받아야 한다"라고 규정하고 있다. 따라서 일정 시간마다 휴식 시간을 보장하는 등 현재의 휴식 시간을 확대하고 공개적인 작업장이나 사무실에서 벗어나 휴식을 취할 수 있도록 휴게 제도를 개선해야 한다.

2) 최적의 사후 관리를 통한 악화 방지

(1) 피해 호소자 보호 시스템 마련

폭언이나 성희롱에 노출된 노동자가 심리적 안정을 되찾을 동안 상담 업무를 중지하고 반드시 휴식을 취할 수 있도록 보장해야 한다. 피해 노동자의 지속적인 상담 업무 수행을 위해서라도 심리 상담이 꼭 필요하고, 치유 및 치료 프로그램을 마련해 실시해야 한다. 또한 고충 처리 절차를 마련해 사건의 진상 파악과 피해자 보상, 재발 방지 대책 등을 수립할 수 있도록 한다.

(2) 전자 감시 및 반인권적 노동 통제 개선 방안

초 단위 미세 통제의 전자 감시가 노동자들의 일상적인 직무 스트레스의 유발 요인이 되고 있으므로 전자 감시 체제를 개선해야 한다. 노동자의 통화 건수와 시간, 이석 체크 등 초 단위의 전자 감시 시스템을 개선하고, '유럽연합 노사 선언'의 모니터링 조항과 같이 노사 합의에 의해 모니터링 목적에 대한 상호 공유 및 동의가 전제되어야 한다. 또한 모니터링 자료에 대한 접근권 및 오류를 수정할 권리를 보장하고, 지속적인 실시간 청취 금지 등 국제 기준에 부합하는 가이드라인을 마련해 이를 이행해야 한다.

1) 현황

서울시 '다산콜센터'는 지방자치단체에서 상담사 감정노동 문제 대응과 규제 제도를 도입한 대표적인 사례이다. 서울시 '다산콜센터'는 2007년 출범해(2007년 9월 12일) 7년째 운영되고 있으며, 365일 24시간 상담 서비스를 진행하고 있는 민원 서비스이다. 2014년 기준으로 다산콜센터는 총 448명의 직원(매니저 3명, 스태프 17명, 상담 팀장 27명, 상담사 401명)이 일하고 있다.

다산콜센터의 상담 업무는 16개 시 및 산하단체(17개 ARS)와 25개 자치구(52개 대표전화)를 통합해 상담하는 서비스인데, 주로 ① 전화와 인터넷을 통한 단순 민원 상담 사항, ② 상담 정보와 사례에 대한 데이터베이스 구축·관리 사항, ③ 고객 응대 방법 표준화와 자동화 사항, ④ 그 밖에 민원 상담 사항을 다루고 있다. 다산콜센터 상담 범위가 서울시 행정 전반(시정, 구정, 교통, 수도, 일반 민원, 외국인, 청각장애인 등)을 포괄하고 있기 때문에 업무 범위가 매우 넓다.

서울시 120 다산콜센터 상담원 업무 구분

(단위: 명)

		총	kt cs	효성ITX	MPC
전체 총인원		448	149	148	151
스태프(관리자)		20	7	6	7
야간 상담	팀장	6	2	2	2
	저녁 상담사	36	12	14	10
특수 상담	야간 상담사	32	9	12	11
	팀장	2	1		1
	상담사	29	8	2	19

자료: 서울시 120 다산콜센터 내부 자료(2014년 2월 기준)를 기초로 해 재구성했다.

서울시 보도 자료(2012년 9월)에 따르면 다산콜센터는 5년간 약 4400만 콜(call)의 시민 상담 문의가 있었다. 이는 출범 당시에 비해 1일 평균 상담 건수가 8배(응대율 99.6%, 15초 내 상담 개시율 96.7%, 직접 상담 비율 87.5%)나 증가한 것이며, 현재 다산콜센터 1일 평균 상담은 3만 5000여 건에 달한다. 다산콜센터는 휴대폰 문자 상담, 수화 상담, 외국어 상담, SNS 상담 등도 하루에 2000건 이상 제공하고 있다.

그런데 출범 초기부터 다산콜센터 광고(라디오 및 지하철 광고)의 핵심은 "무엇이든 물어보세요"라는 메시지였다. 그런데 이 광고는 홍보 측면에서는 성공적이었을지 몰라도 콜센터 상담사의 감정노동을 강화하는 요인이 되었다. 실제로 서울시 자료에 의하면 다산콜센터 민원 전화 중 평균 약 2300건 정도가 언어폭력이 심한 악성 민원성 상담인데, 87%가 폭언, 협박, 성희롱과 관련된 내용이었다.

이런 이유로 2012년과 2014년 서울시는 다산콜센터 상담사 보호 대책을 마련했다. 2012년 주요 내용은 '업무 외 문의를 할 경우 3회 경고 → 악성 민원인 전담팀 관리 → ARS 안내(통화 내역 녹음) → 경고문 발송 → 고소·고발 조치' 등 단계적 대응 방안이다. 실제로 서울시는 다산콜센터 상담원에게 상습적으로 폭언, 욕설, 협박 등을 일삼은 악성 민원인(4명)을 공무 집행 방해 혐의로 고소했다.

2012년 다산콜센터의 악성 민원 건수(상반기 월평균 2286건 → 하반기 월평균 1708건)는 25.8%(578건)나 감소했다. 특히 2014년 서울시는 '원 스트라이크 아웃 제도'를 통해 성희롱 등의 전화 응대 업무 시에는 상담사가 전화를 받지 않을 권리(작업 중지)를 도입해, 내부 종사자의 만족도를 높였다.[8]

또한 서울시 다산콜센터는 악성 민원 응대 매뉴얼을 통해 상담사의 고충을

8 서울시 다산콜센터 실태는 박용철 외(2014)의 내용을 참고했다.

서울시 120 다산콜센터 시행 이전의 악성 민원 월평균 현황(2012)

구분	계	성희롱	만취 상태 장시간 통화	폭언, 욕설, 협박	시정과 무관한 반복적인 민원	장난 전화	기타
상반기	2,286	87	473	480	617	238	391
하반기	1,708	16	298	208	343	251	592

자료: 서울시 120 다산콜센터 보도 자료(2012년 10월 4일).

서울시 120 다산콜센터 감정노동

(단위: 0~100점, 중간값 50점)

노동 수행	육체노동	정신노동	감정노동
여성	53.9점	86.1점	88.3점
남성	43.9점	82.2점	86.9점
스태프	40.0점	64.7점	60.0점
상담사	53.2점	87.4점	90.0점

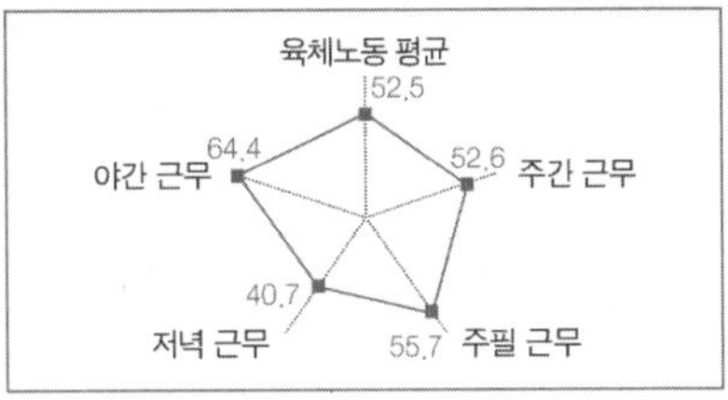

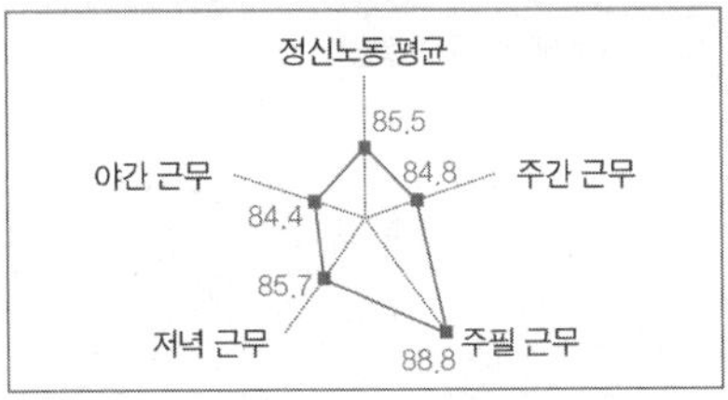

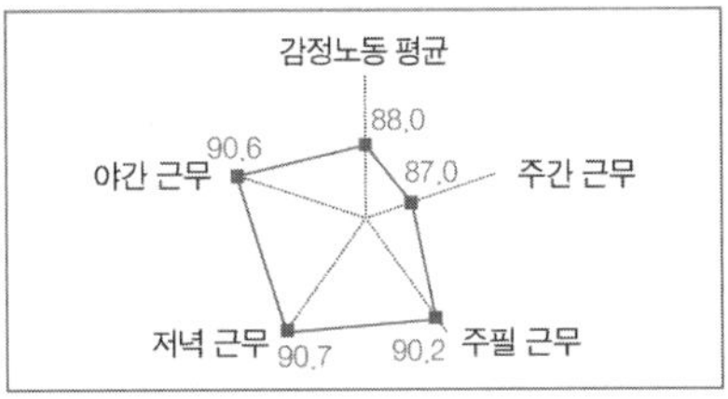

주: 육체노동, 정신노동, 감정노동 각 항목별로 100점에 가까울수록 일의 강도가 높다.
자료: 김종진(2014d).

해소하고 있으며, 구청 보건소와 연계해 상담사를 대상으로 주 1회 심리 상담을 진행하고 있다. 물론 콜센터 담당 상담사들의 이야기를 들어보면 바쁜 업무로 심리 상담을 할 여유가 거의 없거나, 인력 부족으로 휴식 시간조차 갖기 어렵다는 의견도 있다.

따라서 다산콜센터의 감정노동 해결을 위해서는 악성 민원 대처 방안이라는 제도적인 문제 이외에도 상담사의 노동환경 문제까지 함께 고려한 정책이 필요하다. 이와 같은 제도적 방안이 실시될 경우 서울시 다산콜센터 사례는 감정노동 대응 및 규제의 모범이 될 수 있다.

서울시 120 다산콜센터 불쾌한 언행(욕설) 고객 응대 매뉴얼

1-1. 상담원 자체 비하

Tip. "계속해서 욕을 하시면 상담 진행이 어렵습니다"라고 3회 제시한 후 불수긍 시
"더 이상 상담 진행이 어려워 통화를 종료합니다. 양해 부탁드립니다"라고 안내한 후 통화 종료

1-2. 습관적 욕설 및 사회 불만 관련 욕설

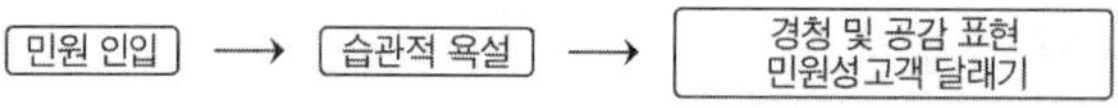

Tip. 감정 이입된 다양한 공감 표현 사용
"불편하셨어요?", "그러셨어요, 고객님", "맞습니다, 고객님", "얼마나 힘드셨겠습니까?" 등

주: 삼진 아웃 제도를 시행했으나, 2014년 서울시 인권위원회 권고 이후 원 스트라이크 아웃 제도를 시행 중이다.
자료: 김종진(2013: 11).

서울시 120 다산콜센터 민원 대책 실효성: 만족도 의견

(단위: %)

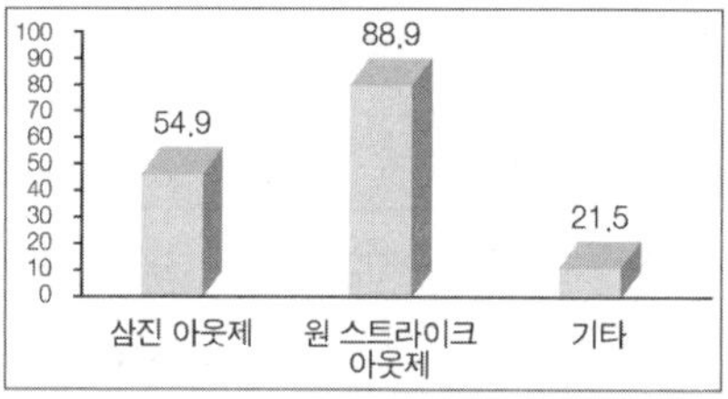

민원 대책	삼진 아웃제	원 스트라이크 아웃제	기타
조합원	45.5	87.7	16.9
비조합원	75.6	91.9	32.5
스태프	93.8	100.0	53.3
상담사	49.6	87.5	18.2

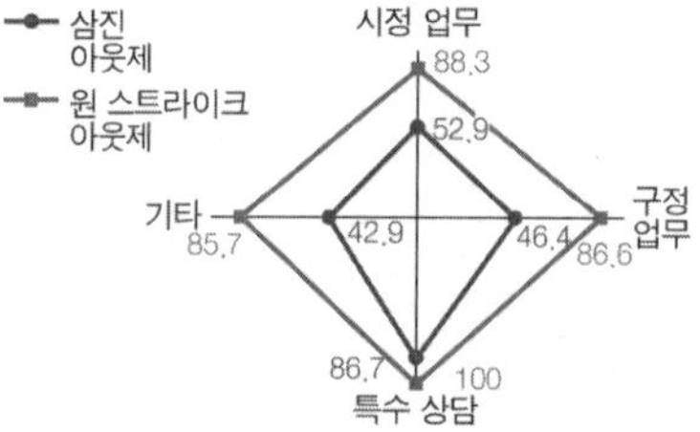

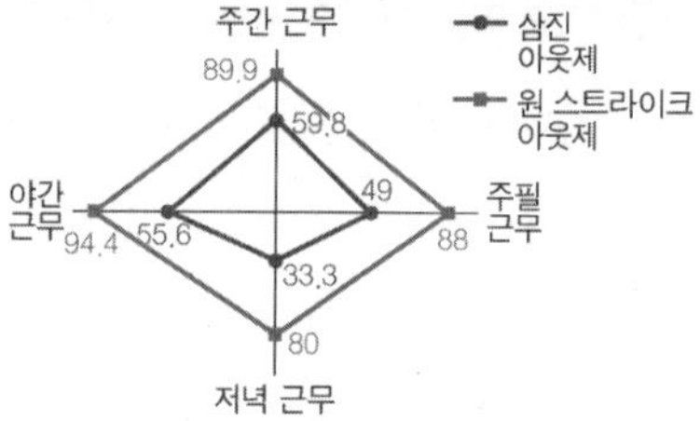

자료: 김종진(2014).

원 스트라이크 아웃제 시행 → 종사자 설문 조사 결과 '긍정적 의견' 88.9%
종사자 설문 조사: 다산콜센터 감정노동 수행도 → 100점 만점 기준 90점
종사자 설문 조사: 시민으로부터 폭언 92.2%, 성희롱 34.1% 유경험

악성 고객에 대한 법적 대응 결과

서울시가 다산콜센터 상담사에게 성희롱을 한 번만 해도 별도의 경고 없이 바로 법적 조치하는 '원 스트라이크 아웃' 등 '악성 민원 고강도 대책'(2014년 2월) 시행 이후 악성 전화가 92.5% 감소한 것으로 나타났다. 2015년 4월 한 달간 다산콜센터에 걸려온 악성 전화는 일평균 2.3건으로 고강도 대책 이전인 2014년 1월(31건)에 비해 큰 폭으로 감소했다.

서울시는 2015년 5월 26일 5명(성희롱 4명, 폭언·욕설 1명)을 '성폭력 범죄의 처벌 등에 관한 특례법' 등을 적용해 서울지방경찰청에 추가로 고소, '악성 민원에 대한 적극 대응 계획'(2012년 6월) 수립 이후 지금까지 3년간 총 52명(9차례)을 법적 조치했다고 밝혔다. 시는 '악성 민원에 대한 적극 대응 계획'을 통해 상습적·반복적 악성 민원인에 대해 사전 경고 후 개선이 없을 시 법적 조치한 바 있다.

특히 이 중 45명은 '악성 민원 고강도 대책' 이후에 이루어진 것으로, 시는 성희롱의 경우 '원 스트라이크 아웃'(32명), 폭언, 욕설, 업무방해, 거짓 신고는 '삼진 아웃제'(13명)를 적용해 각각 고소했다. 시가 고소한 52명에 대한 법적 조치 진행 상황은 ▲ 유죄 18명(벌금형 400만 원, 성폭력 치료, 사회봉사 명령, 소년 보호처분 등) ▲ 수사 및 사법 심사 진행 30명 ▲ 불기소 3명 ▲ 무죄 2명이다.

자료: 「서울시 보도 자료」, 2015년 5월27일.

2) 대응 매뉴얼

다음은 서울시 다산콜센터에서 시행 중인 '악성·강성 민원 대응 매뉴얼'이다. 근무 기관과 업무에 따라 감정노동의 내용과 정도가 다를 수 있고 악성·강성 민원의 내용에도 차이가 있겠지만, 대체로 공공 기관이나 공적 시설에서 고객 응대 업무 시 발생하는 악성·강성 민원에 대한 근로자의 대응 방향은 유사할 수 있다. 여기서 소개하는 다산콜센터의 대응 매뉴얼을 각 기관의 특성과 근로자의 업무 내용에 따라 응용해 활용할 수 있기를 바란다.

악성 민원 유형별 대응 조치

악성 유형	처리 담당	대응 조치	적용 죄목(법률)
성희롱 및 형 만료 후 재인입 시	근로자	• 법적 조치 예고 후 통화 선종료	- 통신 매체 이용 음란죄 (성폭력 범죄의 처벌 등에 관한 특례법 제13조)
	민원 관리반	• 상담 내용 검토 후 법적 조치(고소)	- 공포·불안 유발죄(정보통신망 이용 촉진 및 정보 보호 등에 관한 법률 제44조 7 ①항 3호)
폭언, 욕설, 협박, 모욕, 허위 신고, 장난 전화	근로자 (1회 차)	• 법적 조치 경고 후 통화 선종료 • 소속 팀장 협의 후 악성 민원 등록	- 업무방해죄 (형법 제314조 ①항)
	민원 관리반 (2회 차)	• ARS 경고 멘트 송출 후 상담 • 상담 내용이 악성인 경우 법적 조치 경고	- 공무 집행 방해죄 (형법 제136조)
	민원 관리반 (3회 차)	• ARS 경고 멘트 송출 후 상담 • 상담 내용이 악성인 경우 법적 조치 예고 → 상담 내용 검토 후 법적 조치(고소)	- 협박죄 (형법 제283조 ①항) - 경범죄 (경범죄처벌법 제1조)

강성 민원 유형별 대응 조치

강성 유형	처리 담당	대응 조치
업무 처리 불만에 따른 폭언	근로자	• 자제 요청 후 지속적으로 폭언 시 통화 선종료 → 소속 팀장 보고 ※ 상담 불만으로 연결되지 않도록 종결 유도
	민원 관리반	• 상담 내용 검토 후 악성일 경우 → 악성 민원으로 변경해 대응
하소연	근로자	• 감성 언어로 공감대 형성 노력, 자제 요청 장시간 통화 시 민원 내용 요약 양해 멘트 후 종결 유도 → 소속 팀장 보고
	민원 관리반	• 시·구청 업무와 무관한 내용으로 장시간 통화 곤란 설명 후 종결 유도
고질 (반복)	근로자	• 담당 부서 이관, 담당자 통화 연결 유도 또는 소속 팀장에게 인계
	민원 관리반	• 담당 부서에 접수 사항 재설명 후 진행 사항 요약 및 담당 부서와 통화할 수 있도록 유도
억지 주장	근로자	• 근로자가 답변이 불가한 점에 대해서 양해 설명 후 담당 부서 연결 또는 소속 팀장에게 인계
	민원 관리반	• 요구 사항에 대해서 공감 표현 후 담당 부서로 직접 상담 유도
상담 불만	근로자	• 오안내 건에 대해서 잘못 인정과 사과 멘트 후 소속 팀장에게 인계
	민원 관리반	• 상담 불만에 대해서 공감 표현 후 근로자 교육 조치 안내

악성 민원: 성희롱

1. 개요

성적 수치심이나 혐오감을 유발하는 발언을 하는 경우(문자 상담 포함)
① 성적인 말과 수치심을 유발하는 질문(성적 단어 검색 요구 등)을 하는 경우
② 친근감을 표시하며 사적인 만남을 유도하거나 연락처를 문의하는 경우

2. 대응 절차

중지 요청	• 시민님 성희롱을 중지해주시기 바랍니다.
↓ NO	
법적 조치 예고 통화 선종료	• 시민님은 성희롱을 해 '성폭력 범죄의 처벌 등에 관한 특례법'을 위반했으므로 법적 조치될 예정입니다. • 성희롱 중지 요청을 했음에도 계속하시기 때문에 통화를 종료하도록 하겠습니다.
↓	
소속 팀장 보고 악성 등록	• 근로자는 악성 등록 후 소속 팀장 보고
↓	
민원 관리반	• 법적 조치(고소) → 상담 내용 검토 → 진술서 및 고소장 작성 → 고소

[관련 법률 조항]

성폭력 범죄의 처벌 등에 관한 특례법 제13조(통신 매체를 이용한 음란 행위) 자기 또는 다른 사람의 성적 욕망을 유발하거나 만족시킬 목적으로 전화, 우편, 컴퓨터, 그 밖의 통신 매체를 통하여 성적 수치심이나 혐오감을 일으키는 말, 음향, 글, 그림, 영상 또는 물건을 상대방에게 도달하게 한 사람은 2년 이하의 징역 또는 500만 원 이하의 벌금에 처한다.

악성 민원: 폭언, 욕설, 협박, 모욕

1. 개요

공포심이나 불안감을 조성하며 모욕적인 발언을 하는 경우
① 폭언(욕설, 협박, 모욕)을 하는 경우
② 불특정 대상(정부, 사회 등)에 대한 불만, 화풀이 등으로 악의적인 발언을 하는 경우

2. 대응 절차

중지 요청 상담 요지 탐색	• 시민님, 죄송합니다만, 폭언(욕설, 협박, 모욕)을 계속하실 경우 상담을 도와드릴 수 없습니다. 폭언(욕설, 협박, 모욕)을 중지해 주시기 바랍니다. 어떤 불편 사항이 있는지 말씀해주시면 제가 상담을 도와드리겠습니다.
↓	
법적 조치 경고	• 폭언(욕설, 협박, 모욕)을 계속할 경우 법적 조치로 인한 불이익을 받습니다.
↓ NO	
상담 곤란 안내 통화 선종료	• 시민님, 언어폭력 중지 요청을 했음에도 계속하시기 때문에 통화를 종료하도록 하겠습니다.
↓	
소속 팀장 보고 악성 등록	• 근로자는 악성 등록 후 소속 팀장 보고
↓	
민원 관리반	• 법적 조치(고소) → 상담 내용 검토 → 진술서 및 고소장 작성 → 고소

[관련 법률 조항]

정보 통신망 이용 촉진 및 정보 보호 등에 관한 법률 제44조 7의 1항 3호(불법 정보의 유통 금지)
공포심이나 불안감을 유발하는 부호, 문언, 음향, 화상 또는 영상을 반복적으로 상대방에게 도달하게 한 자는 1년 이하의 징역 또는 1000만 원 이하의 벌금에 처한다.

악성 민원: 허위 신고

1. 개요

허위 신고로 인해 업무 지장을 초래하는 경우

① 부정확한 신고 내용과 인적 사항(신고인 명, 연락처)이 허위로 확인되는 경우
② 문자로 민원 제보 시 제보 내용이 허위로 확인되는 경우
③ 스마트 불편 신고 시 제보 내용이 허위로 확인되는 경우

2. 대응 절차

신고 내용 재탐색	• 시민님, 정확한 업무 처리를 위해 신고 내용과 인적 사항(신고인명, 연락처)을 다시 한 번 확인 부탁드립니다.
↓	
법적 조치 경고	• 시민님, 신고하신 내용과 인적 사항이 불분명해 접수가 어렵습니다. 허위 신고를 할 경우 법적 조치로 인한 불이익을 받을 수 있습니다.
↓ NO	
상담 곤란 안내 통화 선종료	• 시민님, 죄송합니다만 허위 신고로 인해 더 이상 상담 진행이 어려우므로 통화를 종료하도록 하겠습니다.
↓	
소속 팀장 보고 악성 등록	• 근로자는 악성 등록 후 소속 팀장 보고
↓	
민원 관리반	• 법적 조치(고소) → 상담 내용 검토 → 진술서 및 고소장 작성 → 고소

[관련 법률 조항]

형법 제314조 제1항(업무방해)

① 제313조의 방법 또는 위력으로써 사람의 업무를 방해한 자는 5년 이하의 징역 또는 1500만 원 이하의 벌금에 처한다.

악성 민원: 시정 무관 반복 민원

1. 개요

시정과 무관한 문의와 민원을 제기하며 업무를 방해하는 경우
① 타 기관(또는 일반 기업체)의 불만에 대해 반복적으로 민원 제기하는 경우
② 정치, 사회 전반적인 내용으로 장황하게 설명하며 불만을 반복적으로 민원 제기하는 경우

2. 대응 절차

이해 설득	• 시민님, 말씀 도중 죄송합니다만, 120 다산콜센터는 시·구청 업무에 대한 안내를 도와드리고 있습니다. 말씀하신 내용은 시청 업무와 무관한 사항으로 답변이 어렵습니다. • 시청 업무와 관련된 사항을 말씀해주시면 상담을 도와드리겠습니다.
↓	
법적 조치 경고	• 시민님 시정과 무관한 내용으로 계속해 상담 업무를 방해할 경우 법적 조치로 인한 불이익을 받습니다.
↓ NO	
상담 곤란 안내 통화 선종료	• 시민님, 시정과 무관한 내용으로 상담 어려움을 설명드렸으나 계속하시기 때문에 통화를 먼저 종료하도록 하겠습니다.
↓	
소속 팀장 보고 악성 등록	• 근로자는 악성 등록 후 소속 팀장 보고
↓	
민원 관리반	• 법적 조치(고소) → 상담 내용 검토 → 진술서 및 고소장 작성 → 고소

[관련 법률 조항]

정보 통신망 이용 촉진 및 정보 보호 등에 관한 법률 제 44조 7의 1항 3호(불법 정보의 유통 금지)
공포심이나 불안감을 유발하는 부호, 문언, 음향, 화상 또는 영상을 반복적으로 상대방에게 도달하게 한 자는 1년 이하의 징역 또는 1000만 원 이하의 벌금에 처한다.

악성 민원: 장난 전화

1. 개요

업무와 무관한 장난 전화를 하는 경우(문자 상담 포함)
① 시·구청 무관한 내용으로 장난 전화를 하는 경우
② 업무와 무관하며 답변이 곤란한 질문을 되풀이 하는 경우

2. 대응 절차

중지 요청	• 시민님 시청 업무와 무관한 장난 전화는 중지해주시기 바랍니다. • 시청과 관련된 문의 사항은 없으십니까?
↓	
법적 조치 경고	• 시민님 장난 전화를 계속할 경우 경범죄 처벌법 의거해 법적 조치로 인한 불이익을 받습니다.
↓ NO	
상담 곤란 안내 통화 선종료	• 시민님, 장난 전화 중지 요청했음에도 계속하시기 때문에 통화를 종료하도록 하겠습니다.
↓	
소속 팀장 보고 악성 등록	• 근로자는 악성 등록 후 소속 팀장 보고
↓	
민원 관리반	• 법적 조치(고소) → 상담 내용 검토 → 진술서 및 고소장 작성 → 고소

[관련 법률 조항]

다음 각 호의 1에 해당하는 사람은 10만 원 이하의 벌금, 구류 또는 과료의 형으로 처한다.
12. (업무방해) 다른 사람 또는 단체의 업무에 관해 못된 장난 등으로 이를 방해한 사람
53. (장난 전화 등) 정당한 이유 없이 다른 사람에게 전화 또는 편지를 여러 차례 되풀이해 괴롭힌 사람

강성 민원: 업무 처리 불만에 따른 폭언

1. 개요

시·구청 업무와 관련해 상담 중에 업무 처리 불만 등으로 욕설하는 경우 ※ 민원인이 상담 태도에 대한 불만을 제기하지 않도록 감정적 맞대응을 자제하고 종결 유도

2. 대응 절차

공감 표현 후 대안 제시	• 민원인 입장을 공감 표현하고 경청과 호응(맞장구) 후 대안 제시 • 시민님 제가 생각해도 많이 불편하셨겠습니다. 다시 한 번 불편 사항에 대해 관련 부서로 상세히 전달해 도움이 되도록 하겠습니다.
↓ NO	
자제 요청 이해 설득	폭언 시 자제토록 정중히 요구하고 소속 팀장에게 실시간 보고 • 시민님의 말씀 이해합니다. 다만, 말씀 중에 죄송합니다만 원활한 상담을 위해 가급적 욕설은 자제해주시기 바랍니다. 차분히 말씀해주셔야 제가 상담을 도와드릴 수 있습니다.
↓ NO	
상담 곤란 안내 통화 선종료	폭언 지속 시 통화 선종료 • 시민님, 죄송합니다만, 욕설을 중지해달라고 요청했음에도 계속하시기 때문에 더 이상 상담이 어려워 통화를 먼저 종료하도록 하겠습니다.
↓	
소속 팀장 보고 악성 등록	• 근로자는 악성 등록 후 소속 팀장 보고 소속 팀장은 상담 내용을 검토(재인입 가능성 등)하고 필요 시 민원인에게 전화해 2차 상담 진행
↓	
민원 관리반	• 상담 내용 종합 검토 후 대응 방안 마련 및 공지

강성 민원: 하소연

1. 개요

개인적인 사생활, 생활고 등 구체적인 내용 없이 횡설수설하는 경우 ※ 사례: 주취 상태 횡설수설, 정신 질환자

2. 대응 절차

이해 설득 종결 유도	• 시민님께서 말씀하신 내용은 충분히 이해가 됩니다만, 시·구청 업무와 관련 없는 사안은 상담이 어려운 점 양해 드립니다. 추후 시청과 관련된 궁금한 사항이 있으시면 다시 연락주시기 바랍니다.
↓ NO	
상담 곤란 안내 통화 선종료	• 시민님, 시정과 무관한 내용으로 계속 말씀하셔서 더 이상 상담을 진행할 수 없습니다. 죄송합니다만 제가 통화를 먼저 종료하겠습니다.
↓	
소속 팀장 보고 악성 등록	• 근로자는 악성 등록 후 소속 팀장 보고
↓	
민원 관리반	• 상담 내용 종합 검토 후 대응 방안 마련

강성 민원: 고질(반복)

1. 개요

시·구청에 관한 동일 민원을 반복 제기하며, 자기주장을 반복하는 경우

2. 대응 절차

담당자 통화 유도	• 시민님, 제가 생각해도 많이 불편하셨겠습니다. • 이미 시민님 불편 사항이 해당 부서에 접수되어 있는 상태입니다. 정확한 확인을 위해 담당자와 통화해보시는 게 어떻겠습니까?
↓ NO	
답변 곤란 설명, 이해 설득	• 시민님의 불편하신 점 충분히 이해합니다만, 이미 담당자에게 민원 접수된 상태로 제가 바로 답변드리기 어렵습니다. 시간을 두고 담당 부서의 답변을 기다려주시기 양해 부탁드립니다.
↓ NO	
소속 팀장 이관 ① 아웃콜 ② 호 전환	• 시민님, 말씀 중에 죄송합니다만, 저희 ① (out-call 약속 시) → 상담 팀장이 연락드려 상담을 도와드려도 괜찮겠습니까? → 상담 팀장이 말씀하신 번호로 연락드리게 하겠습니다. ② (호 전환 시) → 상담 팀장을 연결해서 상담을 도와드려도 괜찮겠습니까?
↓	
민원 관리반	• 상담 내용 종합 검토 후 대응 방안 마련

강성 민원: 억지 주장

1. 개요

시·구청 업무와 관련해 이치에 맞지 않는 주장을 하는 경우

2. 대응 절차

담당자 통화 유도	• 시민님, 제가 생각해도 많이 불편하셨겠습니다. 죄송합니다만, 담당자와 통화해보시는 게 어떻겠습니까?
↓ NO	
답변 곤란 설명, 이해 설득	• 시민님의 불편하신 점 충분히 이해합니다만, 해당 내용은 제가 바로 답변드리기 어렵습니다. 시간을 두고 담당 부서의 답변을 기다려주시기 양해 부탁드립니다.
↓ NO	
소속 팀장 이관 ① 아웃콜 ② 호 전환	• 시민님, 말씀 중에 죄송합니다만, 저희 ① (out-call 약속 시) → 상담 팀장이 연락드려 상담을 도와드려도 괜찮겠습니까? → 상담 팀장이 말씀하신 번호로 연락드리게 하겠습니다. ② (호 전환 시) → 상담 팀장을 연결해서 상담을 도와드려도 괜찮겠습니까?
↓	
소속 팀장 보고 악성 등록	• 근로자는 악성 등록 후 소속 팀장에게 보고
↓	
민원 관리반	• 상담 내용 종합 검토 후 대응 방안 마련 및 공지

강성 민원: 상담 불만

1. 개요

상담 오안내, 오처리로 인한 불만으로 무리한 요구를 하는 경우
※ 사례: 피해 보상, 근로자 징계 요구

2. 대응 절차

오안내에 대한 정중한 사과	• 시민님, 저의 오안내로 인해 불편을 드린 점 정말 죄송합니다. 앞으로 정확한 상담 진행을 위해 업무 숙지를 충실히 하도록 하겠습니다. • 다시 한 번 시민님께 불편을 드린 점 사과 말씀드립니다.
↓ NO	
무리한 요구 시 아웃콜 약속	• 시민님, 정말 죄송합니다. 제가 바로 답변드리기 어려운 사안으로 저희 상담 팀장에게 보고해 잠시 후에 시민님께 연락드리도록 하겠습니다. 다시 한 번 불편을 드려 죄송합니다.
↓ NO	
소속 팀장 보고	
↓	
소속 팀장 상담 진행	• 소속 팀장은 상담 내용 검토하고 민원인에게 전화해 상담 진행 후 무리한 피해 보상 또는 징계 요구 시 민원 관리반과 협의해 진행
↓	
민원 관리반	• 상담 내용 종합 검토 후 대응 방안 마련

05

각종 평가에 시달리는 금융 노동자

정혜자 공인노무사, 전 금융경제연구소 연구위원

1. 감정노동에 마주한 금융 노동자

이 장에서는 금융 부문에 종사하는 노동자들의 감정노동 현황과 건강 실태를 다룬다. 금융 부문도 감정노동을 많이 수행하는 직업에 속한다. 은행 직무 중에서 감정노동의 강도가 높은 업무로는 콜센터 상담 업무, 영업창구 대민 업무, 민원 전담 업무를 꼽을 수 있다. 다른 직무의 경우에도 어느 정도 감정노동이 수반되지만, 통상적인 기준으로 볼 때 고객과의 접촉 빈도가 높고, 고객 응대에 대한 관리, 통제 등이 제일 많이 적용되는 업무는 역시 이러한 업무이며, 다른 모든 직업군에 비해서도 높은 수준의 감정노동을 요하는 직종에 속하는 것으로 잘 알려져 있다.

실제로 한국직업능력개발원과 한국노동연구원 등이 조사·분석한 결과에 따르면 금융계 콜센터와 영업창구(창구 텔러)에 종사하는 노동자들의 감정노동 정도는 상당한 수준인 것으로 확인된다(한국직업능력개발원, 2013; 박찬임 외, 2012 참고). 또한 한국노동사회연구소가 2007~2009년까지 3년간 서비스산업 종사자들을 대상으로 감정노동 실태를 조사한 결과, 은행 콜센터와 영업점 텔러는 다른 직업군과 비교해 높은 수준의 감정노동을 수행하고 있다는 것을 여지없이 보여주고, 특히 창구 텔러 업무가 콜센터 업무보다 더 많은 감정노동을 요하고 있음을 시사하고 있었다.

금융 부문 콜센터와 영업창구에서 근무하는 노동자의 규모에 대해서는 최근 별도로 조사된 자료가 없어 정확하지는 않으나, 대략 3만 5000여 명 안팎의 적지 않은 노동자가 종사하고 있을 것으로 추정된다(금융감독원, 2012; 한국고용정보원, 2007). 이와 같이 금융 부문이 감정노동 영역에서 적지 않은 비중을 차지한다는 점을 고려할 때, 감정노동자의 업무 수행 방법, 감정노동 수행의 정도, 그에 따른 육체 및 정신 건강 상태를 살펴보고 개선책 마련을 고민하는 것은 피할 수 없는 과제가 되었다.

이를 위해 은행 콜센터, 영업창구, 민원 전담 부서 근무자를 대상으로 금융 부문 감정노동 실태 설문 조사를 실시했으며, 총 3776명이 설문에 응했다. 응답자 가운데 카드 회사와 외주 업체는 표본 수가 너무 작아 통계자료로 활용하기에는 무리가 있었고, 또한 아웃바운드콜, 혼합콜 업무 역시 응답자의 표본이 적어 업무에 따른 분석 결과를 살펴보는 데는 한계가 있었다. 따라서 실태 조사는 은행에 근무하는 감정노동자 중 콜센터 인바운드콜 업무와 영업창구 및 민원 전담을 수행하는 노동자들을 중심으로 진행되었다. 분석 도구로는 사회 과학 통계 패키지(Statistical Package for Social Science: SSPS)를 활용했으며, 표본 오차는 95%, 신뢰 수준은 ±1.6%p이다.

2. 은행 업무의 특성과 통제 방식

1) 감정노동을 강화하는 조직적 통제의 유형

(1) 콜센터 업무 특성과 통제

우리나라의 금융 부문은 콜센터 도입이 가장 활성화된 분야로 2000년대 초반에 고객 정보 통합 관리 시스템을 구축하면서 콜센터를 만들어 적극적으로 금융 서비스를 마케팅화했다. 이후 콜센터 규모를 지속적으로 확대하고 CRM(Customer Relationship Management: 고객 관계 관리) 기반의 마케팅 활동을 강화하면서, 신규 고객 확보를 통한 수익 창출 수단으로 콜센터를 적극 활용해왔다.

금융 부문의 콜센터는 2008년 기준 2952억 원의 시장 규모를 형성해 전년도(2007년) 대비 18.8%의 높은 성장세를 보였다. 이런 성장세에 비춰볼 때 콜센터 운영이 각 금융회사의 수익 사업에 직간접적으로 미치는 영향은 상당할 것으로 추정된다. 정보통신산업진흥원은 시중은행의 사례에서 콜센터가 직간접으로 수익에 기여한 금액은 1조 원에 달할 것으로 추정하기도 했다(한상록 외, 2010).

콜센터에 종사하는 노동자는 2011년 말 기준으로 은행 8322명, 생명보험 5273명, 손해보험 6961명, 증권사 1935명, 카드사 7868명 등 금융 부문에서만 3만 359명에 달한 것으로 집계되었고, 여성이 절대다수를 차지하고 있었다. 고용 형태별로는 콜센터 노동자의 50% 이상이 외주 용역 업체 소속인 것으로 파악된다(금융감독원, 2012).

콜센터는 인바운드콜·아웃바운드콜·지원 업무로 운영되며, 대부분이 여성으로 구성된다. 인바운드콜은 고객의 문의나 요구에 대해 상담과 도움을 주는 업무로 예금, 대출, 인터넷뱅킹, 사고 신고 접수, 스마트폰 뱅킹, 영업점 안내, 각종 상담 민원 등을 처리하고 있다. 고객의 관심과 불만은 매우 다양하고 예측하기 어려우므로 고객의 요구를 만족시켜 회사의 이미지를 제고하기 위해 상대적으로 안정적이고 숙련도가 높은 노동자가 업무를 수행한다. 아웃바운드콜은 사전에 금융회사의 마케팅 활동에 동의한 고객을 대상으로 상품 홍보 및 가입 권유, 예금 만기 안내, 내부 통제 해피콜, 펀드·신탁·파생 상품 불완전 판매 예방을 위한 모니터링콜 등의 업무를 수행하고 있다. 아웃바운드콜 업무는 상품별 특성만 숙지하고 나면 판매 전략과 고객 응대 방식이 일정한 편이어서 인바운드콜 업무에 비해 숙련도나 전문성이 덜 요구된다. 지원 업무는 후선에서 상담에 필요한 내용을 지원·관리하는 것으로, 상담 기준을 마련하고 통화 품질을 관리하는 등 중추적인 역할을 수행한다.

콜센터 업무에 대한 관리 감독은 양적 관리와 질적 관리로 구분할 수 있다. 양적 관리는 주로 순 통화 시간, 통화 건수, 총통화 시간 등으로 구성된다. 질적 관리는 전자적 감시 방법에 의존하며 크게 세 가지 유형으로 나뉜다. 상시적으로 이루어지는 실시간 컴퓨터 모니터링, 고객과의 상담 내용 녹취, 상담원과 고객의 통화 내용에 대한 관리자의 감청이다. 이런 전자 감시는 상담 업무를 수행하는 전 과정에 개입되므로 업무 자율성이 허용되지 않으며, 노동자들의 심리적·정신적 압박은 상당히 클 것으로 이해된다.

이렇게 관리된 자료를 근거로 상담원에 대한 업무량 성과 평가가 이루어진다. 이 성과 평가는 업무 수행 실적, 업무 수행 능력, 업무 수행 태도 등 세 가지로 분류해 평가한다. 업무 수행 실적의 평가 항목으로는 통화 건수, 통화 시간 등으로 구성되어 있어 상담원들은 항상 시간적으로 압박을 받게 된다. 업무 수행 능력 평가는 통화 품질 평가와 직무 평가로 구분되는데, 통화 품질 평가는 상담원이 수행한 통화를 통화품질관리자가 평가해 성과에 반영한다. 직무 평가는 상담에 필요한 상품 지식이나 금융 제도 등에 대한 학습 능력을 평가하는 항목이다. 업무 수행 태도 평가에는 근무 태도, 성실성, 직원 간 팀워크 등의 비계량 지표 항목과 고객의 칭찬이나 민원에 대해 인센티브와 페널티를 적용해 평가에 반영하는 가점·감점 항목이 있다. 상담원에 대한 칭찬이나 민원을 제기하는 창구로는 주로 유선, 인터넷, 홈페이지 고객 게시판, 금융감독원 등이 이용되고 있다.

(2) 영업창구 업무 특성과 통제

금융 부문의 영업창구는 흔히 '창구 대민' 업무가 주를 이룬다. 고객과의 대면을 통한 예금 및 출금, 예금의 신규 및 해약, 공과금 수납 등 비교적 단순한 업무와 수신업무인 예금의 입금·지급, 여신 업무인 대출 상담, 신용카드 업무, 외환 업무 등의 다소 복잡한 금융 서비스 업무를 수행한다. 지금도 여전히 영업창구는 콜센터와 더불어 대표적인 감정노동 직무에 해당된다.

창구 업무를 수행하는 노동자의 구성을 성별로 살펴보면 여성 81%, 남성 19%로 여성이 압도적으로 많으며, 이는 콜센터와 동일한 양상을 띤다(한국직업전망, 2013). 여성은 주로 창구 텔러 업무를 담당하며, 여신·외환 업무와 같이 전문성을 요하는 업무는 남성이 담당하는 경우가 대부분이다.

한편 IT 기술의 발전에 따라 영업창구의 직무가 텔러에서 마케터로 확대되고 있다. 금융회사 간 경쟁이 치열해지면서 영업창구에서 판매하는 상품의 종류가 다양화되었다. 즉, 정기예금이나 정기적금 등에서 펀드와 같은 간접자산 운용 상품 및 방카슈랑스 상품으로 주력 상품이 변화하면서 상품 판매의 실적은 대출 건수, 카드 실적 등과 함께 직원들에 대한 성과 평가의 대상이 되고 있다.

영업창구는 고객과의 대면을 통해 고객들의 욕구를 충족시키는 기능을 한다. 노동자가 고객이 원하는 감정 표현을 할수록 기업의 성과는 향상되므로 조직의 입장에서는 이를 규정해 준수할 것을 요구하려는 기제(mechanism)가 발생하고, 규정된 감정 표현의 빈도를 높이려고 할 것이다. 따라서 노동자의 표정과 몸짓, 언어, 말투가 모두 조절과 통제의 대상이 된다.

각 은행은 미스터리 쇼퍼(암행감찰),[1] CS 평가,[2] 소비자 보호 지수[3] 등과 같은 제도를 시행하고 있다. 이런 제도들은 고객에 대한 서비스 품질을 향상시킨다는 취지로 실시되는데, 그 실시 결과를 점수화해 성과급이나 인사고과, 영업점 평가 등에 반영하기도 한다.

(3) 민원 전담 업무의 특성과 통제

대부분의 은행은 각 본점에 10~20명 규모의 인력으로 구성된 민원 처리 전담 부서를 설치해 운용하고 있다. 은행의 자체적인 민원 처리 절차를 살펴보면, 일단 민원이 발생할 경우 해당 민원 업무를 수행한 콜센터 또는 영업창구 담당자가 일차적으로 처리한다. 그러나 일차 민원 처리 담당 부서에서 해결이 안 될 경우에 민원인은 곧바로 금융감독원의 민원 절차를 밟을 수도 있지만, 해당 은행 본사에도 민원을 제기할 수 있다. 이때 제기된 민원을 처리하는 팀이 민원 전담 부서에 해당되며, 부서의 명칭은 은행마다 다양하다. 민원 전담의 경우에도 고객 만족도 평가나 모니터링 등에 의해 통제되고 있으며, 평가 결과에 따라 임금이나 인사고과에 영향을 미치기도 한다.

1 불법이나 위반 행위를 점검하기 위해 소비자로 위장한 사람을 뜻한다.

2 직원 응대, 근무 자세 등에 대한 고객의 만족도 조사가 기준이 된다.

3 상품 내용을 소비자가 이해하기 쉽게 설명했는지, 소비자의 권익 보호를 위해 노력했는지, 고객 입장에서 적합한 상품을 안내했는지 등을 평가한다.

2) 금융 감독 기관의 관리와 통제

(1) 민원 발생 건수로 금융기관 평가

금융 소비자가 금융감독원에 민원을 제기할 경우 금융감독원은 일차적으로 은행이 민원을 해결하도록 한다. 그 민원의 해결 결과에 따라 금융기관을 평가하고, 매년 한 차례씩 금융회사별로 민원 발생 현황을 평가한 후 1~5로 등급화해 그 결과를 공시하고 있다. 금융감독원의 민원 발생 평가 결과는 각 은행에서 해당 노동자의 성과 평가로 이어져 직접적인 불이익을 주는 데 활용되기도 한다.

이와 같은 민원 발생 평가 제도가 금융 소비자를 보호하는 기능이 있다는 점을 부인할 수는 없으나, 민원 발생 건수 중심의 통계 방식으로 운영되는 과정에서 부당 또는 악의성 민원까지도 정상적인 민원으로 간주되기 쉬워 제도의 본래 목적에서 벗어나 위법하고 부당한 민원까지 은행이 수용하게 만드는 문제가 지속적으로 제기되었다. 금융감독원은 이런 문제를 개선하고자 ① 과도한 금전적 보상 또는 특혜 등을 요구하는 경우, ② 형사상 위법행위·업무방해 등을 하는 경우, ③ 정상 처리된 민원에 불만을 품고 반복적·감정적으로 민원을 제기하는 경우, ④ 회사를 괴롭히기 위해 민원을 유발하는 경우 등의 악성 민원은 민원 평가 시에 민원 건수에서 제외하는 방안을 마련하기도 했다. 하지만 악성 민원에 대한 은행의 입증 책임, 판단 기준의 모호함, 주관적 판단이 개입할 여지가 많아 실효성에는 한계가 있다고 지적되었다.

(2) 이중, 삼중의 모니터링 제도

은행이 자체적으로 실시하는 암행감찰 제도 이외에도 금융감독원에서 실시하는 금융 상품의 불완전 판매에 따른 금융 소비자 피해 예방 목적의 암행감찰 제도가 있다. 이때 암행감찰의 평가 기준과 방법은 금융감독원에서 정하고, 금융감독원과 계약한 외부 업체가 암행감찰 업무를 수행하게 된다. '금융기관 검사 및 제재에 관한 규정'은 고객을 보호한다는 취지로 실시하는 금융기관에 대한 금융 감독 기관의 관리 방식으로서 '판매 현장 사전 점검'을 명시하고 있는데(제3조), 각 은행은 금융감독원의 모니터링에 대비하고 직원들의 업무 숙지를 향상한다는 명분으로 자체적인 모니터링 제도를 별도로 운영하고 있다. 그 결과 은행 창구 종사자들은 여러 건의 모니터링에 의한 거듭되는 감시에 노출되어 있다. 예컨대 펀드 모니터링만 보더라도 은행 자체, 금융감독원, 투자 위원회 등 많은 기관이 각각의 모니터링을 실시하고 있고, 그 평가 기준 또한 일관되지 않아 영업창구에 근무하는 직원들은 모니터링이 어떤 기준으로 평가되고 있는지 숙지하기 어려운 실정이다.

3) 악성 민원이 나날이 증가하는 은행 업무

(1) 악성 민원 증가에 전전긍긍하는 은행

전국금융산업노동조합이 블랙컨슈머(악성 민원)가 나타났을 때 이에 대응하는 은행들의 태도를 파악해본 결과, 금전이나 사은품 지급(38%), 지점장급 방문 사과(38%), 본부 부서에 지원 요청(13%), 관할 지구대 요청(3%) 순으로 부당한 요구를 대부분 수용하는 것으로 나타났다.

일부 은행에서는 대내외적으로 발생하는 민원에 신속하고 효율적으로 대처하기 위해 자체 금융 소비자 보호 센터를 운영하는 사례가 늘고 있다. 악성 민원 발생 시 콜센터나 영업창구에서 초기 대응을 하고, 여기서 해결되지 않으면 금융소비자보호센터로 이관하도록 운영하고 있지만, 은행의 민원 절차에 만족하지 못한 민원인은 결국 금융감독원에 민원을 접수하기 때문에 큰 효과를 보지 못하고 있다.

(2) 악성 민원 증가의 주요 원인: 구조적인 측면

금융감독원은 2012년 접수된 민원 9만 5000여 건 가운데 7~10%가량이 악성 민원에 해당한다고 보고 있다. 유형별로는 민원이 처리 중이거나 해결되었는데도 동일한 민원을 세 차례 이상 반복 제기하는 경우, 동일인이 이름만 바꿔 같은 민원을 반복해서 내는 경우, 폭언이나 욕설을 하는 경우, 민원 해결과 관련 없는 무리한 요구를 하는 경우 등이다.

금융 부문에서 악성 민원의 증가를 유발하는 구조적 요인으로는 우선 민원 발생 평가 제도를 들 수 있다. 민원 발생 평가는 금융감독원이 금융회사를 상대로 매년 한 차례 평가해 1~5등급으로 나눈 뒤 그 결과를 공시하고 있다. 이런 제도가 금융 소비자를 보호하는 긍정적 기능도 하지만, 부당한 민원이나 악성 민원까지도 민원 통계에 포함시켜 악성 민원 발생을 부추기기도 한다. 민원 통계 공시로 기업 이미지가 실추되는 것을 방지하기 위해 금융회사들은 민원인의 부당한 요구와 언행을 수용함으로써 문제를 해결하려 하고, 악성 민원인은 이를 악용하기 때문이다.

또한 은행의 무원칙한 태도가 금융 소비자를 악성 민원인으로 만드는 데 일조하기도 한다. 악성 민원에 대한 통일된 대응 기준과 정책이 없고, 부당한 요구에도 무조건 수용하여 해결하려는 금융회사의 태도가 소비자들의 보상 심리를 자극함으로써 악성 민원 발생의 가능성을 높이는 것으로 보인다. 그런데 금융회사의 이 같은 태도는 금융감독원의 민원 처리 시스템과도 관련이 있는 듯하다. 앞서 밝혔듯이 금융 분쟁이 발생하면 금융감독원은 접수된 민원을 해당 금융회사에서 우선 해결하도록 민원을 이첩하고, 민원 해결 결과에 따라 금융기관을 평가한다. 이런 시스템은 민원을 이첩받은 금융회사가 민원 해결을 위해 고객의 무리한 요구를 수용할 수밖에 없는 구조적 문제를 야기한다.

3. 은행 감정노동자의 숨 가쁜 근로 환경

1) 쉴 틈 없는 고객 응대로 점심시간이 부족한 영업창구

감정노동은 고객과의 상호작용 정도가 높을수록 발생할 가능성이 커진다. 또한 악성 민원을 많이 겪을수록, 조직의 관리·통제를 강제할수록 감정노동을 수행하는 정도가 높을 가능성이 크다. 따라서 은행의 고객 접점 부서 종사자들의 민원 업무 활동과 감정노동의 정도에 대한 실태를 먼저 살펴볼 필요가 있다.

우선 고객을 응대하는 직무를 수행하는 경우에 얼마나 많은 고객을 응대하는지, 응대 시간은 얼마나 되는지를 알아보았다. 순수 고객 응대 시간과 쉴 틈 없이 바쁘게 일하는 시간을 조사한 결과, 콜센터는 고객과의 통화 시간이 1일 평균 4시간 41분 정도였다. 여기서 통화 시간은 순수 통화 시간을 의미하는 것으로, 대기시간과 후처리 시간 등은 제외한 것이다. 한편 근무하는 8시간 중 바쁘게 일하는 시간은 4시간 23분으로 나타나 노동강도가 강하다는 사실을 알 수 있었다.[4]

〈표 5-1〉 콜센터 업무 수행 정도

	1일 평균 통화 시간	1일 평균 쉴 틈 없이 일하는 시간	민원 통화 1건당 평균 소요 시간
인바운드콜	4.69시간	4.39시간	23.79분

4 한국노동연구원의 유통, 증권, 보험, 카드사 등의 서비스산업 콜센터 감정노동 연구 결과에서는 1일 평균 순수 통화 시간이 5.3시간이며, 쉴 틈 없이 일하는 시간은 2.1시간으로 보고되고 있다(박찬임 외, 2012).

〈표 5-2〉 영업창구와 민원 전담 업무의 업무 수행 정도

	1일 평균 고객 응대 시간	1일 평균 쉴 틈 없이 일하는 시간	민원 1건 처리 평균 소요 시간
영업창구	6.36시간	4.94시간	34.05분
민원 전담	3.77시간	4.29시간	45.93분

영업창구는 1일 평균 고객 응대 시간이 6시간 22분 정도였다. 은행 영업시간이 오전 9시부터 오후 4시까지인 점을 감안하면, 영업창구 근무자들은 점심시간조차 온전히 쉬지 못하고 끊임없이 고객을 응대하고 있는 것으로 파악되었다. 또한 쉴 틈 없이 일하는 시간은 평균 5시간이나 된다고 응답했다.

민원 전담은 고객 응대 업무인 콜센터와 영업창구보다는 전체 고객 응대 시간이 훨씬 짧았다. 이는 민원 전담 업무가 민원을 제기하는 고객을 중심으로 응대를 하기 때문인데, 그럼에도 쉴 틈 없이 일하는 시간은 평균 4시간 17분으로 집계되어 콜센터와 큰 차이가 없었다. 특히 민원이 발생할 경우 민원 한 건을 처리하는 데 소요되는 시간은 콜센터 24분, 영업창구 34분인 것에 비해 민원 전담의 경우는 46분이나 소요된다고 응답했다. 고객의 응대 시간이 길다는 것은 그만큼 까다로운 민원이거나 고객을 이해시키고 설득해야 하는 과정이 요구되는 경우가 많다는 의미이다. 이런 점에서 업무 수행에 따른 피로감은 민원 전담 업무 역시 콜센터나 영업창구 못지않을 것이라는 점을 알 수 있다.

반면 업무의 피로를 감소시키거나 풀어줄 수 있는 휴식 시간의 제공은 매우 부족한 상황이었다. 점심시간 이외에 별도의 휴식 시간이 있는지에 대해서는 업무별로 차이가 있었다. 콜센터의 경우 대체로 15분 미만 또는 30분 미만의 휴게 시간이 부여된다고 응답한 비율이 57% 이상이었다. 그러나 창구 대민 업무의 경우는 업무 특성상 별도의 휴식 시간이 부여되지 않는 경우가 대부분이고, 심지어 점심시간조차도 45분 미만으로밖에 사용하지 못한다고

응답한 사람이 67%를 넘었다. 민원 전담 업무도 휴식 시간이 별도로 없다고 답한 사람이 가장 많았지만, 창구 대민 업무와 비교하면 약간의 휴식 시간을 사용할 수 있는 것으로 파악된다.

하지만 휴식 시간이 부여되어도 휴식을 취할 만한 공간이 없거나, 공간만 제공되고 편의 시설이 없는 경우가 대부분이어서 휴식 시간을 효과적으로 활용하지 못하고 있었다.

2) 욕설로 인격이 무시되면서도 오히려 사과해야 하는 처지

악성 민원 유형의 경험을 묻는 질문에서 무리한 사과, 말꼬리 잡기, 인격 무시, 욕설, 폭언, 각종 시설물 파손 행위, 업무 외적인 상담 요청, 억지 주장 등을 경험했다고 답한 비중이 매우 높았다. 특히 말꼬리 잡기나 인격 무시 경험을 했다는 응답이 90%에 달해 가장 높은 빈도를 보였다. 경험 빈도를 살펴보면 무리한 사과 요구 2.33회, 인격 무시 3.6회, 욕설 및 폭언 등 2.84회 등 총 19.4회로 1주당 평균 4.8회꼴로, 거의 매일 부정적인 사건을 경험한 것으로 나타났다. 이 같은 응답 결과는 은행 감정노동자들이 악성 민원에 시달리고 있는 정도가 매우 심각한 상황이라는 것을 보여준다.

> 요즘 민원이 자주 발생하는 업무 중 하나가 자녀 통장 해지인데, 부모님이 가족 관련 서류를 가지고 오지 않거나 잘못 가지고 온 경우, 무조건 처리해달라고 우기는 고객이 많아요. 그럼 고객이 잘못했어도 직원은 민원 방지를 위해 어쩔 수 없이 경청하고 불만이 생기지 않도록 해야 합니다. 한번은 자녀들 것을 부모가 와서 처리하려고 한 경우가 있었는데 규정과 감독원 지시를 설명해드리면서 안 되는 이유를 설명해드렸는데도, 좀생이 같다고

하고 평소 성격이 그러냐면서 조롱하는 듯이 하대하고……. 직원이 잘못 하지 않은 일까지 비굴하게 응대해야 하는 상황에 정말 참을 수 없는 고통까지 안겨주는 고객이 많아요. 문제는 이런 상황에서도 고객 앞에서는 웃음을 잃지 않는 명품 배우급 은행원이 되어야 한다는 것이지요.

지속적인 대출 연체 이력이 있는 고객에게 대출 연기 안내차 전화를 드렸습니다. 그랬더니 다짜고짜 "왜 전화했어? ○○은행이 벼슬이야?!!"라고 하더군요. 그래서 제가 "고객님께서 가지고 계신 대출 연기 관련해서 안내 전화드렸습니다. 특별 심사 승인 올려서 5만 원 일부 내입 후 6개월 단기 연기 승인받았습니다. 고객님 괜찮으시죠?"라고 했더니 "난 십 원 한 푼 못 내니 알아서 해"라고 하고 전화를 끊어버렸습니다. 제가 계속적으로 전화를 드렸더니 입에 담을 수 없는 갖은 욕을 하시면서 전화를 받지 않으셨습니다. 계속해서 사정해 5만 원 내입 후 연기 신청했으나 대출 연기 기간이 짧다고 또 한 번 전화하셔서 갖은 욕을 하시고, 서류를 작성하면서도 큰소리와 험담을 늘어놓았습니다.

특이한 점은 성희롱의 대상이 주로 여성일 것이라는 일반적 생각과는 달리 성희롱, 성추행, 성적 수치심 유발 등을 경험했다고 답한 남성 응답자의 비중이 20%에 달했다. 이는 성적 범죄행위는 성별을 불문하고 사회적 약자에게 행해지는 인권침해의 문제라는 점을 보여주는 것이라 하겠다.

악성 민원이 발생할 경우 회사가 어떻게 처리하는지를 묻는 질문에 상급자나 보안 요원에게 고객을 응대하게 할 수 있다는 응답이 39.7%를 차지했다. 그러나 시비를 가리지 않고 무조건 사과하거나 고객의 요구를 수용한다거나 인격 모욕을 당해도 그대로 듣고 있거나 전화를 끊지 말아야 한다는 응답도

이와 대동소이한 응답률을 보였다. 창구 대민 업무의 경우 고객에게 무조건 사과하게 하거나 고객의 요구를 수용한다는 응답이 가장 많았고, 그 비율이 46.2%에 이르렀다. 반면 감당하기 어려운 상황에서 고객을 피하거나 전화를 끊을 수 있다는 응답이 8.8%에 불과한 것으로 드러나 악성 고객에 의해 위급한 상황이 발생할 경우 노동자를 보호할 수 있는 적극적인 대책이 부재한 것으로 파악되었다.

> 중년의 남자 고객이 들어오더니 제 앞에 통장 두 개와 도장을 던지면서 "해지해서 내 통장에 입금해!"라고 하시더라고요. 당황했지만 조용히 통장을 살펴보니 정기예금이었고 명의자는 여성이었습니다. 그래서 고객에게 "죄송하지만 신분증 부탁드립니다. 고객님 예금이 맞으신가요?"라고 했더니 "미친년이 무슨 소리야! 내가 내 돈 찾겠다는데 ……. 쌍년이 무슨 말이 많아"라며 하며 큰소리를 냈고, 이 소리를 듣고 달려온 지점장님에게도 욕설을 했습니다. 다행히 그 고객을 알던 부지점장님이 오셔서 그 분을 다른 곳으로 모시고 간 후 업무를 처리해주고 VIP 선물까지 챙겨서 보냈습니다. 부지점장님 말씀은 금융감독원에 수시로 민원을 넣는 고객인데, 옆 지점 거래 고객이라서 그곳에서도 엄청 골치를 썩는다고 했습니다. 그러면서 "똥이 무서워서 피하냐 더러워서 피하는 거지"라고 하면서 흥분한 저를 진정시켰습니다. 지금도 잊히지 않는 끔찍한 기억입니다.

악성 민원이 발생했을 때 회사로부터 어떤 대우를 받는지를 묻는 질문에는 그냥 업무에 집중해야 한다는 응답이 52.2%, 말로 위로해준다는 응답이 45.8%를 차지해 대부분 실질적인 도움을 받지 못하는 것으로 확인되었다. 오히려 악성 민원인에게 공개적으로 사과하도록 하는 경우가 무려 24.4%였고, 징계성

〈표 5-3〉 악성 민원에 적절하게 대응하지 못하는 이유

(단위: %)

적절하게 대응하지 못하는 이유	전체
금융감독원 등 감독 기관에 민원 제기로 인한 경영 평가에 악영향을 주기 때문	68.6
기업 이미지 훼손 우려	22.2
대응 전담 부서 미설치 또는 대응 매뉴얼 미비	5.8
업무방해를 견디기 어려워서	2.3
법적 대응 등으로 강경하게 대처할 경우 이에 대한 보복 우려	1.1

조치, 인사상 불이익 등의 조치를 받는다고 답한 비율도 33%가 넘어, 감정노동자들이 악성 민원에 더해 이중적으로 고통을 겪는 것으로 파악되었다.

은행이 악성 고객의 요구를 그대로 수용하는 식의 부적절한 대응을 하는 이유로는 금융 감독 기관에 민원을 제기할 경우 은행의 경영 평가에 불리한 결과를 초래하기 때문이라는 응답자가 무려 66.0%나 차지했다. 즉, 제도적 문제가 악성 민원에 효과적으로 대처하는 데 가장 큰 장애 요소로 지적되고 있었다.

4. 은행 감정노동자의 건강과 감정노동의 원인

1) 심각한 수준의 감정노동과 직무 스트레스 및 정서적 고갈

응답자의 감정노동 점수는 전체적으로 중간값을 훨씬 상회하고 있어서 매우 높은 수준의 감정노동을 수행하고 있음을 알 수 있었다. 이를 통해 업무별 구분 없이 감정노동의 정도가 심각한 수준이라는 사실이 확인되고 있다. 하

위 영역별 점수로는 감정 표현 빈도 10.0, 감정 표현 주의 정도 9.67, 감정 부조화 9.38 등으로 나타났다.[5]

감정노동은 직무 스트레스와 직무 소진에도 영향을 끼치고 있었다. 한국인 직무 스트레스 측정 도구(KOSS-SF)를 활용해 응답자들의 직무 스트레스 정도를 조사한 결과, 응답자들의 스트레스 수준이 한국인들의 평균 직무 스트레스 수준보다 월등히 높은 것으로 나타났다. 특히 직무 스트레스 측정 항목 가운데 직무 요구에 의한 스트레스의 경우 남성 응답자 68.1, 여성 응답자 66.7로 측정되어 성별 구분 없이 모두 직무 요구에 따른 스트레스를 강하게 받는다는 것을 알 수 있었다.[6]

직무 소진 측정[7] 결과, 고객에 대한 비인격화와 성취감 결여 영역은 평균보다 낮게 나왔으나, 정서적 고갈의 정도는 매우 높은 수준으로 나왔다. 남성보다는 여성이 정서적 고갈을 더 많이 느끼는 것으로 분석되었다.

2) 은행 감정노동자의 심각한 건강 상태

응답자들의 건강 상태가 어떠한지를 알아보기 위해 조사한 결과, 약 75%가 정신적·육체적 질병을 앓고 있거나 앓았던 것으로 나타났다.

---

5 감정노동 측정은 응답자들의 중심화 경향을 배제하기 위해 리커트(Likert)형 4점 척도로 '전혀 그렇지 않다' 1점, '매우 그렇다' 4점으로 측정되었다. 문항당 중간값은 2.5점이며, 2.5점보다 값이 클수록 감정노동을 많이 하고 있다는 것을 의미한다. 하위 영역별로는 7.5점보다 값이 클수록 감정노동을 많이 한다고 할 수 있다.

6 직무 요구 점수가 남성이 58.4 이상, 여성이 66.7 이상이면 한국인 상위 25%에 해당되며, 이는 근로자가 받는 직무 요구의 정도가 그만큼 높다는 의미이다.

7 직무 소진은 세 개의 하위 요소로 구성되어 있으며, 고객에 대한 비인격화 7문항, 성취감 결여 7문항, 정서적 고갈 4문항 등 총 18문항으로 구성되었다.

가장 흔한 질병은 소화 장애(52.8%)였으며, 여성의 상당수인 33.1%가 생리 불순에 시달리고 있는 것으로 드러났다. 근골격계 질환을 진단받은 비중은 전체 15.8%에 이르며, 우울증도 20.5%나 차지했다. 특히 민원 전담 부서의 경우에는 27.8%가 우울증을 앓고 있거나 진단받았던 것으로 나타났다.

또한 감정노동이 소화 장애, 생리 불순, 근골격계 질환, 우울증에 영향을 미쳤는지를 알아보기 위해 분석한 결과, 모두 유의한 상관관계에 있는 것으로 확인되었다.

특히 우울증은 감정노동의 모든 영역에서 영향을 받고 있는데(감정 표현 빈도, 주의 정도, 감정 부조화의 오차 허용 범위가 각 1%, 5%, 1% 수준에서 유의함), 이는 우울증 등 정신 건강이 감정노동에 취약하다는 점을 시사한다.[8] 응답자를 대상으로 우울증 자가 진단 측정 도구(CESD-10)를 활용해 측정한 결과, 응답자 전체 종합 점수는 5.90점으로 나타났는데,[9] 이는 우울증 의심 점수인 4점을 훨씬 상회하는 결과이다.[10] 한편 우울증 의심군으로 분류되는 4점 이상의 응답자는 전체 응답자의 50.72%를 차지했으며,[11] 감정노동이 측정 결과에 영향을 미치는 주요 요인으로 작용하고 있었다. 이런 결과는 은행 감정노동자들이 정신 건강에 크게 주의를 기울이지 않으면 위험한 결과로 이어질 수 있다는 경고로 받아들여진다.

---

8 근골격계 질환과 소화 장애는 감정노동의 두 개 영역(감정 표현 빈도, 감정 부조화)에서, 생리 불순은 한 개 영역(감정 부조화)에서 유의하게 영향을 미치는 것으로 나타났다.

9 업무별로는 영업창구 6.00점, 콜센터 5.49점, 민원 전담 5.47점으로 나타났다.

10 한국노동연구원(박찬임 외, 2012)에서 서비스산업 콜센터 상담원에 대한 감정노동 연구에서 4점 절단점으로 분류한 결과 25.2%가 우울증 의심으로 분류되었다.

11 전체 응답자를 기준으로 4점 이상인 경우를 살펴보면, 창구 대민 업무가 35%로 가장 많은 비중을 차지하고 있었다. 성별로는 여성의 경우 4점 이상인 경우가 53.96%였다.

3) 감정노동을 강요하는 요인들

(1) 악성 민원, 각종 모니터링 등은 감정노동의 주범

감정노동을 강화하는 요인에 대한 주관적 의견을 묻는 질문에 많은 응답자들은 민원인의 과도하고 부당한 언행이나 요구, 각종 모니터링과 암행감찰 등의 업무 감시, 금융감독원의 민원 발생 평가 제도, 성과 평가 시스템 등을 핵심적 요인으로 지목했다. 그러나 모니터링, 암행감찰, 민원 발생 평가 제도와 같은 통제 시스템은 감정노동을 강화하는 것뿐만 아니라 오히려 고객의 불만을 유발하고 악성 민원을 부추기는 등 부정적인 측면이 더 커 보였다. 또한 이처럼 다양한 미스터리 쇼퍼들의 평가 기준의 객관성이 떨어진다는 점도 감정노동자들을 더 힘들게 만들고 있다.

> 적립식 펀드, ELF, 신탁 ELS, 방카슈랑스 등 금융감독원의 펀드 모니터, 한국금융투자자보호재단 모니터, 접점 모니터 등 과도한 모니터에서 비롯된 직원 스트레스가 매우 크다고 생각합니다. 미리 준비를 하고 응대를 하지만 항상 긴장해야 하며, 신입 직원이 많거나 응대 직원이 제대로 준비를 하지 못하면 경영 평가 감점, 보고서 작성, 롤플레이 등에 따른 스트레스가 증가합니다. 바쁜 지점 여건으로 방카슈랑스나 펀드 모니터 응대 시간이 보통 30~40분 걸리면, 이 때문에 일반 고객들이 많이 기다려야 하며, 고객 불만으로 이어질 수 있습니다.

> 아무리 정당하게 업무를 처리했어도 금융감독원에 민원이 접수되면 일선 창구 직원은 정신적 피해를 입고, 심리적인 긴장감에 빠져듭니다. 민원 취하를 위해서는 고객님께 직접 찾아가서 고개를 조아려야 합니다. 금

융감독원 민원을 자주 접해본 고객은 본인의 불만족을 곧 민원으로 접수한 후 취하도 하지 않은 채 피해 보상금을 챙겨갑니다. 금융감독원 민원을 무기로 금융권 직원들을 마치 투우사가 소를 대하듯이 마구 찔러댑니다. 물론 금융 소비자의 권리를 정당하게 행사하고 소비자 보호를 받아야 마땅합니다. 하지만 이를 이중적으로 사용하는 블랙컨슈머를 통해 은행원은 점점 더 피멍이 들고 있습니다. 감정노동자인 은행원들은 더욱 쓰러져 갑니다.

각종 미스터리 쇼퍼가 체크할 항목은 수십 가지가 넘는데 은행원은 수십 종의 미스터리 쇼핑이 가능한 업무를 취급하고 있으니 인력으로 한계에 부딪힙니다. 미스터리 쇼핑의 과도한 부담은 고객과의 접점에서 거리감을 형성할 수 있다고 생각해요. 모든 고객을 미스터리 쇼퍼로 생각해 일단 딱딱하고 규정에 맞게 대해야 하며 고객이 원하는 대로 처리할 수 없고, 고객들에게 이미 아는 것을 설명하다 보니 고객들이 오히려 짜증을 내고 다른 고객들의 대기시간도 길어져서 고객 만족도가 떨어진다는 것이죠.

동일한 내용을 앵무새같이 외우고 고객에게 말하는 이런 것이 고객에게 무슨 도움이 되는지 모르겠어요. 게다가 심지어 사투리를 사용한다고 감점하는 경우도 있는데 납득이 안 되죠.

(2) 감정노동의 영향 요인

은행 종사자들에게 감정노동을 강화하는 요인으로 어떠한 것들이 있는지를 살펴보기 위해 우선 근속 연수, 휴게 시간, 휴게 시설, 악성 민원, 조직 통제 방식 등과 감정노동 정도와의 관계를 회귀분석한 결과 통계적으로 유의하

〈표 5-4〉 감정노동을 하게 만드는 요인

(단위: %)

원인	전체
민원인의 과도하고 부당한 언행이나 요구	74.2
상시적 모니터링, 고객 상담 내용 녹취, 암행감찰, 고객 만족도 조사 등의 업무 감시	67.2
금융감독원의 민원 발생 평가 제도	48.2
성과 평가 시스템	44.8
과중한 업무량	20.2
낮은 임금수준	18.4
불합리한 업무 처리 방식	13.0

* 복수 응답 결과이다.

게 분석되었고, 응답자들이 생각하는 감정노동 요인들과 일치하는 결과를 보이고 있었다.

근속 연수가 높을수록 감정노동의 정도가 높아지며, 암행감찰, 고객 만족도 조사, 성과주의 조직 문화, 인간관계 갈등, 고객 응대 지침의 준수 정도 등도 감정노동 강화에 유의하게 영향을 미치는 것으로 나타났다.

무리한 사과 요구, 인격 무시 언행, 신체적 폭행 및 위협, 정상적인 상담 방해와 같은 부정적 경험이 감정노동을 높이는 것으로 분석되었다. 이런 부정적 경험을 겪었을 때 회사의 처우 역시 감정노동에 영향을 미치는 것으로 확인되고 있다. 악성 민원인에게 공개적으로 사과를 하도록 하거나 회사로부터 아무런 도움을 받지 못하고 업무에 집중해야 하는 경우에는 감정노동의 정도가 높게 나왔다. 그 외 고객이 고객 게시판에 불만을 제기하는 것에 대해 우려를 많이 할수록 감정노동의 정도가 높아지는 것으로 나타나고 있어, 고객의 평가나 반응이 감정노동을 강화하는 요인으로 작용하는 것을 알 수 있다.

이에 반해 휴식 정도는 감정노동을 낮추는 역할을 하는 것으로 나타났다. 휴식 시간이 많을수록, 10% 유의수준에서는 점심시간을 많이 할애할수록 감정노동의 정도가 낮아지는 것으로 확인되었다. 또한 휴식 시설이 주어지는 경우가 그렇지 않은 경우보다 감정노동의 정도가 낮게 나타났다. 또한 악성 민원이 발생한 경우 휴식 시간을 제공하면 감정노동이 완화된다는 결과를 보여주었다. 이는 감정노동을 완화하기 위해서는 휴식 시간을 충분히 주어 시간적 압박을 낮출 필요가 있다는 것을 시사한다.

4) 개선이 필요한 모니터링과 민원 발생 평가

감정노동에서 비롯된 스트레스를 해결하기 위해 어떤 점을 개선해야 하는지 묻는 질문에 감정노동의 주관적 원인으로 꼽았던 응답과 일치하는 결과가 나왔다.

기업 차원에서 개선해야 할 1순위로 응답자의 17.0%가 고객 만족도 평가나 각종 모니터링 결과에 따른 불이익 제한을 꼽았다. 다음으로 위협을 가하는 고객에 대해 응대를 회피할 수 있는 권리 부여 15.3%, 민원 전담 대응 부서의 설치와 운영 13.2%, 악성 민원 대응 12.8%, 악성 민원 대응에 필요한 법적 지원 9.1% 순으로 응답률이 높았다. 한편 1순위, 2순위, 3순위의 응답 비중을 모두 합해 분석해본 결과, 고객 만족도 평가나 각종 모니터링 결과에 따른 불이익 제한(50.3%), 회피할 수 있는 권리 부여(41.2%), 악성 민원 대응에 필요한 법적 지원(30.3%), 민원 전담 대응 부서 설치와 운영(25.8%) 등의 순서로 앞의 회귀분석 결과와 응답률 순서에서 큰 차이를 보이지 않았다.

이와 같은 결과를 보면 응답자의 상당수가 은행에서 실시하는 각종 모니터링에 따른 고충이 심한 것으로 해석되며, 악성 고객에 대한 응대 회피와 법적 지원, 적절한 대응이 시급한 문제로 부각되고 있음을 확인할 수 있다.

제도적인 개선의 1순위를 묻는 질문에 금융감독원의 민원 발생 평가 제도의 개선 또는 폐지라고 답한 사람이 44.8%로 나타나 다른 답변에 비해 압도적으로 높은 비중을 차지했다. 다음으로 위협 발생 시 업무 중지 권리 부여 12.8%, 금융 분쟁 발생 시 조정 및 중재의 합리성 제고 12.3%, 고객의 시민 사회적 책임의식 강조 11.0% 등이 비슷한 비중으로 나왔다.

5. 감정노동 개선을 위한 금융권의 움직임과 과제

조사 결과를 보면 은행 감정노동자 중 과반이 우울 증상을 느끼고 있었으며, 감정노동에 의한 정신적·심리적 스트레스가 이런 측정 결과에 영향을 미치는 주요한 원인으로 파악된 만큼 은행 감정노동자 보호를 위한 대책 마련이 불가피한 상황이다. 최근 금융감독원과 은행들도 감정노동의 주범으로 파악된 악성 민원의 부정적 영향과 심각성을 인식하고 뒤늦게 대응책 마련에 부심하고 있다.

지금까지의 결과로 볼 때, 은행의 제도적·조직적 특성에서 기인하는 감정노동의 통제 장치를 어떻게 개선할 것인지가 은행의 감정노동 문제를 푸는 데 중요한 과제임은 분명해 보인다.

따라서 여기에서는 악성 민원에 대한 금융감독원과 은행권의 최근 움직임을 살펴보고, 조직적 통제 장치를 중심으로 한 개선 과제를 고민해보고자 한다.

1) 감정노동 문제에 대한 금융 노사의 개선 사례

(1) 단체교섭으로 '미스터리 쇼핑'의 핵심적 개선책 마련

금융 노조는 '금융 산업의 블랙컨슈머 실태 조사' 결과를 근거로 2015년 산별중앙노사위원회에서 은행 자체에서 실시하는 미스터리 쇼핑 제도를 철폐할 것을 요구하고 이를 위해 지속적인 활동을 전개해왔다. 그 결과 2015년 10월 22일 개최된 산별중앙교섭에서 사용자 단체인 금융산업사용자협의회로부터 '미스터리 쇼핑' 실시 결과를 경영 평가에 반영하지 않기로 합의했다.

'미스터리 쇼핑'이 감정노동의 주요 요인이 되는 핵심적인 이유는 '미스터리 쇼핑' 결과를 각종 평가에 반영하고 노동자에게 불이익을 주는 도구로 활용되기 때문이다. 게다가 이런 감시 제도를 금융감독원과 은행이 중복적으로 실시한다는 점에서 더욱 문제가 되고 있다. 노사 합의로 최소한 은행이 자체적으로 실시하는 '미스터리 쇼핑'은 경영 평가에 반영하지 않기로 한 만큼 가장 중요한 부분의 개선이 이루어진 셈이다.

(2) 노사 합의로 금융 부문의 감정노동 해결을 위한 개선 조치 마련

금융 노사는 산별 중앙 교섭을 통해 ① 사업장에 감정노동 근로자 보호를 위한 안내문 부착, ② 업무상 정신적 스트레스에 따른 건강 장해를 예방·치료할 수 있는 시설 등의 조치, ③ '문제 행동 소비자 대응 매뉴얼' 배포 및 정기 교육 매년 실시 등에 합의함으로써 금융 부문 감정노동 문제의 해결을 위한 가시적인 성과를 거두었다.

(3) 민원 발생 평가에서 제외되는 악성 민원의 구체적 기준 마련

금융감독원이 금융기관에 대해 실시하는 민원 발생 평가 제도는 특히 은행 대민 업무에서 감정노동을 강화하는 주요한 요인으로 작용하고 있었다.

민원 발생 평가 제도의 핵심적 문제는 악성 민원, 감정적 과잉, 과잉 요구 등을 구분하지 않고 이들을 정상적인 민원으로 계량하며, 이렇게 계량화한 민원 발생 평가 결과를 은행의 대민원 업무 평가에 반영함으로써 그 궁극적 피해가 노동자에게 이전되는 것이다. 따라서 민원 발생 평가 제도를 개선하려면 우선 악성 민원, 부당한 민원 등을 민원 건수에서 배제해야 한다. 이런 이유로 그동안 은행 부문의 노사 양측은 민원 발생 평가 제도를 개선해 부당하고 과도한 민원, 악성 민원은 건수에서 제외시키자는 요구를 금융감독원에 지속적으로 해왔다. 금융감독원도 민원 발생 평가 제도 개선의 필요성을 느껴 2014년 12월 '악성 민원 판단 기준'을 마련하고 이를 적용한다는 방침을 세웠다. 금융감독원의 대응이 한발 늦은 감은 있지만 그나마 지금이라도 개선이 이루어진 것은 다행이라고 생각한다.

금융회사 민원 발생 평가 시 악성 민원 판단 기준(금융감독원 2014년 12월)

1. 기본 원칙
- 민원 내용이 수용 불가능한 건에 대해서만 적용. 민원 내용이 정당성을 갖고 있는 경우에는 악성 민원으로 보지 않음
- 증빙서류, 녹취, 녹화 또는 경찰 신고 등을 통해 동 기준에 해당되는 사실 입증

2. 악성 민원 상세 유형

(1) 과도한 금전적 보상 또는 특혜 등을 요구하는 경우
- 재산적 피해에 대한 복구가 되었는데도 별도로 정신적 피해에 대한 과도한 보상을 요구하는 경우
- 불친절 또는 사소한 업무 과실을 빌미로 과도한 보상 또는 조치(예컨

대 대표 명의 사과, 징계 요구, 영업정지, 심야 시간대 방문 요청 등)를 요구하는 경우

· 다른 소비자와 달리 민원인에게만 특별한 계약 조건 부여(정기예금 가입 시 과도한 금리 우대 등)를 요청하는 등 계약 내용에 없는 내용을 부당하게 요구

(2) 형사상 위법행위, 업무방해 등을 하는 경우

· 물리적 폭력, 협박, 성희롱 발언 등을 행하거나 금융회사 건물 내에서 난동, 기물 파손 등 폭력 행사

· 직원의 경고에도 불구하고, 담당자에 대한 욕설 등 언어폭력을 지속하거나 공개적인 모욕 및 명예훼손 행위(인터넷에 담당자의 개인 정보를 기재하는 등)를 한 경우

· 수차례에 걸쳐 또는 음주 상태에서 오랜 시간 전화를 끊지 않고 불만을 표출하거나, 지나치게 잦은 방문 또는 장시간 체류를 통해 담당자에게 정신적 피해 또는 업무방해(업무방해 등으로 수사기관에 고소·고발한 경우 포함)를 야기

(3) 정상적으로 처리된 민원에 불만을 갖고 반복적·감정적으로 민원을 제기하거나, 진정한 금융거래 의도 없이 회사(직원)를 괴롭히기 위한 목적으로 민원 사항을 유발(최소 출금 단위 이하로 입금한 후 전액 인출을 요청해 요청 금액과 상이하다는 이유로 민원 제기 등)하는 경우

· 민원 내용과 사실이 다름이 확인되었음에도 불구하고 아무런 입증 없이 일방적 주장만 내세우며 반복해 민원을 제기

· 정당한 이유 없이 처리 내용에 대한 불만만을 제기하거나, 증빙 자료 제출 없이 막무가내로 조사 및 처벌을 요구

· 감찰실, 상급 감독 기관 등에 민원 담당자의 처벌 등을 요구하나, 민원 담당자의 업무 처리가 적절했던 경우

(4) '문제 행동 소비자 응대 가이드' 작성

은행연합회는 악성 민원으로 인한 금융회사 직원들의 감정노동 피해가 심각하다는 점을 감안해 악성 민원 발생 시 대응하기 위한 「금융소비자 보호 및 문제 행동 소비자 응대 가이드」(2014년 12월) 책자를 발행했다. 이 가이드북은 은행에서 주로 발생하는 악성 민원인의 유형을 제시하고, 각 유형별 응대 방법과 관련 법률을 제시하는 내용으로 이루어졌다.

가이드북이 현장 대응 시 얼마나 실효성 있는지에 대한 평가는 아직 불투명한데, 대부분의 현장에서는 가이드북을 악성 민원 대응 매뉴얼로 활용하는 경우가 드물었으며 심지어 가이드북의 존재를 모르는 경우가 많았다.

2) 개선 과제

(1) 모니터링 평가를 이유로 감정노동자에 대한 불이익 금지

은행 영업창구에 근무하는 근로자들은 금융감독원의 암행감찰, 은행 자체에서 실시하는 미스터리 쇼핑, 한국금융투자자보호재단 모니터 등 수많은 모니터링 제도에 의해 감시되고 있다. 모니터링 제도는 감정노동 유발의 핵심 요인 중 하나로 확인된다. 각종 모니터링 제도가 과도하게 중복 실시되고 있으며, 근로자들의 태도, 말투, 표정 등까지 사실상 평가되고 있어 평가 방법이나 결과에 평가자의 자의적 판단이 개입될 가능성이 농후하다. 그런데도 모니터링 실시 결과를 고과·성과 평가 등 근로자 평가에 반영되는 감시 체계로 활용하고 있어 감정노동자의 인권침해까지 우려되고 있다.

이런 현행의 모니터링 제도들은 원칙적으로 폐지되는 것이 바람직하다. 다만 운영의 불가피성이 인정되는 경우에 한해 시행 주체와 목적을 한 개로 통일해 최소화하고, 평가 목적과 평가 기준, 평가 결과를 공개해 근로자들의 예측 가능성을 높여야 한다. 그 결과에 대해서도 노동자의 이의제기권을 보장하고, 평가 결과를 이유로 징계나 임금 삭감 등이 진행되지 않도록 해야 한다.

또한 모니터링 대비에 중점을 둔 상품 설명 제도를 원래의 목적에 맞게 고객 중심으로 변화시켜, 불합리한 제도로 불편을 겪는 고객들의 불만을 감정노동자들이 온몸으로 받아내는 것을 방지해야 한다. 예컨대 이미 금융 상품에 대해 충분한 사전 지식과 경험이 있는 고객에게까지 많은 시간을 소비해 앵무새처럼 되풀이하는 설명 방식을 자제하고, 핵심적 내용을 중심으로 상품 설명을 하는 대신 가입한 상품에 대한 고객의 상품 철회권을 충분히 보장하는 방안도 고려해볼 수 있을 것이다.

(2) 근로자에게 소명권은 부여하고 은행이 악성 민원 수용 시 평가에 반영

금융감독원에 민원이 접수될 경우에 해당 민원을 담당했던 근로자에게도 사실관계 등을 진술할 수 있는 소명 기회를 의무적으로 부여하고, 그 결과에 대해서도 이의제기권을 보장해 제도의 공정성과 객관성을 확보함으로써 감정노동자가 부당하게 불이익을 받는 일이 없도록 해야 한다.

아울러 고객의 악성 민원을 은행이 무조건 수용하는 행위를 강력하게 단속하고, 만약 은행이 이와 같이 부적절한 행위를 할 경우 민원 발생 평가에 불리하게 적용되는 평가 방식을 도입할 필요가 있다.

(3) 실효성 있는 대응책 마련과 불관용 원칙 확립

현장에서 실질적으로 도움이 되는 「문제 행동 소비자 응대 가이드」가 필요하다. 악성 민원을 유형별로 나누어 설득과 상담, 법적 처벌 등의 방법으로 대응 체계를 마련하는 등 초기 대응부터 최종 조치 방안까지 매우 상세하고 구체적인 내용의 대응 매뉴얼이 개발되어야 한다. 또한 악성 민원 행위를 반복적으로 지속하는 민원인에 대해 은행 간에 정보를 공유할 수 있도록 하고, 이들에 대한 관리와 대응 방침을 대응 매뉴얼에 포함하도록 한다.

나아가 폭언, 폭행 등의 불법행위를 하는 고객에 대해서는 불관용 원칙에 따라 일정 기간 동안 영업장소 출입을 제한하도록 조치하고, 고객의 불법행위 금지와 감정노동자 보호를 위한 홍보물을 영업장소에 부착하는 등 악성 민원을 방지하려는 은행의 노력과 의지가 필요하다.

(4) 권익 침해에 대한 방지 의무 규정

금융감독원이 은행에 대해 실시하는 미스터리 쇼핑(암행감찰)은 '금융기관 검사 및 제재에 관한 규정(이하 '감독 규정')'에 판매 현장을 사전 점검할 수 있도록 명시되어 있다. 또한 이 규정에 따르면 감독원장에게 검사 업무의 실시 과정에서 직원에 대한 부당한 권익 침해 방지를 위해 '노력할 의무'를 부여하고 있다. 그러나 당해 규정에 명시된 내용만으로는 감정노동자들의 권익 침해를 방지하기에 너무나 부족하다.

그러므로 금융감독원이 판매 현장에서 사전 점검을 실시하면서 그 과정에서 부당하게 권익을 침해하지 않도록 감독원장에게 현행 감독 규정에서 주문하는 '노력할 의무' 대신 '방지 의무'를 강제하는 것으로 변경해야 한다. 아울러 판매 현장의 사전 점검 실시는 필요한 목적의 한도 내에서 최소화해 실시하고, 점검 결과 역시 금융회사 개선을 위한 행정지도에 목적을 두도록 하며, 근로자에 대한 불이익 처분의 근거로 활용되는 것을 엄격하게 금지해야 할 것이다.

(5) 콜센터 전자 감시 가이드라인 마련

콜센터의 경우 시간을 통제하기 위한 과도한 전자 감시가 노동자들의 직무 스트레스를 유발하는 중요한 요인이 되고 있다. 콜센터 상담 내용에 대한 전자 감시는 고객 서비스의 질적 향상에 목적을 두어야 하며, 이를 근로자에 대한 감시나 통제 수단으로 악용해서는 안 될 것이다.

따라서 콜센터의 전자적 감시에 대해서는 과도한 전자 감시 가이드라인을 마련할 필요가 있다. 특히 폭언과 성희롱을 하는 고객에게 ARS로 경고한 후 응대를 중단하는 지침을 마련해야 한다.

(6) 감정노동자의 고충 해소를 위한 노동조합의 역할 강화

은행의 감정노동자는 악성 민원인에게 사과를 하도록 강요받는 경우가 많았다.

노동조합은 악성 민원 발생 시 객관적·합리적으로 민원 업무가 처리되도록 일정한 역할을 담당해야 한다. 예컨대 노사 공동의 '악성 민원 고충 기구'를 설치해 감정노동자의 고충을 해소할 수 있는 방안을 강구할 필요가 있다.

06

환자 감정을 우선시해야 하는 병원 노동자

이상윤 노동건강연대 공동대표

1. 의료인의 숙명, 감정노동

아픈 사람을 치료하고 돌보는 행위는 기본적으로 그것을 행하는 이들의 감정 혹은 정서적 반응을 요구한다. 환자의 아픔에 공감하지 못하는 의료인[1]은 제대로 된 치료·간호를 할 수 없다. 하지만 환자와 감정적·정서적으로 동일화된 의료인 역시 마찬가지이다. 그러므로 의료인은 적절한 치료·간호를 위해 그 과정에서 수도 없이 자신과 환자를 동일시하거나 거리를 두는 등의 행

1 이 장에서는 병원에 종사하는 다양한 직군 중 의사, 간호사 등 주로 환자를 직접적으로 치료하거나 간호하는 '의료인'에 한정해 이들의 감정노동 실태와 문제점, 개선 방안을 다룬다. 특히 다른 의료인에 비해 노동의 자율성이 낮은 간호사의 감정노동에 대해 주로 다룬다. 의료인을 제외한 병원 노동자 중 원무과 직원 등 환자, 보호자와 대면하며 노동하는 직군은 그 직무의 특성상 감정노동이 수반될 가능성이 많으나, 이 장에서는 다루지 않았다.

동을 의식적·무의식적으로 반복하게 된다. 이에 의료인은 자신의 감정을 잘 관리하도록 훈련받으며, 그 과정에서 감정노동의 강도를 조절하게 된다. 이는 의료인 개인에게 득이 될 때도 있고 해가 될 때도 있다.

의료인에게 감정노동은 필수이다. 환자의 정서적·감정적 상태나 반응을 살피고 적절하게 대응하는 것은 치료와 간호의 핵심적인 요소 중 하나이다. 의료인은 환자의 신체적 건강뿐 아니라 정신적·정서적·영적 건강까지 돌볼 책임과 의무가 있다. 이는 의료인의 직업윤리에 내재된 덕목이다. 그러므로 의료인에게 감정노동은 숙명과 같은 것이다. 하지만 의료인이 행하는 감정노동에 한계가 없는 것은 아니다. 환자와 어느 정도로 동일시하거나 거리 두기를 하며 치료와 간호를 할 것인지는 조정의 여지가 있다. 그러므로 의료인의 감정 노동은 환자와 의료인 모두에게 해가 되지 않고 득이 될 만한 수준으로 적절히 관리될 필요가 있다.

의료인의 감정노동은 딜레마이다. 사회는 의료인의 감정노동을 요구하지만 이들의 감정노동에 적절한 가치를 부여하지는 않는다. 이는 특히 치료보다는 돌봄 영역에 가까운 간호사에게 두드러진다. 우리 사회는 간호사에게 이타적인 돌봄을 요구하지만, 이를 여성의 업무로 당연시 여기며 이에 대한 가치 평가에 인색하다. 다른 모든 돌봄 노동과 마찬가지로 간호 노동은 가시화되지 않으며 저평가되는 경향이 있다. 돌봄 노동은 감정의 소모를 필요로 하며, 감정의 소모는 언제든지 감정적 소진으로 이어져 개인의 삶에 악영향을 끼칠 개연성이 있다.

진심이 전해지도록 환자들의 아픔과 고통에 공감을 표시하며 환자를 안심시키고 긍정적인 방향으로 나아갈 수 있게 다독이는 것은 의료인 업무의 기본으로 여겨진다. 의료인들은 늘 활력 있으리라 기대되며, 자신의 감정을 자제할 것을 요구받는다. 하지만 사람이 늘 그렇게 살 수는 없기 때문에 의료인은 업무로부터 벗어나 집에 돌아갈 때는 이런 '스위치'를 꺼버리는 훈련을 하게 된다. 여러 번의 시행착오를 거치면서 이런 감정 통제에 익숙해지기를 요구받지만 그것이 어려운 이들도 적지 않다. 이 일을 오래하기 위해서는 일차적으로 환자의 감정으로부터 거리 두기 하는 법을 배워야 하고, 환자를 대할 때 진심인 척하면서도 피상적으로 대할 수 있는 기술을 터득해야 한다.

2. 눈코 뜰 새 없이 바쁜 간호사

1) 밥 먹을 시간도, 화장실 갈 시간도 없다

업무 자체가 감정 소진의 가능성을 가지고 있음에도 의료인의 노동조건은 객관적으로 좋은 편이 아니다. 특히 간호사의 경우 만성적인 인력 부족으로 장시간·고강도·고위험 노동에 시달리고 있다. 전국보건의료산업노동조합이 2015년 조합원을 대상으로 조사한 바에 따르면, 병원 노동자들의 하루 평균 노동시간은 10.6시간이고, 주당 평균 노동시간은 49.8시간인 것으로 나타났다. 이 같은 병원 노동자의 주당 평균 노동시간은 우리나라 임금 노동자의 주당 평균 노동시간 41.9시간에 비해 주당 7.9시간 더 긴 것이다.

병원 노동은 대표적인 교대 근무 노동으로 야간 노동을 할 수밖에 없는데, 설문 조사 결과에 따르면 주간 근무자의 1일 평균 근로시간은 9.7시간, 저녁 근무자의 1일 평균 근로시간은 9.1시간인 데 반해, 밤 근무자의 1일 평균 근로시간은 무려 13.1시간으로 법정 노동시간인 8시간보다 무려 5.1시간이나 많았다. 야간 노동이 오히려 장시간 노동으로 이어지고 있는 현실인 것이다.

전국공공운수사회서비스 노동조합 의료연대본부가 2013년 간호사 조합원을 대상으로 한 설문 조사에 의하면, '나는 일이 힘들어서 병원을 그만둘까 생각해본 적이 있다'는 문항에 74.5%가 '그렇다'고 응답했다. '몸이 아파도 대체 인력이 없어 쉴 수가 없다'는 문항에 '그렇다'고 응답한 이들의 비율은 71.0%에 달했다. '일이 바쁘거나 부서 모임, 회의 등으로 식사를 못하는 경우가 있다'는 문항에 '그렇다'고 응답한 이들의 비율도 58.5%에 달했다. 병원 간호사들은 점점 더 심해지는 인력 부족, 업무량 과다, 노동강도 강화 등으로 쉴 틈도 식사 시간도 없이 일하고 있고, 그 결과 일이 너무 힘들어서 병원을 그만두고자 하는 이들이 많다.

2) 남들 자는 시간에 일해야 하는 고통

간호사들을 더욱 힘들게 하는 것은 필수 불가결한 야간 노동, 교대 노동이다. 대다수 간호사들이 교대 근무를 하고 있고, 근무시간이 8시간을 넘는 것은 이미 대다수 병원에서 관행처럼 굳어져 있다. 인수인계 시간이 길어지지만 길어진 인수인계 시간에 대한 연장 근무 수당을 신청하지 못하는 사례도 많다. 업무량의 증가, 인력 부족 탓에 교대 근무시간을 엄수하기 어렵고, 이는 고스란히 간호사들의 노동강도가 강화되는 결과를 낳는다. 교대 근무로 개인의 휴식 시간과 사생활을 제대로 보장받지 못하고 있고, 일과 가정의 양립, 사회생활에도 어려움을 겪고 있다. 이에 따른 체력적·정서적 문제도 적지 않다.

> 오버타임은 한 시간 정도된다. 거의 매일이 그렇다.

> 오버타임이(추가로 연장 근로 급여 신청) 당연한 줄 알았다. 신규는 그게 당연한 건가 보다 했다. 연장 근무 수당 신청을 하는 방법도 몰랐다.

일이 너무 많아서 퇴근을 못한다. 시간 외 근무가 너무 많다. …… 이브닝 근무는 11시까지인데 거의 12시까지 하는 건 기본. 한 시까지 하는 경우도 많다.

신규 때는 대인 관계가 제일 힘들었는데, 지금은 3교대 나이트 근무가 제일 힘들다.

교대 근무 때문에 〔할 수 없는 게 많은데〕 정규적인 무언가를 제대로 하고 싶다. 병원과 나 그 외에 〔할 수 있는〕 것이 없고. 〔그러다 보니〕 피곤하고 우울한 것도 있다.

기혼 여성들의 경우 교대 근무 때문에 아이들과 시간을 보내지 못하는 어려움을 토로한다. 기혼 여성들은 교대 근무에 따른 어려움이나 육아, 가사 노동을 해야 하는 고충이 큼에도, 이를 당연히 감수해야 할 조건으로 인식하며 이에 대해 문제를 제기하고 공론화하기 어려워한다.

결혼을 하니 교대 근무가 점점 힘들어진다. 주말에 아이들과 함께 있지 못하니까.

야간 근무를 하는 간호사 중 '잠을 자기 위해 수면제 등의 약물이나 알코올 등의 도움을 받은 적이 있다'는 문항에 '그렇다'는 응답이 '그렇지 않다'보다 3.3배 더 많았다. '일 때문에 개인 시간을 가지기 힘들다'는 문항에 '그렇다'고 응답한 이들이 1.6배 많았고, '불규칙한 근무 형태가 가정생활에 방해가 된다'는 문항에 '그렇다'고 응답한 이들도 5.5배 많았다. '일 때문에 사회적 관계를 유지해나가기가 힘들다'는 문항에 '그렇다'고 응답한 이들의 비율도 3.1배 더 많았다. '업무 중 졸음 때문에 혹은 집중력이 떨어져서 업무 실수를 한 적이 있다'는 문항에 '그렇다'고 응답한 이들의 비율도 3.7배 더 많았다. 야간 노동이 간호사의 건강과 삶의 질뿐 아니라 의료 서비스의 질에도 좋지 않은 영향을 끼치는 것으로 나타나고 있는 것이다.[2]

3) 다양한 직종이 협업해야 하는 데서 오는 어려움

간호사들이 근무하면서 느끼는 어려움 중 빈번하게 언급되는 것이 '대인관계'의 어려움이다. 이는 선후배 위계질서에서 초래된 (수간호사 혹은 선배 간호사와의) 갈등을 뜻한다. 간호사들은 이를 때로는 '왕따'로, 때로는 '마녀사냥'으로 표현하며 '전혀 지지받지 못하고 있다', '전혀 케어받지 못하고 있다'는 느낌을 받는다고 말한다.

> 대인 관계가 제일 힘들다. …… 그만두고 싶다고 생각하는 이유 중 하나가 간호사 그룹 안에서의 관계이다. 3개월 먼저 온 사람, 일 년 먼저 온 사람들이 너무 갈군다.

> 어떤 실수가 생겼는데, 권고사직 강요하고 …… 수간호사가 마녀사냥하듯이 행동한다. 간호부가 왜 그렇게 대응을 하는지 모르겠다. …… 여성들이 한 사람을 왕따하는.

2 전국공공운수사회서비스 노동조합의료연대본부(2013)의 조사를 참고했다.

일이 힘들어서 그만두는 게 아니다. 사람이 싫어서 그만두는 것이다. …… 서로 케어해주는 사람이 없다는 것이 문제이다.

서로 싸워서 지치고 상처받은 상태인데, …… 사람을 위로하는 것이 전무하다는 것이 문제다. …… 인정하고 보호하는 그런 역할을 잘해주는 사람이 필요하다.

병원에서 의사와 간호사 간 위계 관계, 의사소통의 문제는 오래된 과제이다. 또한 일부 병원에서는 의사들의 폭력적인 언행이 종종 계속되어, 간호사와의 업무 관계를 저해하는 요소가 되기도 한다. 병원이라는 공간 안에서 서로 협력적인 관계를 수립·유지해야 함에도 의사의 권위주의적인 행태 때문에 간호사들은 존중받지 못한다고 인식하는 경향이 강하다.

의사소통이 제일 힘들다. 의사랑 간호사랑 〔나누는〕 그 대화가 제일 힘들었다. 자기들도 실수하면서 간호사의 실수에는 심지어 욕까지 하는 그런 것. 이성을 넘어서 화가 나면 욕을 한다.

의사들이 인성 교육을 좀 받았으면 좋겠다. 병원에 장비가 없으면 왜 간호사를 탓하는 거〔인지 잘 모르겠다〕. 말도 짧아지고 "야", "너" 소리가 나온다. 비단 간호사에게만 하는 게 아니라 환자에게도 그렇다는 것〔이 문제이다〕.

4) 환자 수에 비해 너무나도 부족한 간호사 수

간호사의 장시간·고강도·고위험 노동의 원인은 인력 부족 때문이다. 건강보험심사평가원이 파악하고 있는 병원별 간호 등급 현황을 보면 상급 종합병원과 종합병원은 '3등급인 병원'이 각각 70.6%, 23.4%로 가장 많았고, 병원급 의료 기관은 '보고하지 않은 의료 기관'이 79.2%로 가장 많았다. 보고하지 않은 기관은 대부분 7등급도 되지 않는 기관이라고 할 수 있다.

병원 간호 업무가 3교대로 이루어지고 있다는 것을 고려해, 일반 병동에서 실제로 환자를 대상으로 간호 업무를 행하는 시간 중 간호사 1인당 담당 환자 수를 계산해보면, 상급 종합병원은 간호사 1인당 환자 수가 10~12명인 경우가 63.6%로 가장 많았고, 종합병원은 10~16명인 경우가 63.5%, 병원의 경우 79.2%가 24명 이상이었다.

OECD 국가들의 평균 근무시간 중 간호사 1인당 담당 환자 수는 4~5명 수준이다. 한국 간호사들은 OECD 국가 평균에 비해 3~5배가량 더 많은 환자를 담당하고 있다. 이와 같은 상황에서 간호사의 업무량이 늘어나지 않을 수 없다. 그렇다 보니 병원에 입원한 환자가 간호사의 얼굴도 보기 힘들고, 간호사는 간호사대로 높은 노동강도에 시달리며 업무 만족도가 떨어져 이직률이 높아지고 있다.

5) 상황을 더욱 악화시키는 병원 간 무한 경쟁

이와 같이 만성적 인력 부족에 시달리는 상황에서, 병원 간 경쟁이 더욱 격화되면서 인건비 절감, 환자 재원일 수 감축에 따른 병상 회전율 증가, 환자 중증도 증가, 환자 만족도 증진에 대한 압박은 병원 간호사들의 노동강도를 더욱 강화하는 방향으로 작용하고 있다.

간호사가 절대적으로 부족하다는 것은 병원 간호사들이 공통으로 말하는 어려움이다. 같은 인력이라도 업무량이 늘어나 과도하게 느껴지는 상황, 노동강도가 강화되면서 심신이 지쳐 질적 간호를 할 수 없는 상황이 이전보다 심화되고 있다. 이런 경향은 병원의 병상 증설 및 수익 중심의 운영으로 업무량은 크게 증가한 데 비해 이에 필요한 인력 충원은 적절히 이루어지지 않았기 때문이다.

병원들은 병상을 증설하고 환자 유치를 위해 경쟁에 나서고 있으며, 병상 회전율을 높이기 위해 동일 시간 내에 수술과 환자 진료 건수를 과도하게 늘리는 것이 보편적인 분위기가 되었다. 또한 이를 위해 각종 검사, 수술 횟수가 절대적·상대적으로 증가하면서 이 때문에 과도해진 업무량은 고스란히 간호사들의 몫으로 돌아가고 있다. 근무시간을 초과해 일하는 것을 당연시하고, 나아가 환자를 제대로 돌보지 못하는 상황에 대해 간호사들은 어려움을 호소하고 있다. 특히 밤 근무의 경우, 감당할 수 없는 수준이 되었다.

> 입원한 다음 날 내시경을 하고 그러니까. …… 그렇게 처치하고 하는 것이 많아진다. …… 검사가 많아졌고. 밤까지 검사가 딜레이되는 경우도 생겼다. 특히 외래에서 온 사람들은 무조건 검사가 많아졌다. 요즘은 응급실 체류 시간이 줄어들어 나이트 근무를 할 때도 환자가 올라온다. 갑자기 중환자가 생기면 너무 힘들다. 나이트 근무를 하면서 의자에 앉아보지를 못한다. 전보다 여유가 없다. _ 어느 대학 병원 간호사

또한 간호사들이 간호 업무보다 검사와 서류 작성 등 그 외 업무에 더 많은 시간을 투자해야 하는 상황은 일을 더욱 꼬이게 만든다. 간호사로서 해야 하

는 일보다 간호 업무 외적인 일에 더 많이 신경 쓸 수밖에 없다는 것이다. 결국 간호 업무 자체에 집중하기 힘든 구조적 상황이 존재한다.

> 병상 회전률이 빨라지면서 재원 기간을 단축하고 있으니까 더 로딩이 많다. …… 문제는 (환자들이) 잘 있다 오면 좋지만, 대부분 안 좋아져서 온다. 그러면 환자들한테도 너무 안 좋다. 보호자들은 간호사가 눈을 안 마주쳐준다고 하는데, 눈을 마주칠 시간이 없다. 입·퇴원 시기에 작성해야 할 서류가 또 많기에.

> 우리가 다 해야 하는 건데, 소변도 바이탈도. 그런데 죄송은 하지만 우리가 할 수 없다.

> 전산 작업이 많아지고 나서 일이 더 늘었는데, 전산 업무가 환자 치료보다 더 많아지고 그러다 보니 컴퓨터에 매달리는 시간이 너무 길어졌다.

3. 의료인 감정노동의 양면성

1) 직업적 자부심의 원천이 되는 감정노동

이와 같이 객관적인 노동조건이 좋지 않은 상태에서 직업의 특성상 필수적으로 요구되는 감정노동은 상황을 더욱 나쁘게 만든다.

가장 흔하면서 심각한 문제는 환자에 대한 감정이입과 거리 두기에 관한 판단이 전적으로 개인에게 맡겨진다는 것이다. 이렇다 보니 개인의 성향에 따라 어떤 이들은 매우 사무적이고 객관적으로 환자를 대하기도 하며, 어떤 이들은 매우 온정적이고 이타적으로 환자를 대하기도 한다. 환자에 대해 적절한 거리 두기를 시행하며 객관적으로 대하는 이들은 그렇게 하는 것이 자신의 인격을 보존하고 이 일을 오래도록 하기 위해 꼭 필요하다고 생각한다.

하지만 늘 이런 태도를 취하는 의료인은 예외적이다. 다수의 의료인은 환자의 상태와 특성, 자신의 신체적·정신적 건강 상태 등에 따라 거리 두기와 감정이입의 중간선상에서 요동친다. 좀 더 자기 성찰적인 의료인일수록 환자와의 감정적 소통에 가치를 두는 경향이 있다. 하지만 의료인의 과거 경험과 현재의 삶이 환자를 대하는 태도에 직간접적으로 영향을 줄 수밖에 없는 것도 사실이다.

그리고 의료인들은 환자들과의 거리 두기가 치료·간호에 도움을 준다고 생각한다. 의료인이 환자에게 감정적으로 너무 동화되면 객관적인 판단을 하기 어려울 수 있고, 그러면 이는 환자에게 좋지 않다고 훈련받기 때문이다. 그러나 아이러니컬하게도 훌륭한 치료·간호는 환자 입장에서 환자의 감정을 어루만져주는 것이라고 생각하기도 한다. 이런 상반된 인식 속에서 환자와의 관계를 적절히 유지하는 것은 의료인의 '전문성' 혹은 '실력'과 관련된 것으로, 꾸준히 훈련하고 성찰해야 하는 것으로 나타난다. 그런데 의사든 간호사든 교육·훈련·수련 과정에서 환자와의 관계에서 발생하는 감정적 문제를 다루는 데 필수적인 지식과 기술을 교육받는 경우는 매우 드물다.

> 내가 돌본 어린 환자가 죽었을 때, 나는 울음을 참을 수 없었어요. 그런데 주변의 선배와 동료 들이 그러면 안 된다고 말해주었죠. 환자의 죽음에 그렇게 반응해서는 간호사를 오래, 잘할 수 없다는 거예요. 그래서 그 이후로 그러한 상황에 익숙해지기 위해 무던히 노력했어요. 하지만 아무도

구체적인 방법은 가르쳐주지 않았습니다.

2) 친절 경쟁이 강요하는 의료인의 감정노동

이런 종류의 감정노동은 때로는 직업적 자부심의 원천이 되기도 한다는 점에서 적절히 잘 훈련되고 지원될 경우 긍정적인 자원이 될 수 있다. 하지만 최근 들어 부정적인 영향이 두드러지는 의료인의 감정노동 영역도 있다. 무조건적인 '친절'과 '민원 제로'를 요구하는 병원 경영 방침과 타의에 의한 친절 강요 문화에 따른 감정노동의 강제가 그것이다.

간호사들은 늘어난 업무량, 부족한 인력과 더불어 직업적 전문성과 상관없이 오직 병원에 의해 강요된 환자 응대에 대한 어려움을 호소하고 있다. 특히 외래에서 근무하는 간호사들의 경우 노동강도 강화뿐 아니라, 환자 응대에 따른 스트레스가 많다. 외래 업무 부서에서 근무하면서 환자와 접촉하는 간호사들에게는 외모 관리까지 신경 쓰도록 하는 병원까지 있을 정도이다. 병원에서 진행하는 친절도 평가를 비롯해, 의료 기관 평가 중 각 과에 대한 평가, 환자 설문지를 통한 모니터 평가 때문에 간호사들의 스트레스가 극심해지고 있다.

> 외래의 경우에는 …… 보호자까지 만족시켜야 하고 …… 환자들과 싸우면 민원이 들어오기 때문에 민원이 생기지 않게 해야 한다는 스트레스가 심하다. …… 의료 기관 평가 제도가 우리를 너무너무 힘들게 한다. …… 환자 설문지 때문에 받는 스트레스가 정말 장난이 아니다. …… 그래서 (평가 순위가) 하위에 있는 과는 너무 힘들다.

고객 서비스(Custmer Service: CS) 스트레스가 너무 많다. …… 앞머리, 신발, 살 빼[라]고 그런 카운슬링을 너무 많이 한다. 빨리 떠나고 싶다.

간호사에게 요구되는 친절이란 사실상 의사 혹은 병원에 요구하는 '친절'이기도 하다. 결국 간호사에게 제기되는 불만은 의사에 대한 불만이 표출된 것이라고 볼 수 있으며, 간호사들은 부당하게 불만 대상과 평가 대상이 되고 있다고 토로한다. 의사의 부적절한 진료와 병원의 경영 방침 때문에 간호사들이 환자들의 불만을 다 떠안는 구조가 되었다는 것이다.

(환자들이) 간호사들이 나빴다고 민원을 넣는다. 결론은 그거다. 주치의가 설명을 안 했고 ……, 그러다가 모든 말은 '간호사가 그랬다!'로 끝난다. 그게 제일 힘들다. 결론은 간호사 책임이라는 거니까.

의사가 한 번도 설명을 하지 않으니까 모든 보호자가 다 간호사에게 질문을 한다. 딴 병원에는 전문 간호사가 있단다, 설명해주는. 그런데 우리는 간호사가 다 설명하고, 전화로 또 물어보면 또 이야기하고. 그리고 너무 힘든데, 너희들은 돈을 받고 일하니까 그렇게 (험하게 막) 해도 된다고 생각하는 환자들이 너무 많다. 그게 힘들다.

〔간호사에게〕 친절을 요구하지만, 〔환자들에게 필요한 것은〕 의사가 한마디 하는 게 더 중요하다는 거다. 우리가 해봤자 솔직히 그렇다. 보호자들의 컴플레인을 의사가 받아야 하는데, 다 간호사에게 오는 거다. "교수님이 오시면 말씀해보세요"라고 말하면 '간호사에게 질문했더니 답은 안 해주고 교수한테 말하라고 했다'면서 민원에 간호사를 꼭 껴 넣는다.

간호사들이 병원 현장에서 느끼는 자괴감도 매우 크다. 이는 간호사들의 직업 만족도를 떨어뜨리고 이직률을 높인다. 학교에서 배운 간호 과정과 현실이 다르다는 데서 오는 자괴감, 간호사가 되어서도 신규일 때는 지속적으로 노력해서 공부해야 한다는 책임감, 그러나 실제로 신규 간호사에 대한 케어나 지지·지원은 없다는 사실에서 오는 좌절감, 더불어 현실에서 주어지는 과도한 업무에서 오는 피로감 등이 혼재되어 나타난다. 간호사들은 결과적으로 병원이 간호사에게 기대하는 것은 의료인으로서의 역할이 아니라 소모품의 역할만을 기대할 뿐이라고 생각하며, 의료인으로서 자부심을 가질 수 있는 조건이 전혀 아니라고 강조한다.

수술을 많이 하려면 인력을 보충해주거나 그래야 하는데, 문제는 오버타임만 많다고 위에서 뭐라고 그런다는 것이다. …… 처음에 일을 배울 때는 다들 시간이 더 걸린다. 신규 때는 남아서 공부도 하고 그런다. 누가 시켜서가 아니라. 사실 이런 문제를 해결해주어야 한다. …… 전문 간호는 무슨 얼어 죽을 전문 간호사냐, 매일 오버타임을 하는데 무슨 전문 간호사냐?

학교에서 배운 거랑 정말 다르다. 우리는 모든 일을 다 한다. 청소, 벽닦기 같은 거.

소명 의식을 가진다면 뿌듯한 건 있어요. CPR(Cardiopulmonary resuscitation, 심폐소생술)하고 환자가 살아나면 자부심 같은 건 있지만, 병원에서 일하면서 그런 건 없어져요.

3) 감정노동을 강제하는 병원 내 일상적 폭력과 성희롱

의료인들은 환자와 보호자를 일상적으로 만나고 대화한다. 때로는 신체 접촉이 필수적이다. 환자는 치료 과정에서 불안, 초조, 분노, 우울 등 다양한 부정적 감정을 경험하게 되고, 이는 보호자에게도 전이된다. 이런 부정적 감정은 일정한 조건이 되었을 때 폭력적으로 분출될 가능성을 내포하고 있고, 그 피해자는 의료인이 될 가능성이 높다. 실제로 간호사들은 환자 돌봄의 과정에서 환자, 보호자, 의사 등 다양한 이들에게 다양한 신체폭력, 언어폭력을 당한다.

> 중환자실(intensive care unit: ICU)에 있었을 때 신경외과 환자가 있었어요. 면회 시간이었는데 환자가 상태가 좀 안 좋았어요. 보호자가 예민하기는 했었는데, 환자의 손이 그 침대 난간에 붙어 있었다는 이유로 담당 간호사의 뺨을 때렸어요, 보호자가.

> 비교에서 시작해 욕설까지, 많이 들어요. 많아요, 비일비재하게, 언어폭력이라든지. 욕을 한다거나 그다음에 비교를 한다거나, 이런 것들이 굉장히 많아요. 아가씨는 기본이죠.

> 아우 그런 사람 많죠. 죽인다고, 저한테 딱 죽인다고. 예전에 그 병 링거 던지는 것 몇 번 봤고, 교수 회진 시간이 언제냐며, 교수들이 좀 바뀔 수 있잖아요. 그래서 정확하지 않다, 몇 시냐 해서 바뀌셨다 했더니 "눈깔을 파버린다", 뭐 "너 같은 년은 간호사 못하게 만든다".

폭언이나 인격 침해가 도를 넘는 경우도 종종 발생한다.

그때가 저녁시간 때라 배식이 되어 환자가 밥을 먹으려고 하는데, 이 환자가 상처 부위가 좋지 않아 매일매일 수술실에 내려가 소독하는 환자였던 거예요. 그런데 이제 수술실 스케줄을 따르다 보면 밥 시간대에 부를 수도 있는 거잖아요. 불렀어요, 환자를. 이동 침대를 가지고 가서 환자분, 지금 불렀으니까 내려가자고 이랬는데, 그 할아버지가 밥상을 뒤엎고 삿대질을 하면서 욕을 한 거예요. 그러고는 수술실도 안 내려가겠다 이러고. 1층에 민원실 가서 병원장을 찾으면서 난리를 친 거예요. 그렇게 되어서 이 사건이 커지니까 과장이 아니 간호부장이 제 동기 언니를, 가서 환자 앞에서 무릎 꿇고 사과하라고 시킨 거예요. 수간호사 선생님도 멍하니 보고 있고. 그 언니 결국 무릎 꿇고 울면서 사과했거든요.

간호사들은 환자나 보호자와 접촉하고 대면하는 시간이 많다 보니 이들에게 성희롱을 당하는 경우도 많다.

환자인데, 아내가 옆에 있어도 그렇게 "아가씨, 아가씨는 왜 아가씨인 줄 알아? 씨가 있어서 그래". 제가 일을 하는데, 저희 파란색 스머프 수술복 입고 일하잖아요. 하다 보니까 제가 이렇게 끈이 나왔었어요. 그런데 이렇게 만지면서 "이게 뭐지?" 하는 거예요.

환자가 폴리를 하고 계셨어요. 그러면 예를 들어 "소변이 뭐 잘 안 나와요" 이러면 굳이 다 안 벗어도 되잖아요. 그런데 "네, 갈게요"라면서 커튼

열었더니 아예 홀딱 벗고 있는 거예요.

병실에서도 환자나 보호자 들이 술 먹고 와가지고 간호사들 신체 부위 찍고, 몰카 찍고. "찍지 마라" 이랬는데 계속 찍고. "뭘 그러냐, 그런 것 가지고. 그냥 웃고 넘기면 되는 일 가지고 왜 그러냐", "과민하게 그러냐" 이러시고.

의사가 간호사를 성희롱하는 경우도 적지 않다. 특히 회식 자리가 문제이다.

회식 자리가 정말 문제인 것 같아요. 저는 총각이랑 둘이 꼭 러브샷을 하래요. '어, 근데 걔가 총각은 아닐 텐데? 뭐, 여기 처녀 아닌 간호사가 있나?' 이런 식으로 말하는 거랑, 그리고 술을 먹으면서 그런 거. 막 분위기가 …….

간호사뿐만이 아니다. 여성 의사들도 병원 내 폭력의 당사자가 된다. 환자나 보호자뿐 아니라 동료에게 폭력을 당하는 여성 의사도 많다.

저희 병원에서 좀 유명한 일인데, 4년 차가 1년 차를 때렸어요. 그런 문화가 너무 오래 쌓여 있어서 당연시되었던 게 있는 것 같아요. 그런데 그걸 되게 농담처럼 말하는 그런 분위기가 되어 있어서 …….

회식하고 술자리에서 저랑, 그러니까 제가 2년 차 때 3년 차 선생님 한 분이랑 1년 차 선생님 이렇게 있었는데, 좀 술이 취한 것 같은데, 분명히 알고 던진 것 같거든요. 그러니까 저한테 반말을 막 하는 거예요. 그래서 내가 "그래도 선생님 직장 상사"라고, 이렇게 말을 하니까 그때 소주잔을

저한테 던졌어요. 다행히 벽에 그 소주잔이 이렇게 깨져 가지고 저한테 파편 다 튀고…….

의사인 교수들이 여성 전공의에게 욕설을 하는 상황도 종종 발생한다.

수술과 같은 경우에는 수술 중간에 되게 심한 욕 같은 것도 많이 하는데, 저희 과도 그렇고 다른 과도 옆에서 봐도 그렇거든요. 그런 것이 너무 아무렇지 않게 그냥 욕을 하고 욕을 받아들이고. 이런 게 일반 직장에서는 안 그러지 않을까. 그런 건 있는 것 같아요.

스태프가, 그렇게 늦은 것도 아니고 예정보다 5분, 10분 정도가 지체되어서, 보통 이 정도면 오시는데 안 오시니까 저는 서둘러 센터로 가서 회진 돌고 다시 센터 가서 일을 해야 된다 생각을 하니까, 저도 좀 마음이 급했던 거예요. 그래서 제가 전화를 드렸어요. "과장님, 혹시 오늘 회진 어떻게 하실 거냐"고. 그러니까 그냥 기다리고 있으라고 딱 하시더니, 그래서 들어오셔 가지고 뭐 전공의 쌍시옷이 전화했다고 그때 막 그러셨어요……. 너가 뭔데 전화했냐, 이런 식으로. 그때 그랬었죠.

여성 전공의도 교수나 선배 전공의, 동료 남성 전공의 등에게 성희롱을 당하는 경우가 종종 있다.

그냥 딱 느꼈을 때 '이거 약간 성희롱적인 거다'라고 느낀 적이 한두 번 정도 있거든요. 여자 인턴 두 명에 남자가 한 명 있으면 '얘는 낮에 좋고, 얘는 밤에 좋냐?'는 식으로 말을 한다거나.

〈그림 6-1〉 간호사, 여성 전공의의 폭력 및 성희롱 경험률

(단위: %)

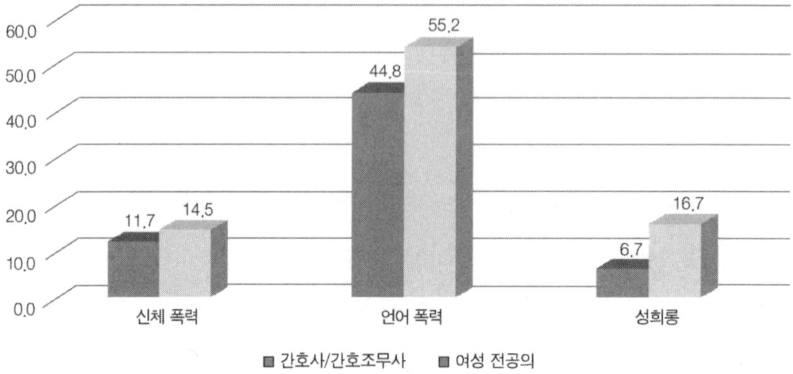

자료: 임상혁 외(2015).

저는 그냥 남자친구가 없어서 "전 남자친구가 있었으면 좋겠어요"라고 한마디 딱 던졌는데 갑자기 성생활을 어떻게 해야 한다는 식으로, 막 어떤 분은 심하게 하시는 분도 있고. 여자 인턴이면 적어도 한두 번은 당하는 것 같기는 해요.

간접적으로도 있고 직접적으로도 있는 것 같아요. 누가 봐도 완전히 성희롱인 것도 있고 아닌 것도 있는데, 교수님들이나 그런 사람들의 불쾌한 행동이 본인은 모르시겠지만 직접적으로 또는 간접적으로 다른 사람한테 그러는 것을 봤던 것 같아요. 만진다거나 아니면 엉덩이를 친다거나 아니면 대개 말을 할 때 그런 식? 그 자리에서 제가 화를 내거나 '교수님, 이건 성희롱이에요'라고 말을 할 수 없는 사실.

임상혁 외(2015)의 조사에 의하면, 간호사·간호조무사의 경우 응답자의

11.7%가 지난 1년간 적어도 한 번 이상 신체폭력을 당한 적이 있다고 응답했고, 44.8%가 언어폭력을 당한 적이 있다고 응답했으며, 6.7%가 성희롱을 당한 적이 있다고 응답했다. 여성 전공의들은 신체폭력, 언어폭력, 성희롱 경험률이 각각 14.5%, 55.2%, 16.7%로 간호사·간호조무사보다 더 높은 것으로 조사되었다.

4. 환자에게 영향을 미치는 의료인의 감정노동

직업적 자부심을 강화하는 감정노동과 달리 병원의 상업적 목적에 의해 강요되거나 열악한 노동조건 속에서 시달리며 강제되는 감정노동은 여러 측면에서 의료인들에게 악영향을 끼친다. 첫째, 의료인들의 업무 만족도를 저하시켜 이직률이 높아진다. 실제로 현재 한국 병원 간호사들의 이직 문제는 매우 심각한 수준이다. 병원간호사회의 조사에 따르면, 2012년 기준으로 병원 간호사의 이직률은 16.9%에 달하는 것으로 나타났다. 간호사의 이직률이 높아지면 숙련 간호사의 비율이 줄어들고, 숙련 간호사 비율이 줄어들면 간호의 질이 떨어진다.

둘째, 의료인들의 건강이 나빠진다. 과도한 감정노동에 시달리면 감정이 소진되고, 감정 변화에 무감각해지며, 진짜 감정을 표현할 때도 서툴어져 탈진, 불안 장애, 우울증과 같은 정신 질환에 시달릴 위험이 커진다. 이뿐만 아니라 심혈관계 질환, 근골격계 질환, 수면 장애 등의 위험도 커지고, 약물중독, 알코올의존증, 니코틴중독 등 행동 장애를 유발할 가능성도 높아진다.

감정노동에서 비롯된 간호사의 이직률 증가, 간호사 건강 문제의 증가는 간호사 개인에게 악영향을 끼칠 뿐 아니라, 의료 서비스 전반의 질을 하락시켜 환자에게도 피해를 입힌다. 간호사 이직률이 증가해 숙련 간호사의 비율이 줄어들면 간호의 질이 하락하고 의료 서비스 질도 떨어진다. 또한 간호사의 건강이 나빠지면 간호사가 행하는 간호와 의료 서비스의 질도 떨어지기 때문이다.

5. 병원의 과도한 상업화 경향과 의료인의 감정노동

전통적으로 의료인에게 요구되는 감정노동의 수준을 넘어 의료인들이 개인과 조직, 환자에게까지 악영향을 끼칠 정도의 감정노동을 요구받는 상황으로 내몰리고 있는 까닭은 최근 변화하고 있는 의료 환경 때문이다.

최근 들어 환자 유치를 위한 병원 간 '경쟁'은 점점 더 심해지고 있다. 한국의 의료 제도하에서는 일정 수준 이상의 환자 수 확보가 병원을 유지·발전시키는 중요한 요소이다. 그런데 1990년대 중반 이전까지는 전반적으로 병상 자체가 부족했기 때문에 병원 간에 환자 유치 경쟁이 그리 심하지 않았다. 그러나 1990년대 중반 이후 병상 증가로 공급이 수요를 초과하게 되면서 환자 유치가 병원 존립에 중요한 변수로 등장하게 되었다.

본격적인 환자 유치 경쟁을 촉발시킨 또 다른 계기는 '서비스 차별화 전략'을 앞세운 거대 병원의 시장 진입이었다. 거대 병원의 등장 이전까지는 우수한 의사 인력을 안정적으로 확보할 수 있었던 대학 병원이 상대적 우위를 누리고 있었다. 그러나 우수한 의료진과 세계적 수준의 시설·장비를 갖춘 거대 병원이 등장하면서 이런 상황은 변화했다. 거대 병원은 설립 초기부터 장기 이식 같은 고난이도 시술에 연이어 성공하면서 선도 병원으로서의 지위를 단기간에 확보했다. 그리고 '환자 중심'의 병원을 표방하면서 기존의 권위적인 서비스 관행을 개선하는 데 앞장섰고, 그 결과 짧은 시간 안에 국민들의 기대 수요를 빠르게 잠식하게 되었다.

즉, 현재 나타나고 있는 거대 병원으로의 환자 집중 현상은 의료 시설, 장비, 인력의 고급화를 통해 경쟁 관계에서 우위를 차지한 선점 병원으로서의 차별화된 지위를 극대화한 결과라고 할 수 있다. 이후 거대 병원의 선도적 투자를 뒤따라가기 위한 대학 병원들의 적극적인 투자와 서비스 개선 노력이 이어졌다.

현재 대형 병원들이 벌이는 시설 확장 및 고급화 경쟁은 시설 부족이나 수요예측을 토대로 진행되는 것이 아니다. 이는 치열한 경쟁에서 살아남기 위한 생존경쟁의 측면이 강하다. 그러므로 적절한 규제 장치가 없는 이상 향후 의료 기관 간 환자 유치 경쟁은 더욱 치열해질 가능성이 높다. 거대 병원에서 시작된 이런 경쟁은 현재 대학 병원을 넘어 중간 규모의 종합병원으로 확장되었다. 이에 거대 병원은 막강한 자금력을 바탕으로 자신의 지위를 더욱 공고히 하고자 투자를 늘리고 있다.

병원 경쟁이 격화되면서 전체 병원의 이윤율은 저하되는 양상을 띠고 있다. 이에 개별 병원 차원에서는 노동의 강도를 강화하고 유연성을 증가시키며, 비용을 절감하려는 노력이 치열하게 전개되고 있다. 피나는 비용 절감 노력과 노동강도 강화 및 노동 유연성 증가 경향은 적극적 병상 확충, 시설 투자와 더불어 최근의 병원 환경 변화에서 동전의 양면을 이룬다.

특징적인 양상은 병원이 급성기(急性期) 병상 환자의 재원 일수를 감소하기 위한 노력에 사활을 걸었다는 것이다. 이윤율을 제고하려면 병상 회전율을 증가시켜야 하는데 이를 위해서는 환자 재원 일수를 감소시켜야 한다. 이에 따라 병원의 급성기 병상에 입원해 있는 환자의 중증도는 점점 더 높아지고 있다. 이는 자연스럽게 간호사의 노동강도를 강화한다.

병원 간호사 업무의 변화 경향도 두드러진다. 이는 병원 전산화가 진행되면서 더욱 빠르게 변화하고 있다. 이에 따라 병원 간호사의 업무 중 전산·행정 업무가 증가하고 있다. 병원 전산화를 이유로 인력을 줄이는 경우도 많은데, 이와 같은 경우에 실제적으로는 재원 일수를 감소해야 한다는 부담 때문에 노동자 한 사람이 행해야 하는 업무가 더 많아지게 된다.

노동의 질이 아닌 양만 고려해 간호사 채용 시 비정규직을 확대하려는 움직임이 일반화되고 있다. 특정 시간대에만 활용하는 간호사 수가 늘고 있으며, 병가나 육아휴직 등으로 발생하는 업무 공백을 비정규직으로 채우는 사례는 더더욱 흔하다.

또한 야간 노동의 양이 늘어나고 강도도 더욱 높아지는 경향을 보인다. 최근에는 야간 노동의 양을 늘림으로써 전체 노동량을 늘리려는 노력이 진행되고 있다. 그 결과 이전에 비해 야간에 이루어지는 검사나 처치 건수가 늘고 있다.

이와 같은 경쟁적인 환경 때문에 병원 자체가 상업적 시설로 변모해가다 보니, 환자는 '소비자'이고 의료인은 '서비스직 종사자'라는 인식이 확산되고 있다. 이에 따라 병원 경영진은 '소비자 중심주의'를 내세우며 의료인의 '감정'마저 상품화해 소비자에게 판매하고자 한다. 이것이 바로 전통적인 의료인의 '감정노동'과 현재 '의료 서비스직 종사자'의 '감정노동'을 구분 짓는 결정적인 차이이다. 의료는 돈 있는 사람만 구매할 수 있는 사고파는 상품이 아닌 모든 이들의 권리이다. 의료는 인간으로서 당연히 가지는 기본적 권리, 즉 건강할 권리 및 생명권과 관계되기 때문이다. 그렇기에 의료는 의료인이라는 전문 직종의 지식과 윤리에 의거해 누구에게나 평등하고 공평하게 제공되어야 한다. 의료가 일반적인 서비스산업과 다르게 취급되어야 하는 까닭이 여기에 있다.

환자를 위해 자발적으로 이루어지는 감정노동은 직업 만족도를 높이는 요소로 작용할 여지도 있다. 하지만 병원 경영진에 의해 상품화되고 전시되기를 요구받는 의료인의 감정노동은 의료인의 직업 만족도를 낮추고 서비스 질을 저하시킨다.

6. 의료인의 감정노동에서 비롯된 문제 해결 방안

의료인 본인의 건강은 물론이거니와 의료의 질을 떨어뜨려 환자에게도 악영향을 끼치는 의료인의 감정노동 문제를 해결하기 위해서는 의료를 상품으로, 의료인을 상품 판매원으로 취급하는 의료의 상업화 경향에 족쇄를 채워야 한다. 꼭 필요한 인건비도 절감하려 하고 환자 유치를 위해 무리한 감정노동까지 의료인에게 강제하는 거시적 구조가 변하지 않는다면, 의료인의 감정노동에 따른 폐해를 줄이기 어렵다.

열악한 노동조건에서 비롯된 문제가 감정노동 문제와 결합되면 감정노동의 악영향이 증폭되는 경향이 있으므로, 의료인의 감정노동 문제와 함께 노동조건을 향상시키기 위한 노력이 병행되어야 한다. 특히 간호사의 경우 인력 충원이 절실하다. 현행 의료법상 병원은 입원 환자 2.5인당 1인의 간호사를 두도록 되어 있다. 그러나 이 기준은 현실에서 유명무실해진 지 오래이다. 이 기준을 어겨도 처벌이 되지 않기 때문이다. 법도 있고 처벌 조항도 있으나 오래전에 사문화되었다. 현실에서는 이런 기준이 있는지조차 모르는 이들도 많다. 그러므로 최소 간호사 인력 기준을 법제화하고, 이의 준수 여부를 엄격히 감독하며, 법 위반 시 강력히 처벌할 수 있도록 해야 한다.

한편 병원이 최소 기준만을 지키는 것이 아니라 더 나은 서비스 질을 확보하기 위해 간호사 인력 확충에 나서도록 제도를 보완할 필요가 있다. 이와 관련해 현재 시행되고 있는 간호 인력 수준에 따라 병원에 지급하는 입원료에

차등을 두는 제도가 제대로 된 인센티브 제도로 정착할 수 있도록 보완이 필요하다. 특히 제도 적용 시 간호사 수를 평가할 때 실제 병동에서 간호 행위를 하는 간호사 수를 반영하도록 해야 한다. 전체 간호사당 병상 수가 아니라 3교대와 비번까지 고려해 근무조 간호사당 병상 수를 기준으로 평가해야 한다. 또한 실제로는 간호사 업무를 하지 않는 이들이 간호사 인력 수준 계산에 포함되는 경우가 없도록 해야 한다.

제도가 실행되는 데 중요한 것은 법이나 제도 자체의 도입보다 행정기관의 법 집행 노력과 의지라는 것이 지적되어야 한다. 최소 인력 기준을 충족시키지 못한 의료 기관에 대해 개설 허가를 취소하거나 폐쇄를 명하겠다는 의지로 법을 집행할 필요가 있다. 그것이 어렵다면 간호사 인력 기준을 준수하지 않는 병원에는 보험 수가를 지급하지 않는 등의 제재가 가해져야 한다.

더불어 간호사의 감정노동 부하에 가장 큰 영향을 끼치는 요인 중 하나인 교대 근무 혹은 야간 노동에서 비롯된 문제를 최소화하는 방안도 마련될 필요가 있다. 교대 근무의 특성상 근무·휴식 시간에 대한 규제도 검토해볼 만하다. 더불어 육아 및 탁아 환경 개선, 간호 업무 이외의 업무 부여 금지, EMR(Electronic Medical Record, 전자 의무 기록) 업무를 포함한 다양한 행정 업무 완화, 적정 임금 보장 등이 가이드라인 형태로 제시되어야 한다.

그리고 병원 간호 업무의 특성상 감정노동 문제는 간호사의 건강 문제 발생으로 직결되는 경우가 많다. 따라서 병원 노동자의 감정노동 문제를 관리할, 병원 특성에 적합한 노동자 건강 증진 프로그램 중 하나인 감정노동 예방·관리 프로그램을 도입해 실행할 필요가 있다. 감정노동 문제에 따른 부정적 영향을 최소화하기 위해서는 사회적 지지, 동료들 간의 업무 부담, 감정노동에 대한 교육 및 훈련 등의 요인이 중요하므로, 이런 영역에 대한 평가와 개선 방안을 모색하려는 노사 공동의 노력이 병원 내에서 이루어져야 한다.

7. 환자를 돌보는 이들은 아프면 안 된다

기술이 발전하면서 의료가 기계화·현대되고 있지만, 환자 치료와 돌봄은 아직까지 사람의 노동이 필요한 영역이다. 사람에 의해 제공되는 치료와 돌봄이기에 치료자 혹은 돌봄 제공자의 감정적 상태에 따라 의료와 돌봄 서비스의 질이 결정된다. 의료인의 감정노동은 의료인 본인뿐 아니라 환자에게까지 나쁜 영향을 끼친다는 점에서 의료 서비스와 의료 인적자원의 질 관리 차원에서도 중요한 문제이다. 하지만 아직까지 한국에서는 그 어느 직종보다도 심각한 수준인 의료인들의 감정노동에 체계적으로 접근하거나 개선하려는 노력이 부족한 실정이다. 향후 의료인의 실태를 파악하고 문제 해결을 모색하기 위해 더 많은 연구와 논의가 필요하다.

부록: 병원 내 폭력 예방 프로그램의 예*

환자나 보호자 등 제3자에 의한 폭언이나 폭력은 당사자의 건강에 큰 영향을 줄 뿐만 아니라, 다른 환자의 진료에도 영향을 끼친다. 그 양상은 아주 다양해 욕설을 하거나 부당하게 제기된 불만을 장시간 이야기하고, 더 나아가 구타 등 폭력 행사 이외에 성폭력이나 스토커 행위에까지 이르고 있다.

처음 해야 할 것은 폭언이나 폭력의 실태 파악이다. 직원 전체를 대상으로 무기명 조사를 하는 것이 좋다. 예를 들면 '6개월 전부터 오늘까지 환자 또는 보호자로부터 폭언(의도적인 난폭한 언어, 협박, 악질적인 불만 제기)의 대상이 된 적이 있습니까?'라는 질문에 대해 '예, 있습니다', '아니요'로 답변할 것을 요청한다. 실제 사례에 대해 자유롭게 기재할 수 있도록 해야 한다. 주의할 사항은 대상 기간을 분명하게 하는 것, 폭언이나 폭력 등의 정의를 내려놓는 것이다. 대책을 시행하는 것이 주된 목적이기 때문에 조사 자체에 너무 많은 노력을 기울이지 않도록 해야 한다.

액션 체크리스트를 이용해 폭언·폭력에 대해 포괄적이면서 해당 의료 기관의 현상에 맞는 대응책을 선택할 수 있도록 하는 것도 좋은 방법이다. 실제 현장에서 활용할 수 있는 액션 체크리스트의 예를 첨부한다.

* 이 부록은 일본의 공익재단법인 산업의학진흥재단에서 출판한 『의료 기관에 의한 산업 보건 활동 핸드북(医療機関における産業保健活動ハンドブック)』(2013)의 일부를 발췌한 것으로, 임상혁 외(2015) 부록에서 재인용했다.

의료 기관에서 안전·안심할 수 있는 환경 만들기를 위한 개선 액션 체크리스트

성별: 남녀	나이: 20~60대	직무: 비관리직, 관리직

[체크리스트의 사용 방법] 개선 체크리스트는 '액션 체크리스트'로 부릅니다만, 전국 의료 기관에서 이미 시행하고 있는 좋은 사례에 기초해 작성되었습니다. 체크할 때는 어떤 대책을 시행하는 것이 더욱 안전하고 안심할 수 있는 직장을 만들 수 있는지에 초점을 두고 선택해야 합니다.

가장 먼저 체크리스트의 대상 부서를 결정합니다. 각각의 체크 항목에서 '이 대책을 제안하겠습니까?' 라는 질문에 [ㅁ 아니요, ㅁ 네(ㅁ 우선한다)]로 답합니다. 구체적으로는 '아니요'는 대책이 필요 없거나 또는 이미 시행 중인 대책임을 의미합니다. 대책이 향후에 필요하다고 생각할 때는 '네'에 체크합니다. 모두 체크한 후에 '네'라고 체크한 항목에서 특히 우선해야 할 3~5개의 항목을 선택해, '우선한다'를 선택하면 됩니다.

실제 점검 시에는 각각의 체크리스트를 의사, 간호사, 리스크 매니저, 사무직, 산업의 등 다양한 직종을 망라해 5~8개의 그룹을 만들고, 그룹 토의에 활용하며, 최종적으로는 우선순위가 높은 대책을 중심으로 의견 교환을 하는 것이 현재의 대책을 결정하는 데 도움이 될 것입니다.

개선 체크 항목 리스트 - 대책이 이미 시행 중에 있거나, 혹은 해당하지 않는 경우 → '아니요' - 대책을 검토하고 향후 필요한 경우 → '네' 항목에 체크합니다. 〔'네'를 선택한 경우 특히 우선해서 검토해야 할 항목 → '우선한다' (3~5개 항)에 체크하고 다른 사람과 비교·검토해, 향후 시행하는 개선책을 결정합니다〕		아니요	네	우선한다	메모
A. 시설의 환경 만들기	1. 시설의 밝기, 공간 등이 환자와 직원에게 쾌적함을 줍니다.				
	2. 여유 있게 지낼 수 있는 의료 기관입니다.				
	3. 대기시간을 가능한 한 줄이고, 남은 대기시간을 알 수 있도록 합니다.				
	4. 사건 발생 시에 안전한 장소로 대피할 수 있는 경로를 확보하고 있습니다.				
	5. 적절한 수의 감시 카메라와 녹음기가 적절한 장소에 설치되어 있습니다.				

B. 양호한 커뮤니케이션	6. 내원객에게 웃는 얼굴로 인사하고 적극적으로 말을 겁니다.				
	7. 친절한 대응을 늘 마음에 두고 있습니다.				
	8. 역할 연습 등을 준비해서 사례 예방을 위한 커뮤니케이션 훈련을 정기적으로 시행합니다.				
	9. 환자가 상담할 수 있는 창구나 의견함 등을 눈에 띄는 장소에 설치하고, 환자나 가족에게 알려줍니다.				
	10. 환자로부터 제기된 의견(불만)이나 질문을 참고해 적극적으로 개선할 수 있는 힌트를 얻어 실천합니다.				
C. 안심할 수 있는 구조 만들기	11. 대응책이나 사례를 검토하는 미팅·위원회를 정기적으로 개최합니다.				
	12. 환자의 상태나 질병 상태를 파악해 사건 발생 가능성을 평가하고 예방이나 신중한 대응책을 시행합니다.				
	13. 경비원을 배치하고, 순찰을 통해 사건을 예방하며 사건 발생에 대비한 구조로 개선합니다.				
	14. 긴급 상황 발생 시에 연락할 수 있도록 야간 책임자의 순번을 정해놓고 있습니다.				
	15. 평상시에 경찰이나 변호사 등의 외부 기관과 연계하고 있습니다.				
D. 현장의 준비	16. 의료 기관의 방침으로 '어떠한 폭력도 용인하지 않는다', '피해를 입은 경우에는 조직 차원에서 직원을 지킨다'는 것을 모두에게 알리고 있습니다.				
	17. 폭력이나 소란 행위를 용인하지 않는다는 점을 포스터나 유인물로 알리고 있습니다.				
	18. 정기적으로 부서를 순회하고, 사건이 발생하기 쉬운 부서를 지정해 개선합니다.				
	19. 대응책을 정리한 간편한 매뉴얼을 직원 모두에게 배포하는 등 주의를 환기하고 있습니다.				
	20. 긴급 시 지원을 요청하는 순서, 호신을 위한 대응, 피난 등의 실제 훈련을 시행합니다.				

E. 발생 시 대응	21. 사건이 발생하면 우선 자신의 몸을 지키고, 주변 사람들을 지키기 위한 행동(피난, 구조 요청)을 하고 있습니다.				
	22. 발생 시에는 정해진 대응 순서나 보고(상사의 의사 결정 등)를 하고 있습니다.				
	23. 환자나 직원 안전에 영향을 줄 수 있는 경우에는 경찰에게 통보합니다.				
	24. 현장에서 사건을 신속하게 해결할 수 있도록 관리자를 포함한 직원들이 모든 노력을 시행합니다.				
	25. 발생 사례에 대해 여러 명이 정확하게 기록하고 있습니다.				
F. 수습 시 대응	26. 피해자나 같은 장소에 있던 사람을 케어하기 위해 확인하고 있습니다.				
	27. 부서 관리자에게 피해자 케어에 대한 교육이나 지원을 시행합니다.				
	28. 피해자나 같은 장소에 있었던 사람이 안심하고 업무에 복귀할 수 있도록 지원합니다.				
	29. 가해자로부터의 폭력 재발을 예방하기 위한 피해자에 대한 배려 등을 검토합니다.				
	30. 발생 사례를 전원이 공유하는 모임이나 순서를 마련해 또 다른 피해 예방을 지향합니다.				

07

갑에서 을로 변하다

공공 부문 감정노동자

이정훈 서울노동권익센터 감정노동보호팀장

1. 공공 부문 감정노동 심화 배경

한국 경제의 빠른 성장은 현재의 장년층이 농업 사회와 공업 사회, 정보화 사회를 모두 경험하게 하는 극적인 결과를 가져왔다. 흑백 텔레비전조차 귀하던 동네에서 자란 꼬마가 스마트폰으로 아들딸과 소통하는 부모가 된 것이다. 빠른 산업의 성장과 함께 산업구조 또한 제조업 중심에서 서비스업 중심으로 급격히 이동했다. 이른바 굴뚝산업으로 대표되던 공업 중심의 제조업이 한국 사회의 성장기를 이끌었다면, 정보 통신, 금융, 서비스업 등 3차 산업이 새로운 성장 동력으로 자리하게 되었다. 생산되는 제품의 품질과 가격이 경쟁력의 중요한 요소가 되었던 제조 분야와는 달리, 서비스업에서는 상품의 품질이 전반적으로 균일화되면서 고객에 대한 서비스가 오히려 경쟁력의 중요한 요소가 되고 있다. 서비스 품질이 중요시되면서 나타나는 문제 중 하나가 감정노동과 관련된 것이다. 이 책에서 다루고 있는 다양한 영역에서의 감정노동은 '서비스 품질의 중시'라는 맥락과 그 결을 같이하고 있다. 서비스 사회로의 변화, 저성장에 따른 경쟁 심화, 글로벌화 등의 요인은 더욱 치열한 경쟁을 기업들에 요구하고 있으며, 그러한 경쟁력의 원천을 서비스 품질에서 찾으려는 경향이 더욱 강해지면서 일부 유통 분야(백화점, 면세점, 마트 등)에서는 "서비스는 곧 매출이다"라는 인식까지 생겨났다.

그렇다면 공공 영역은 어떠할까?

과거를 잠시 회상해보자. 20~30년 전만 하더라도 공공 영역에서 일하는 노동자들은 이른바 '나랏일'을 하는 사람들로 인식되었다. 지금도 마찬가지로 이들은 '나랏일'을 하고 있지만, 그 당시에는 사회 전반적인 인식이 지금과 많이 달랐다. 시민들은 관청에서 수행하는 일에 그대로 따라야 하는 경우가 많았다. 각종 캠페인부터 반상회, 행정 서류 작성, 공공요금 납부 등 국가기관인 공공 관청에서 요구하는 여러 가지 사안에 대해 시민들은 서비스를 받기보다는 그것을 위해 협조해야 하는 관계로 인식하고 있었다. 관청 문턱이 높아 다가가기도 어려웠고, 공무원에게 전화로 문의하기도 어려웠다. 민원부서가 많지도 않았고, 전담 센터가 존재하지도 않았다(〈그림 7-1〉).

그러나 이런 관계는 '고객 지향적 행정' 개념이 도입되면서 새로운 전환기를 맞이한다. '국민은 정책 집행의 대상'이라는 기존의 인식이 '국민이 주인이고 공무원은 고용된 자'라는 인식으로 변하면서 국민과 공무원의 관계가 새롭게 정립되기 시작한 것이다.[1] 군사정권에서 문민정부로의 변화, IMF 외환위기에서 비롯된 효율성과 성과의 강조, 공공 부문의 민영화에 대한 논쟁, 민간 경영 기법의 도입 등은 공공 영역에서 강조하던 '관 주도 업무 방식'에

1 이에 대한 내용은 김진덕·이명종(2008)의 연구에 더욱 상세히 소개되어 있다.

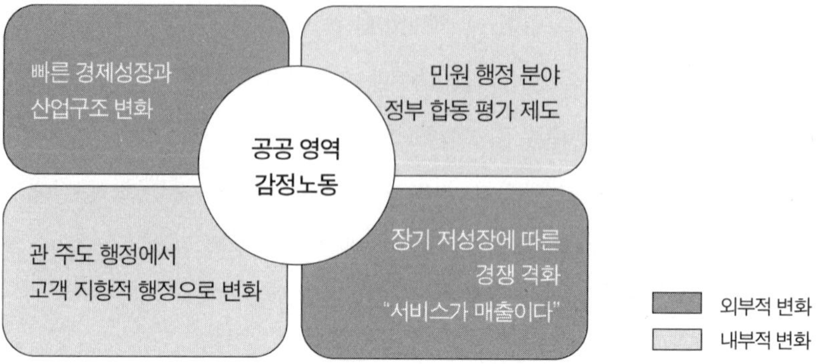

〈그림 7-1〉 공공 영역 감정노동 심화 배경

서 '고객 우선의 업무 방식'으로 변화하게 되었다. 여기에 또 다른 요인으로 작동한 것이 자치단체장을 직접 투표로 뽑는 지방선거 제도의 도입이라고 할 수 있다. 시민의 손으로 선출된 자치단체장은 시민에게 좋은 인상을 남겨야 함과 동시에 성과도 만들어야 하는 입장에 서게 되었다. 일 잘하고 능력 있는 단체장은 재선이 되거나, 더 나은 정치적 입지를 만들 수 있다는 인식이 늘면서 공공 영역에서의 시민에 대한 서비스가 더욱 강조되었다.

이와 같은 변화에 따라 현재 공공 영역에서는 '공공 행정 서비스 품질'을 점수로 환산해 평가하고 인센티브를 부여하는 '민원 행정 분야 정부 합동 평가 제도'를 도입하고 있으며, 민원 담당 업무를 수행하는 직원에 대해 별도의 친절 교육 프로그램을 실시하는 등 서비스 수준을 높이기 위해 다양한 기제를 활용하고 있다.

이 장을 접하는 사람들은 "시민을 우선시하고 친절 서비스를 장려하는 것이 뭐가 문제라는 말인가?"라고 질문할지도 모른다. 필자 역시 이와 같은 의문을 부정하는 것은 아니다. 그러나 지금의 현실은 그 한계를 빈번히 넘어서고 있다는 점에 주목해야 한다. 공공 영역에서도 감정노동이 발생하고 있으

〈표 7-1〉 A 공공 기관의 전화 민원 응대 평가표

구분	평가 내용	응대 요령	배점
수신부	전화벨/송출음	• 전화벨 3회(5~6초) 이내 수신 ※ 3회(5~6초) 이상 전화벨 울린 후에는 "늦게 받아 죄송합니다"로 시작	10
도입부	고객 맞이 인사말	• 첫 인사말 + 소속 + 이름 응대 - 반드시 3단계로 최초 응대 ※ 첫 인사말을 '감사합니다'로 구사해도 무방!	10
	고객 문의 확인	• 고객 문의 사항에 대해 재차 복창	5
진행부	담당자 연결	• 담당자 연결이 가능한 경우 담당자 이름 알려주고 전화번호 안내 후 연결: 담당자 ○○○입니다. ○○○-○○○○ 번호로 연결해드리오니 혹시 끊어지면 방금 알려드린 번호로 다시 한 번 연락주십시오.	10
	부재 시 안내 및 콜백 약속	• 담당자 연결이 불가능한 경우 경청 후 성의껏 안내하거나 콜백 약속	10
	고객의 말을 자르는지 여부	• 고객의 말을 자르지 않음 ※ 말을 자를 경우 양해의 말 사전 고지	10
	문의에 대한 적극적인 안내	• 문의 사항에 대해 충분한 안내와 부가적인 사항을 적극적으로 안내	15
	상담 어감 및 공감 표현 능력	• 공손하고 정중한 어투로 응대	10
	사용하는 용어	• 고객의 문의 사항에 이해하기 쉬운 용어 사용	10
종결부	상담 내용 정리	• 상담 내용을 정리해 민원인의 만족 여부와 추가 문의가 있는지 확인 후 바로 3단계 종료 인사 (감사 인사 + 소속 + 이름)	10

며, 그 피해 수준이 우리가 생각하는 것보다 훨씬 심각하다.

〈표 7-1〉은 한 공단의 전화 민원에 관한 응대 요령 평가표이다. 이 평가표를 보면 각 상황의 진행 상태에 따라 배점이 정해져 있고, 그 요령대로 응대하지 않으면 감점된다. 특히 전화 민원에 대한 응대를 지나치게 세분화해 점수로 환산하고 있음을 알 수 있다. 공손하고 정중한 분위기로 정확한 정보를 전

달했으나, 몇 가지 과정이 생략되었을 때 과연 그 상담사는 불친절한 상담사로 평가되어야 할까?

이에 대한 구체적인 사례는 다음 절에서 더욱 상세히 설명하기로 하고, 이번 절에서는 먼저 왜 이런 현상이 일어나고 있는지에 관해 간단히 언급하고자 한다.

공공 부문의 감정노동을 심화하는 원인은 '강요된 인내'에 있다. 앞서 살펴본 공공 영역의 인식 변화에 따라 신속하고 친절한 행정 서비스가 화두가 되면서 이제 공공 영역은 민간 영역보다 더욱 친절해야 하는 집단이 되어버렸다. 이런 인식은 시민과 노동자 사이에 강하게 퍼지고 있으며, 특히 공공 영역 노동자는 서비스를 이용하는 민원인이나 시민이 무엇인가 과도하게 요구하고 불합리하게 행동하더라도 이를 감수해야 한다는 생각이 강해지고 있다.[2] 관리자 또한 내부 직원보다는 시민이나 민원인을 우선적으로 고려하기 때문에 현장에서 심각한 감정노동이 발생하고 있어도 억지로 참아낼 것을 요구하며 외부로 잘 드러내지 않는다.

공공 영역의 감정노동을 심화하는 또 다른 원인으로 앞에서 언급한 서비스 품질관리 방식을 들 수 있다. 공공 영역에서는 서비스의 품질을 처리 속도, 친절 수준, 민원 제기 건수라는 척도를 활용해 평가하고 있다. B 시가 발표한 민원 행정 서비스 관련 계획서에는 서비스 품질이 부진한 부서의 직원을 대상으로 추가적인 보수교육 실시하기, 민원 처리 속도(스피드) 지수를 관리하기,

---

2 공공 영역의 정규직 노동자들은 IMF 외환 위기에서 비롯된 구조 조정을 피해가고, 정년과 안정적인 수익이 보장되는 '철밥통'이라는 인식이 있어 사회적인 부러움과 시기의 대상이 되기도 한다. 하지만 감정노동을 수행하는 노동자들 중에는 매년 계약을 갱신해야 하는 계약직이나 민간 위탁 용역 업체에 소속된 노동자도 상당수 존재한다. 이들은 문제를 일으키지 않아야 재계약을 할 수 있다는 인식 때문에 피해를 감출 수밖에 없는 실정에 처해 있다.

암행 점검단(미스터리 쇼퍼)을 활용한 감시 등의 내용이 포함되어 있다.

과도한 서비스 품질관리, 불합리한 민원에 대한 반복적인 인내로 계속해서 병들어가는 공공 영역의 감정노동자는 주변을 조금만 주의 깊게 둘러보면 어렵지 않게 찾을 수 있다. 다음 절에서는 일상 속에서 만나게 되는 공공 영역의 감정노동자가 어떻게 일하고 있는지를 더욱 상세히 살펴보고, 과연 어떤 해결책이 있는지를 간략히 소개하기로 한다.

2. 웃고 있어도 눈물 나는 감정노동

1) 21세기에도 군림하는 왕: 악성 민원의 유형

감정노동을 해본 사람들은 '웃고 있어도 눈물이 난다'는 말에 깊이 공감할 것이다. 감정노동이란 그런 것이다. 노동자의 감정은 항상 즐거움과 친절함을 유지해야 하고, 누군가 욕설을 하거나 시비를 걸어오고, 불쾌한 성희롱을 해도 적극적으로 대꾸하기가 힘들다. 시민과 노동자 서로가 정상적인 서비스를 요구하고 이를 제공하기만 한다면 감정노동이 심화되어 노동자의 스트레스가 심해지거나 우울증으로 이어질 확률은 크지 않을 것이다. 그러나 고객의 비정상적인 서비스 요구와 비상식적이고 불합리한 언행으로 감정노동자들은 깊은 상처를 받는다.

'진상 고객'이라는 말 또한 들어본 적이 있을 것이다. 말 그대로 '진상 짓'을 하는 고객이다. 공공 영역에서는 '고객'이라는 말 대신에 '민원인'이라는 말을 자주 사용한다. 그중에서도 '악성'인 민원인이 있다. 그보다 수위가 조금 낮은 민원인은 '강성' 민원인이라고 지칭한다. 강성 민원인이란 악성 민원인의 수위를 오락가락 넘나드는 사람들을 말한다. 그렇다면 악성 민원인이란 어떤 행동을 하는 사람들일까?

악성 민원을 명확히 규정하고 있는 법령이나 사전적 정의는 존재하지 않는다. 어떻게 보면 규정하기 어려울 정도로 모호하기도 하고, 그만큼 보호가 허술하다는 말이기도 하다. 현재 시행 중인 '산업안전보건법'과 그 시행규칙, '남녀고용평등법' 등이 정상적으로만 준수되어도 이런 피해 사례는 크게 개선될 수 있으나 현장에서의 준수율이 높지 않은 것이 현실이다. 여기서는 대표적인 악성 민원의 유형을 구분해서 살펴보고자 한다. 악성 민원의 유형을 먼저 짚어본다면 이어서 소개할 공공 영역의 사례들을 접할 때, 좀 더 수월하게 이해할 수 있기 때문이다. 다음에서는 악성 민원으로 구분되는 대표적인 세 가지 유형에 대해 소개하고 어떠한 법률에 의해 처벌될 수 있는지 알아보기로 한다.

(1) 성희롱

성희롱 악성 민원은 '성폭력 범죄의 처벌 등에 관한 특례법' 제13조(통신 매체를 이용한 음란 행위)로 직접 처벌이 가능하다. 이를 위반한 자는 2년 이하의 징역 또는 500만 원 이하의 벌금에 처하도록 규정되어 있다. 성희롱의 대표적인 유형은 성적 수치심이나 혐오감을 유발하는 발언 및 행동을 하는 경우이며, 여기에는 발언이나 행동뿐만 아니라 문자 상담 등도 포함된다. 가령 문자나 온라인 시스템을 통해 상담을 진행할 때 상담원이 성희롱에 해당되는 문자나 대화 글을 받게 된다면 앞의 법률에 의거해 민원인을 처벌할 수 있다.

성희롱은 주로 남성 민원인이 여성 노동자를 상대로 하는 경우가 많다. 콜센터에 문의 전화를 해서 성희롱에 해당되는 발언을 이어가거나 일방적으로 음란한 대화를 시도하는 유형이 여기에 속한다. 또한 지나친 친근감을 표시하

〈그림 7-2〉 성희롱의 개념과 처벌 법규

개념: 성적 수치심이나 혐오감을 유발하는 발언·행동

상황: 주로 남성 민원인이 여성 노동자를 상대로 발생

사례: 콜센터로 전화해 음란한 대화 시도
사적인 만남 유도, 동의 없이 개인 연락처 문의

관련 법규

성폭력 범죄의 처벌 등에 관한 특례법
제13조: 통신 매체를 이용한 음란 행위

2년 이하의 징역 또는 500만 원 이하의 벌금

며 사적인 만남을 유도하거나 상대방이 동의하지 않는 연락처를 문의하는 경우도 성희롱에 해당된다. 대부분의 콜센터 상담사가 선제적으로 통화를 중단하고 끊을 수 없는 속성을 이용해 성희롱을 일삼는 악성 민원인도 있다.

대다수의 기관은 전화 상담이나 방문 상담을 진행하고 있는데, 성희롱 피해를 입은 노동자들을 보호하기 위한 적극적인 조치가 따르지 못하고 있다. 현장에서 만난 노동자들은 민망하고 속상하고 불쾌한 감정을 그대로 유지한 상태로 또 다른 상담을 이어가는 경우가 많다고 이야기했다.

(2) 폭행, 폭언(욕설), 협박, 모욕

또 다른 유형은 신체에 직접 물리적으로 상해를 입히는 폭행, 구두로 상대방에게 공포심이나 불안감을 조성하는 폭언이나 욕설, 협박, 그리고 다수인이 보고 들을 수 있는 상황에서 상대방을 비방하는 모욕 등이 있다. 여기에 언급된 유형에 속하는 악성 민원은 주로 민원인이 화를 참지 못하고 극도로 흥분한 상태에서 벌어지게 된다. 이들은 규정상·행정상 조건에 맞지 않아 더 이상 행정적으로 처리해줄 수 없는 민원에 대해 장기간에 걸쳐 관계자나 책임자(시장, 구청장 등) 대면을 요구하면서 급기야 담당자에게 위해를 가하기도 하고, 전화를 걸어 본인의 분이 풀릴 때까지 욕설을 퍼붓거나 협박을 하기도 한다.

〈그림 7-3〉 폭행·폭언(욕설)·협박·모욕의 개념과 처벌 법규

개념: 물리적 상해 및 구도로 공포심이나 불안감 조성, 협박, 다수 앞에서의 비방

상황: 민원인이 화를 참지 못하고 극도로 흥분한 상태

사례: 민원 담당 공무원에게 낫으로 찍겠다고 협박
가지고 있던 지팡이로 책상을 내려치고, 위해를 가함
몸싸움을 하고, 물건을 집어던지며 멱살을 잡음

관련 법규

형법 제260조 1항 폭행죄
2년 이하의 징역 또는 500만 원 이하 벌금

형법 제257조 1항 상해죄
7년 이하의 징역, 10년 이하 자격정지 또는 1천만 원 이하의 벌금

형법 제283조 1항 협박죄
3년 이하의 징역 또는 500만 원 이하 벌금

형법 제311조 모욕죄
1년 이하의 징역 또는 200만 원 이하 벌금

이런 유형들은 '형법상' 범죄에 해당되는 행위이며 폭행은 '형법' 제260조 1항에 의거해 2년 이하의 징역 또는 500만 원 이하의 벌금, 상해죄는 7년 이하의 징역이나 10년 이상의 자격정지 또는 1000만 원 이하의 벌금을 받게 된다. 그러나 공공 부문에 종사하는 노동자 입장에서 개인적으로 민원인과 송사(訟事)를 장기간 진행할 수 있는 사람이 거의 없는 것으로 파악되고 있다.

(3) 허위 신고와 장난 전화

공공 영역에서 발생하는 대표적인 허위 신고는 경찰서나 소방서를 대상으로 하는 신고이다. 국민안전처 통계에 따르면 최근 3년간 119로 걸려온 장난 전화 건수는 2012년 2만 3331건, 2013년 2만 297건, 2014년 1만 7917건으로 연평균 2만 건이 넘는 수치이다.

경찰청이 발표한 자료에 의하면 2013년을 기준으로 허위 또는 장난 신고가 9877건으로 약 1만 건에 달하고 있다. 이런 허위 신고나 장난 전화는 단순한 장난 전화도 있지만, 상습적인 장난 전화, 허위 또는 거짓 신고, 고질적이

〈그림 7-4〉 장난 전화 건수 변화와 경찰청 장난 전화 처벌 통계

(단위: 건)

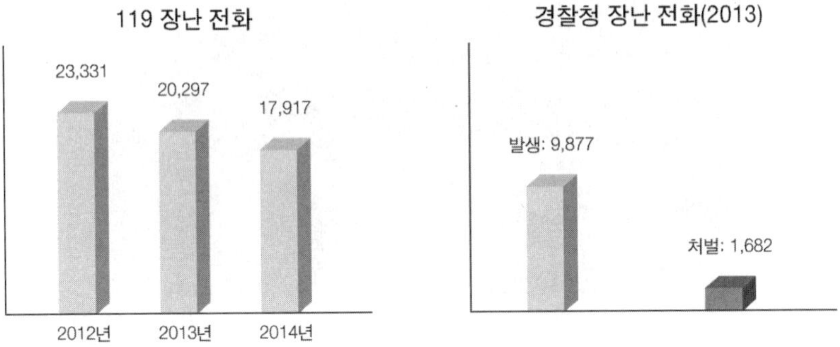

자료: 국민안전처, 경찰청.

며 악의적인 신고 등 여러 형태로 접수가 되고 있는 실정이다.

관련 법규를 살펴보면 '소방기본법' 제56조 1항에 의거 화재 또는 구조·구급이 필요한 상황을 거짓으로 알린 자는 과태료 200만 원 이하의 처분, 119 구조·구급에 관한 법률 제30조 1항에 의거 위급 상황을 소방 기관 또는 관계 행정기관에 거짓으로 알린 자는 과태료 200만 원 이하 처분, 위치 정보의 보호 및 이용 등에 관한 법률 제43조 2항에 의거 긴급 구조 요청을 허위로 한 자는 과태료 1000만 원 이하에 처하도록 되어 있다. 또한 '형법'에 의해서도 위계에 따른 공무 집행 방해죄를 물어 5년 이하의 징역 또는 1000만 원 이하의 벌금에 처할 수 있도록 규정하고 있다. 경찰청의 경우에는 2013년 약 1만 건에 달하는 허위 또는 장난 신고 중 1682건에 대해 형사처분 또는 즉결심판 처리를 해 처리율이 17%에 달하고 있다. 경찰청의 사례와 같이 허위 장난 신고에 대해 적극적인 조치를 취한다는 사실이 여러 사람들에게 알려지면서 점차 허위 신고와 장난 전화가 감소하고 있다. 이는 기관과 조직 차원에서의 적극적인 대응이 왜 필요한지를 보여주는 대목이라고 할 수 있다.

〈사진 7-1〉 콜센터 사무실 전경

2) 공공 영역의 사례: 내가 내는 세금으로 당신들 밥 먹는 거잖아!

(1) 무엇이든 물어보기는 이제 그만: 공공 기관 콜센터 상담사의 감정노동

공공 영역에도 민간과 마찬가지로 콜센터 상담사가 근무하고 있다. 이들은 주로 기관의 업무와 관련한 문의 전화를 접수해 응답을 하거나 해당 부서와 연결해 민원을 처리하는 업무를 담당하고 있다. 서울시처럼 서울 시정 전반에 관한 상담을 수행하는 별도의 전문 콜센터(120 다산콜센터)가 있는가 하면, 지하철 공사처럼 자체적으로 콜센터 연결 번호를 마련해 지하철 운행이나 시설 관련 문의 접수, 상담을 전담하는 방식으로 운영하는 형태도 있다. 이들은 거의 대다수가 해당 공공 기관에서 직접 채용한 정규직이 아니라 공공 기관에서 위탁한 아웃소싱 업체·협력사에 소속된 상담사이며 별도의 교육을 받고 해당 상담 업무를 수행한다.

상담사는 각자의 근무 스케줄에 따라 출근해 그날의 공지 사항과 메일을 확인하면서 업무를 시작한다. 상담 분야에 따라 상담사별로 맡은 업무를 처리하게 되는데, 다산콜센터의 경우 과거에는 한 번의 전화로 여러 가지 질문

을 할 때 모든 질문에 대한 대답을 다 해줘야 했으나 최근에는 한 통당 세 가지 질문만 할 수 있도록 제한을 두고 있다. 상담사들이 주로 겪는 질환은 목 디스크, 중이염, 기관지염, 손목 터널 증후군 등이 대표적이다. 이는 일과를 수행하는 내내 헤드셋을 끼고 모니터를 바라보며 상담 업무를 수행하기 때문인데, 마우스를 움직이며 시민들이 문의한 정보를 검색하고, 해당 부서 담당자를 찾기 위해 쉴 틈 없이 손을 사용해야 하기 때문이다.

콜센터 상담사들은 얼굴도 볼 수 없는 불특정 다수로부터 걸려오는 전화에 응대한다. 어느 통화에서 욕설과 반말이 나오고, 성희롱을 하는 사람을 만나게 될지 알 수 없는 상태로 항상 친절하고 상냥한 목소리를 내면서 일해야 한다. 하루 두세 통씩 정상적이지 않은 전화를 받게 되는 날도 있다고 한다. 그렇다고 그런 전화마다 트집을 잡아서 신고를 할 수도 없는 입장이다. 웬만한 전화는 속으로 삭이고, 정말 심각한 경우에만 윗선에 보고해 후속 조치를 취한다. 공공 영역의 콜센터는 특히 기관 업무와 관련한 다양한 내용의 전화가 걸려오는데, 그중 해당 부서에서만 해결할 수 있는 민원인데도 일차적인 항의는 콜센터 상담사가 들어야 하는 경우가 많다. 그리고 기관 업무와 무관한 내용까지 질문하는 이른바 '무엇이든지 다 물어보는' 통화도 종종 걸려 와서 상담사를 힘들게 한다. 이런 전화에는 상습적인 장난 전화도 포함되어 있는 경우가 많다.

> 욕설이나 반말은 하도 많이 들어서 이제 놀라지도 않아요. '그냥 오늘 또 잘못 걸려들었구나 ……' 하고 말죠. 스트레스는 동료들이랑 수다를 떨거나 그 민원인 얘기하면서 풀어요. 그래도 항상 힘들죠. 하루 종일 일 잘하고 있다가도 전화 한 통에 무너지는 게 콜센터 업무에요.

한번은 젊은 목소리의 남자로부터 가야 할 장소의 위치를 문의하는 전화가 왔어요. 몇 차례 대화가 오고 갔는데도 자기가 서 있는 곳의 위치를 잘 설명하지 못했어요. 그러는 중에 옆에서 여자 친구인 듯한 사람의 목소리가 들렸어요. "걔가 뭘 알겠어, 그냥 끊어. 걔네들 정직원도 아니래. 말해봤자 알지도 못해, 소용없어". 차라리 욕설이나 반말은 이제 익숙해져서 참기라도 하겠는데, 인간적으로 무시하고 모멸감을 주는 건 정말 사람의 자존감을 무너뜨리더군요. 그 전화를 받고 한참을 울었어요.

하루 종일 상담 전화를 받고 집으로 퇴근하면 오히려 가족과 아무런 대화를 안 하게 되더라고요. 말하는 게 너무 힘들어서 그런 것 같아요. 아무리 가족이라도 내가 하는 일의 특성을 다 설명해줄 수도 없고, 이해도 잘 못해주니 더 얘기를 안 하게 됩니다. 그러다 보니 혼자 집안일 하고, 잠자고 출근하는 일상이 계속 반복되고 있어요.

콜센터에서 오랫동안 근무하면서 잔뼈가 굵은 상담사들은 감정이 오히려 무뎌졌다는 얘기를 많이 한다. 그래도 노동조합이 있는 경우에는 지속적으로 요구를 해 기관이나 협력 업체 차원에서 상담사를 위한 제도를 도입하는 사례도 생겨났다.

일과 중 필수적으로 부여되는 휴식 시간은 반드시 지키고 있어요. 악성 고객을 관리하는 민원 관리팀이 따로 일을 처리하는 프로세스가 마련되어 마음이 놓이는 측면도 있어요. 욕설이나 폭언, 성희롱 등을 하는 민원 전화는 상담사가 먼저 전화를 끊을 수 있게 되었어요. 심리 상담사가 방문하기도 하고, 안마 서비스도 돌아가면서 받을 수 있게 되었죠. 과거에 점수가 40점 정도였다면 지금은 80점 정도 된다고 생각해요.

서울시가 다산콜센터 상담사에게 성희롱을 한 번만 해도 별도의 경고 없이 바로 법적 조치하는 '원 스트라이크 아웃' 등 '악성 민원 고강도 대책'(2014년 2월) 시행 이후 악성 전화가 92.5% 감소한 것으로 나타났다. 2015년 4월 한 달간 다산콜센터에 걸려온 악성 전화는 일평균 2.3건으로 고강도 대책 이전인 2014년 1월(31건)에 비해 큰 폭으로 감소했다.

서울시는 2015년 5월 26일(화) 5명(성희롱 4명, 폭언·욕설 1명)을 '성폭력 범죄의 처벌 등에 관한 특례법' 등을 적용해 서울지방경찰청에 추가로 고소, '악성 민원에 대한 적극 대응 계획'(2012년 6월) 수립 이후 지금까지 3년간 총 52명(9차례)을 법적 조치했다고 밝혔다. _ 서울시 보도 자료 인용

공공 영역의 콜센터는 이윤을 추구하기 위해 존재하는 민간 영역의 콜센터와 성격이 다르다. 민원인들에게 편의를 제공하고 정확한 행정 서비스를 위해 필요한 제도적 시스템이다. 심심함을 달래주거나 화풀이와 항의를 하는 대상이 되어서는 안 된다. 정상적인 질문에 정상적으로 답하고 담당 부서를 연결해주며, 정보를 찾아주는 지극히 자연스러운 서비스가 되어야 한다.

(2) 시장 나오라고 그래!: 안내 데스크와 민원실의 감정노동

앞서 살펴본 콜센터 상담사가 대표적인 비대면 업무 영역에 속한다면, 안내 데스크와 민원실의 노동자는 대면 업무 영역의 대표적인 직군이라고 할 수 있다. 공공 기관의 청사에 들어서면 1층에서 쉽게 찾아볼 수 있는 안내 데스크에는 대부분 유니폼을 착용한 직원들이 방문객을 맞이하고 있다. 그들을 지나 주변을 조금 더 살펴보면 해당 기관의 업무와 관련된 민원실이 자리하

〈사진 7-2〉 안내 데스크와 기관 민원실 전경

고 있다. 많은 사람들이 경험에서 알 수 있듯이 사람들이 방문하기 번거로운 중간층이나 건물 외곽에 민원실을 배치한 청사는 거의 없다.

안내 데스크 업무는 아웃소싱 업체에 위탁을 하는 경우와 직접 파견 업체로부터 담당자를 파견받아서 진행하는 경우로 구분된다. 민원실에 근무하는 직원은 해당 기관의 정규직 공무원인 경우가 많으며, 각 부서에서 민원 업무를 수행하도록 인사 발령을 통해 배치되고 있다. 공공 부문의 민원 처리 업무는 과거에는 각 부서별로 담당자가 지정되어 부서 공간 내에서 처리하는 방식을 활용했으나, 이용객의 편의를 우선시하는 정책 변화의 바람을 타고 민원 사무를 통합해 운영하는 공공 기관이 증가하고 있다.

안내 데스크에서 근무하는 노동자는 주로 기관의 공식 근무시간(오전 9시~오후 6시)을 기준으로 업무가 시작·종료된다. 두 명이 데스크를 지켜야 하는 경우에는 세 명이 배치되어 한 명씩 휴식을 취하면서 교대로 근무한다. 주요 업무는 출입증 발급과 신분증 보관, 부서 위치 안내, 전화 응대 등이며 위탁받은 업체에서 관리자가 정기적으로 방문해 근무 현황을 점검하고 친절 교육 등을 실시한다. 안내 데스크 노동자들은 주로 1년 단위로 계약을 하는 경우가 많고, 관청의 총무 부서 관리자와 의사소통을 하면서 업무를 수행하고 있다.

민원실에는 경력이 10년을 훌쩍 넘는 공무원이 많이 배치되고 있었다. 필자가 방문한 B 시의 민원실에는 20년 이상의 경력자들이 배치되어 근무하고 있었다. 민원 업무가 통합되면서 담당해야 하는 업무가 급증했다고 한다. 그들은 민원인들이 대기하고 있어 점심시간을 놓치기도 하고, 휴식을 취하기도 어려우며, 일이 너무 많다 보니 오히려 기관에서 실시하는 연수나 워크숍 등에도 참석하지 못하고, 모든 혜택에서 배제되고 있었다. 휴가도 사흘 이상을 연달아 사용하면 주변 직원들에게 민폐가 되는 것 같아 길게 사용하기도 어렵다고 한다.

불만이나 의문이 있는 민원인들을 상대하는 업무는 고도의 감정 통제가 필요하다. 그러나 민원실에 배치된 담당자들은 각자 원래의 부서 업무를 수행하다가 인사 발령을 받아 배정되었기 때문에 민원인을 상대하는 기술이나 통합된 민원 업무를 파악하기에는 한계가 있었다. 이런 상황들은 고스란히 민원인과의 마찰로 연결된다. 민원인에게 강경하게 대응하지 못해 고의나 악의, 거짓 유무를 가리기 전에 민원인을 안정시키는 것이 급선무라는 인식이 강하게 작용하게 된다.

민원 업무는 시민을 상대하는 최초의 접점이기 때문에 관리자들은 해당 관청이나 기관의 이미지와도 직결된다는 생각을 많이 하게 된다. 그러다 보니 민원실에 대한 여러 가지 관리와 통제가 발생하고 있다. 앞서 살펴본 평가 지침(처리 속도, 친절 수준, 민원 제기 건수)이 기본적으로 적용된다. 게다가 미스터리 쇼퍼라는 민원인으로 가장한 점검단이 상담원이 얼마나 친절한지, 민원 안내와 정보 제공은 제대로 하는지 등을 평가한다. 그러나 민원 업무를 하는 담당자들은 유도 심문식으로 질문을 하는 미스터리 쇼퍼들을 금세 알아차릴 수 있다고 한다. 이런 방식으로 모니터링하는 제도는 담당자들을 더욱 힘들게 하고 있다.

> 안내 데스크에 있으면 시장님을 만나러오는 사람들이 꽤 많아요. 무조건 시장 만나야 된다고 하는 분들이요. 약속이 안 되어 있는 분들이죠. "항

의하겠다", "부서에서 해결 못하는 일인데 시장이 나서서 해결해라", "내가 가서 담판 짓겠다" 등 여러 유형의 민원인들이 있어요. 청경(청원경찰)분들과 몸싸움도 하고 경찰이 출동하기도 합니다. 데스크 쪽으로 와서 막무가내로 방문증 내놓으라고 소리치고 욕설하는 분들도 있어요. 그런 경우가 하루에 한 번꼴로 생깁니다. 매일 오시는 분도 있어요.

안내 데스크에 방문한 민원인이 담당 부서를 찾으면 해당 부서에 전화로 연결하는 경우가 있는데, 본인 담당이 아닌 업무를 민원인이 질문하는 등 트러블이 발생하면 화내거나 하대하는 말투로 대하는 공무원도 있어요. '우리는 같은 공무원이 아니라 용역 업체 직원이라서 그런가?'라고 생각하게 되죠.

일단은 무조건 "죄송합니다"라는 말부터 합니다. 민원인들의 감정을 조금이라도 누그러뜨려야 되거든요. 대부분은 자초지종을 말하지 않고, 도착하면 자기 얘기만 하는 민원인이 많아요. 생떼를 부리는 민원이 대다수입니다. '소리 지르고 소란 피우면 들어주겠지……' 하는 인식들이 있어요. "니들은 내가 내는 세금 덕분에 먹고사는 거 아니냐?"라고 하면서 폭언을 많이 합니다. 공무원에 대한 폭언은 너무 자주 들어서 무뎌졌어요.

업무만 보는 게 아니에요. 전화 민원도 받아야 하고, 인터넷에 올라온 글에 답변도 해야 하고, 서류 작업도 해야 합니다. 민원실도 은행 창구처럼 번호표를 뽑게 만들어놨는데, 다른 업무를 처리하고 있으면 창구에 사람이 없는데도 민원인을 호출하지 않는다고 화를 냅니다.

어떤 민원인은 "나는 갈 때까지 간 사람이다. 밤길 조심해라. 언제 죽는

지도 모르게 죽을 수 있다"라고 협박한 적도 있어요. 그 자리에서 얼음이 되는 줄 알았어요. 아무 말도 안 나오고 정말 무서웠어요.

이와 같은 사례들을 보면, 기관 차원에서 단호하게 대응하는 모습을 찾기가 어렵다. 오히려 부서장이나 기관은 몇 년간 괴롭힌 악성 민원인에 대해 "개인 차원의 고소를 해라"라고 종용하기도 한다. 감정노동에서 비롯된 피해를 개인적으로 해결하라는 것은 올바른 해법이 될 수 없다. 이런 점을 보더라도 제대로 정비된 가이드라인을 반드시 갖춰야 할 필요가 있다.

(3) 울면서 표를 파는 사람들: 문화·레저 시설에서의 감정노동

대기업이 운영하거나 민간 시설로 운영되는 놀이공원, 레저 시설, 동·식물원, 사파리 등이 많이 생겨났지만, 여전히 공공으로 운영되는 여러 가지 문화·레저 시설이 전국에는 많이 있다. 국공립 공원, 휴양림, 고궁, 박물관, 전시관 등 종류와 장르도 다양하다. 이곳에서 울면서 일하는 사람들이 있다면 믿으시겠는가? 이번에 소개할 감정노동 분야는 공공 문화·레저 시설에서 일하고 있는 노동자들이다.

서울 소재의 한 공원에는 매표 업무(방문객에게 입장권을 파는 업무)와 매수 업무(공원 입구에서 방문객의 입장권을 회수하는 업무)를 담당하는 노동자와 고객 안내 센터에서 근무하는 노동자 20명이 근무하고 있다. 이들은 오전 9시에서 저녁 7시까지, 야간 개장을 하는 기간에는 오전 9시부터 밤 9시까지 일을 한다. 매수·매표 업무는 네 개 조로 편성되고, 고객 안내 센터는 세 명이 교대로 일한다. 비수기에는 주말에 쉴 수 있지만, 성수기에는 평일에만 쉬어야 한다. 콜센터나 안내 데스크 업무와 유사하게 공원의 매표·매수와 안내 센터 업무는 해당 지자체에서 아웃소싱 업체를 통해 외주를 주는 것으로 시

〈사진 7-3〉 공원 매표소 전경

작했으나 현재는 지자체에서 노동자들을 계약직으로 직접 고용하고 있다.

> 파견 업체에서 근무할 때는 하루 이틀 다니다가 안 나오는 직원이 거의 절반이었어요. 그만큼 힘들어요. 1~2개월 하다가 그만두고, 다시 채용해서 투입하는 식이었죠. 그나마 지금은 2년 동안 계속 일하면 무기 계약으로 전환된다고 해서 버티는 거라고 봐요.

보통 네 개 창구를 개통해 각 창구마다 8~9명이 업무를 수행하는데, 주말에는 한 개 창구에서 1000여 명의 방문객을 담당해야 한다. 고객 안내 센터의 경우 평일에는 150여 통의 전화와 100여 명의 방문객을 상대하며, 주말에는 400여 통의 전화가 걸려오고 200여 명의 방문객이 모여든다. 용역 업체가 위탁·관리할 때는 그나마 주말 아르바이트를 고용해 일손을 나누었지만, 현재는 직접 계약한 지자체의 예산 제약으로 아르바이트 고용도 쉽지 않아 일이 더욱 힘들어졌다고 한다.

예전에는 점심시간 이외에 두 시간마다 한 시간씩 휴식 시간이 있었지만,

현재는 휴식 시간이 줄어들고 있으며, 바쁠 때는 화장실에 갈 시간도 없고, 화장실에 가는 동료가 미워 보일 정도로 인력이 부족하다. 휴가 사용의 경우에도 동료가 공백을 메워야 하기 때문에 장기간 휴가를 사용하지 못하는 실정이다. 특별한 직무 교육은 없으며, 선임이 자연스럽게 일을 가르치며 전수하는 식이다. 주로 서서 업무를 하는 수표 담당 노동자는 허리 이상이나 하지정맥류 등의 질환에 많이 노출되어 있으며, 좁은 공간에서 장시간 앉아서 근무하는 매표 담당 노동자는 방광염과 소화불량에 시달리고 있었다. 말을 많이 하는 고객 센터의 경우에는 기관지 손상이 심하다고 한다.

노동강도는 그렇다 치더라도 과연 공원에서 일할 때 어떤 감정노동을 겪는지 필자도 처음에는 선뜻 이해하기 어려웠지만, 설명을 들으면서 공감이 가기 시작했다.

> 65세 이상은 무료입장인데, 그 대신 입장권을 받아서 들어가야 해요. 경로 대상자들이 신분증을 확인할 때 폭언하는 경우가 수시로 발생하죠. 정도의 차이가 있을 뿐 거의 매일 일어나고 있어요. 무시하고 막무가내로 들어가거나, 표 내놓으라고 창구 속으로 등산지팡이를 넣어서 가슴을 찌르기도 해요. "얼굴 보면 모르냐", "얼른 표나 내놔라, 이년아", "니가 이러니 여기서 표나 팔고 앉았지" 등등 여기서 1개월만 앉아 있다 보면 경로사상이 완전히 사라집니다.

> 고객 센터에 찾아와서 "잃어버린 물건을 찾아달라", "음식물 반입이 왜 안 되냐", "맡기고 간 음식이 상해버렸으니 물어내라", "곰을 보러 왔는데 곰이 치료받느라 안 나왔다. 입장료 환불해라" 등 막무가내로 항의와 소란을 피우는 사람들이 많아요.

어떤 분은 전화해서 “사자하고 곰하고 싸우면 누가 이기느냐”라고 물어봅니다. 그렇다고 전화를 함부로 끊을 수도 없고 대응도 곤란하고 스트레스를 많이 받습니다. 여기는 무엇이든 다 물어보는 곳이 아니라고 얘기해주고 싶지만 어떻게 해서든 서비스를 제공하는 곳이니 함부로 판단해서 끊을 수가 없어요.

매표창구에서는 방문객 인원수를 확인하고, 계산하고, 입장권만 건네주면 되거든요. 그런데 욕설을 퍼붓고, 폭행을 하고, 막말을 하는 분들을 계속 만나면 정말 눈물이 나요. 화장실 가기도 미안한데 마음 가라앉힌다고 나갈 수 없잖아요. 그러니 막 울면서 표를 팔아요. 옆에서 일하는 언니가 보다가 같이 울기도 하고요. 하루 이틀 일하다가 다음 날부터 안 오는 직원들도 많았어요.

관리자급 직원들은 지자체에서 발령한 공무원으로, 이런 소란이 나면 중간에 개입해 방문객을 자제시키기도 하고, 대신해 사과하기도 하면서 흥분을 가라앉히고는 있지만, 단순히 사태를 무마하는 수준에 그치므로 근본적인 해결은 하지 못하는 상태이다. 곰을 보지 못했다고 입장료 환불해달라고 생떼를 쓰는 방문객에게 ‘그냥 자기 돈 3000원을 줘서 돌려보내는’ 안타까운 해결을 하는 역할도 공무원 관리자들의 몫이었다.

필자가 만났던 노동자들은 입장객들에게 제대로 된 안내 문구를 게시하는 것만으로도 상당한 효과를 얻을 수 있다고 이구동성으로 말했다. 신분증을 판독해서 입장권이 자동으로 발권되는 시스템이 도입되면 더할 나위 없겠지만, 인원 한 명도 보강하기 어려운 상황에서 이를 기대하기는 어렵다고도 했다. 차라리 무료입장 대상자들은 반드시 지참한 신분증을 제시해야 한다는 점과 소란을 부리거나 욕설·폭행을 할 때는 입장을 제한하거나 처벌받을 수 있다는 내용만이라도 잘 보이는 곳에 게시해달라는 것이다. 상투적인 '성숙한 시민의 자세'는 이럴 때 필요한 말이 아닐까?

(4) 연체비를 대신 내라구요?: 수도·가스 검침원의 감정노동

수도와 가스는 우리가 일상적인 생활을 하기 위해서 반드시 필요한 공공 자원이다. 수도와 가스가 원활하고 안전하게 공급되도록 관리하는 것이 관리 주체인 공공 분야에서 할 의무이자 역할이라고 할 수 있다. 수도·가스와 관련한 공공 기관은 크게는 시설의 설치, 자원의 공급, 비용 정책에 대한 결정, 관리 범위와 방식에 대한 결정 등에서부터 작게는 각 사용자에 대한 사용량 검침, 요금 징수, 안전 점검, 시설 유지·보수 등의 업무까지 다양한 영역을 관장하고 있다. 그중에서 이번에 살펴볼 감정노동자는 바로 검침원이다.

검침원의 업무는 주로 고지서 송달과 계량기 검침이다. 필자가 방문한 사업소는 총 25만 가구를 위탁 업체에 맡겨 검침원 1인당 평균 2500~2600가구를 담당하고 있었다. 검침원은 매달 22일부터 다음 달 7일까지 검침을 하고, 17일부터 21일까지는 고지서를 송달하는 업무를 하고 있다. 기본적인 업무 시간은 오전 9시부터 오후 6시까지이지만, 실제로는 담당 가구 수가 많아서 매일 야근을 하고 있는 상황이다. 검침 업무나 송달 업무를 필수적으로 해야 하는 기간 이외에는 출근을 하지 않아도 되므로, 쉬는 날이 별도로 정해져 있지 않다. 따라서 휴일에도 개인 전화를 켜두고 검침을 못한 가구에서 연락이 오면 직접 해당 가구를 방문해 업무를 처리하고 있었다. 이런 방식으로 일을 해보니 한 달 평균 5일 정도를 쉴 수 있었다고 한다.

공식적으로 오전 9시에 출근하게끔 되어 있지만, 가구마다 특성이 있어서 어떤 집은 오전 7시에 방문하라고 하고, 어떤 집은 오후 5시 이후에 오라는 등 요구 사항이 각각인 경우가 많아요. 그 시간을 놓치면 안 되기 때문에 약속한 시간에 반드시 찾아가야 합니다. 맞벌이 가구는 평일에 만나기 어렵기 때문에 주말에 방문해달라고 하죠. 그런 가구가 몇 가구 있으면 주말에도 종일 일해야 합니다. 별도로 쉬는 날이 있는 게 아니에요.

검침원들은 자신이 배정받은 구역에서 이동하며 업무를 하게 되는데, 주로 버스나 전철을 타고 이동하고 중간에 휴식을 취할 때는 벤치나 그늘에서 잠시 쉬었다가 다시 일을 하고 있었다. 개인 휴대전화는 24시간 켜두어야 한다. 수시로 전화하는 민원인에게 즉시 답변을 해야 하기 때문이다. 기기도, 전화 비용도 개인이 부담하고 있다. 검침원의 월평균 임금수준은 200만 원가량 된다. 현재 수준으로 임금이 인상된 것도 불과 3년밖에 되지 않았다. 용역을 수주해야 하는 위탁 업체 입장에서는 적정가 중에서도 가장 낮은 가격으로 입찰해야 하기 때문에 현실에 맞게 임금수준을 책정하기 어려운 면이 존재한다.

이들이 겪는 감정노동의 유형은 어떤 것들이 있을까? 만약 검침원의 일이 집집마다 방문하여 간단히 수도·가스 계량기를 확인해 수치를 입력하고, 고지서를 꼬박꼬박 전달하면 된다고 생각했다면 큰 오산이다.

검침원이 받는 가장 대표적인 스트레스는 민원인에게 듣는 폭언과 욕설이다. 해당 월에 납부가 지연되어 연체료가 부과된 경우, 일부 민원인들은 고지서를 받지 못했다고 일방적으로 화를 낸다. 그리고 특별한 요구 사항 없이 지속적으로 화풀이하는 민원인도 있다고 한다.

민원인이 고지서를 못 받았으니 연체료를 저희 검침원더러 내라고 합니다. "니가 고지서 안 줘서 내가 물지 않아도 될 연체료를 내게 생겼다.

그걸 내가 왜 내야 하냐?"라는 민원이 제일 많아요. 고지서가 광고 전단지에 묻혀 함께 버려질 경우가 있거든요. 우리는 가구 순서대로 고지서를 전달하기 때문에 중간에 빼먹는 경우가 생기지 않아요. 아파트나 연립주택 같은 경우는 해당 세대 우편함에 차례로 넣고 확인을 하기 때문에 배달 사고가 잘 생기지 않아요.

25만 가구를 관리하는 사업소에서 한 달에 1%의 고지서가 미송달되고, 그 중 절반의 민원인이 항의를 한다고 해도 전화는 1200통가량 오는 셈이 되니 50명의 검침원들이 감당해야 할 고통은 심각한 수준일 것이다. 특히 민원 제기 건수에 민감한 위탁 업체의 특성 때문에 민원인에게 일방적으로 저자세로 접근하고 사과부터 해서 상황을 가라앉히고자 하는 경우가 많이 발생한다.

민원인과 설치 대금 전액 및 지연 손해금 반환 소송을 겪고 있던 사십 대 전기계량기 수리직 노동자가 정신과 치료를 받던 중 스스로 목숨을 끊은 사건이 발생한 적이 있다. 산업안전공단의 보고서에 따르면 이 사고는 업무 처리와 관련한 소송과 민원에 따른 스트레스 때문에 우울증이 발병했고, 이로 인해 발생한 자살 사건이라고 판단해 산업재해로 승인했다고 한다. 감정노동에 대한 인식이 더디게 변화한다면 이처럼 참혹한 일이 또 다른 현장에서 발생하지 않으리라고 장담할 수 없을 것이다.

사업소 홈페이지나 서울시 홈페이지에 민원이 등록되면 업체 재계약에 큰 영향을 미치게 됩니다. 그러다 보니 민원을 제기한 내용에 대해 '무조건 사과'하고 제발 내용을 삭제해달라고 민원인에게 애원하게 됩니다. 이런 상황을 아는 사람들이 더 심하게 요구하기도 합니다.

필자가 방문한 업체에는 여성 검침원이 20% 정도 차지하고 있었는데, 아주 놀라운 이야기를 들려주었다.

> 여성 검침원이 가구를 방문할 때 생긴 일이에요. 남자 혼자 있는 집을 방문했는데 팬티 한 장만 걸치고는 "들어와서 검침하고 가세요"라고 했답니다. 그분 심정이 상상이 가시나요? 이런 상황에서도 아무런 대응을 못합니다.

대부분의 검침원이 심각한 상황에서 근무를 하고 있지만 이들을 보호하고자 하는 기관의 일관된 지침이나 보호 프로그램은 존재하지 않았다. 스트레스도 개인적으로 풀고 있을 뿐, 제대로 된 처방이나 치료와는 거리가 멀었다.

> 검침을 해야 하는 계량기가 차도나 주차장 등의 맨홀에 있는 경우가 있어요. 장애물을 치워주도록 공문을 발행하게 되어 있는데, 위(사업소)에서 그런 문제를 이행하지도 않아요. 그냥 가서 부탁하는 수밖에 없지요. 민원에 대해 워낙 만성화되어서 그런지 억울하지도 않아요. 오히려 위로 민원이 올라가는 게 더 큰 문제라서 그냥 사과하는 게 낫습니다. 일 끝나고 동료와 술 한잔 먹으며 기분 푸는 게 다예요.

3. '진짜 미소'로 공공서비스를 주고받는 사회

2014년도 녹색소비자연대가 감정노동과 관련해 소비자와 노동자를 대상으로 한 조사 결과에는 놀라운 사실이 담겨 있다. 노동자를 대상으로 '귀하가 제공하는 서비스에 대해 고객이 불편하고 과도하다는 말을 한 적이 있습니

〈그림 7-5〉 과도한 친절에 대한 노동자와 고객의 응답

(단위: %)

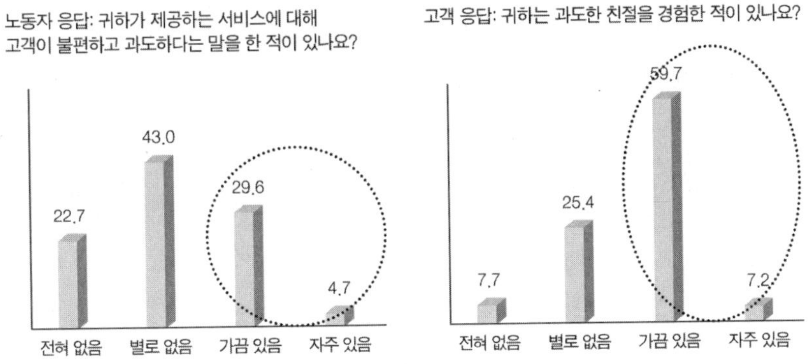

자료: 한인임(2014).

까?'라는 질문을 했으며, 그중 35.3%가 '있다'고 응답했다. 그리고 고객에게는 '귀하는 과도한 친절을 경험한 적이 있습니까?'라고 물었더니 무려 67.1%가 '있다'고 답했다. 이러한 결과는, 우리 사회가 과잉 친절로 서로 불편을 겪고 있다는 반증이라 할 수 있다.

감정노동에 따른 직무 만족과 직무 몰입의 감소, 스트레스와 이직률 증가 등은 이미 많은 연구를 통해 밝혀진 바 있다. 과도한 친절 교육과 규제, 감시와 모니터링은 노동자의 서비스 향상에 영향을 미치지 않으며, 오히려 악영향을 주고 있다는 결과도 여러 보고서에서 나타나고 있다. 적정한 수준의 친절, 자발적인 호의, 즉 '진짜 미소'가 필요한 시점인 것이다.

시민들은 공공 영역에서 감정노동을 통해 서비스를 제공하는 노동자들을 존중하고 격려할 수 있도록 인식을 높여야 하고, 관리자와 정부는 감정노동에 따른 피해 예방을 위한 지침과 감정노동자 보호를 위한 제도를 마련해야 한다. 악성 민원을 일삼는 사람들에게는 "법률을 위반하면 처벌받는다"라는 일관된 메시지를 전달해 예방 효과를 높여야 한다.

대다수의 민원인들은 정당하고 이유가 있어서 오시는 분들이에요. 해당 사안이 해결되거나 궁금증이 풀리면 자연스럽게 귀가하시는 분들이지요. 소수의 상식을 벗어난 민원인 때문에 일하는 사람이나 일반적인 민원인들 모두가 피해를 입고 있습니다.

다소 늦은 감이 있지만 국회와 정부, 지자체에서는 감정노동과 관련해 다양한 제도적 장치를 마련하고자 노력하고 있다. 이 책에 포함된 공공 부문 감정노동 가이드라인 또한 그 노력의 일환이라고 할 수 있다. 감정노동자 보호를 위한 다양한 노력들이 결실을 맺어 진짜 미소로 공공서비스를 주고받는 날이 오기를 기대한다.

제3부

대안과 길 찾기

08

중앙정부 차원의 법제도 현황과 개선 방향

김인아 한양대학교 보건대학원 교수

1. 감정노동 노동자의 건강 보호 방안[1]

1) 감정노동의 규범적 정의

감정노동자의 건강을 보호하기 위해 국회와 정부는 '산업안전보건법' 개정을 위해 지속적으로 노력하고 있다. '산업안전보건법'은 노동자의 건강과 안전을 보호하기 위한 사업주의 의무를 제시한 법으로 기본적으로 고용 관계를

1 이 절은 김인아 등이 안전보건공단(2013)의 연구 용역으로 수행한 보고서 「감정노동 근로자의 건강관리 방안 연구」와 송재철 등이 산업안전보건연구원(2015)의 용역으로 진행한 연구 보고서인 「고객 응대 업무 종사자의 건강 보호를 위한 사례 분석 및 제도 개선 관련 규제 영향 분석」에서 발췌해 수정·보완했다.

전제로 하고 있다. 따라서 노동자에 대해 보호조치를 취해야 하는 사업주를 정의하는 것이 가장 중요한 문제 중 하나이다. 그런데 감정노동에 따른 스트레스는 현재 '산업안전보건법'의 기본 구성 체계인 업종으로 대표되는 사업장 자체의 특성이 아니라 구체적인 직무의 내용과 업무 수행 방법에 따라 발생한다. 따라서 모든 사업주에게 적용을 하지 않는 이상 모든 감정노동자를 포괄하는 것은 매우 어렵다. 또한 현재 노동시장에서 다양한 형태의 노동계약을 통해 '노동관계법'의 기본 적용 대상이 되는 '근로자성'의 판단이 쉽지 않은 노동자들이 사업장에 흩어져 있다. 특히 서비스업에 이런 노동자들이 빠르게 확산되고 있다는 측면을 감안하면 제도적 포괄에는 일정 정도 한계가 있을 수밖에 없다. 한편 직업 분류에 따른 정의는 대중적으로 이해도가 높다는 측면에서 활용성이 높은 것은 사실이다. 하지만 직업 분류가 노동자 개인의 특성이지 법 적용의 대상이 되는 사업주 또는 사업장의 특성이 아니기 때문에 이를 공식 문서를 통해 확인하기는 어렵다는 점을 감안하면 관리·감독이 현실적으로 불가능할 수 있다.

따라서 상대적으로 객관적이고 명확한 확인이 가능하며 '산업안전보건법'의 위험 요인 또는 노출 중심의 기술 체계를 활용해 일차적으로 '고객 응대 업무'(업무 중 감정노동으로 인한 스트레스에 노출되는 특성을 살린 용어)를 수행하는 노동자를 고용하는 사업주를 규정의 대상으로 하는 것을 검토하고 있다. 즉, 감정노동을 사적인 영역인 '감정 관리'와 구분하고, 학술적 개념에서 강조하고 있는 사업장이 요구하는 표현 규칙의 의미를 포함하고자 '상품의 판매 또는 서비스의 제공을 위해 고객, 환자, 승객을 상대하는 경우'로 정의하자는 것이다. 또한 직접 대면 업무와 전화 등을 통한 간접 대면 업무 등의 고객 응대 방식을 규범적으로 정의하기 위해 '직접 대면 또는 음성 대화 매체 등'으로 구체화하는 것이 가능하다. 실제 이런 정의를 적용해 근로 환경 조사 등의 자료를 분석해보면 고객 응대 업무 종사자 중에서 폭언 등 작업장 폭력을 경험하는 비율이 고객 응대 업무가 주 업무가 아닌 근로자에 비해 두 배 정도 높았고 감정노동에 따라 감정 부조화를 느끼는 정도도 심했다. 이를 바탕으로 '상품의 판매 또는 서비스의 제공을 위해 고객, 환자, 승객 등을 직접 대면 또는 음성 대화 매체 등을 통해 간접 대면하는' 업무를 '고객 응대 업무'로 규범적으로 정의하고, 해당 노동자를 일정 규모 이상 고용하고 있는 사업주를 '산업안전보선법' 적용 대상으로 고려할 수 있을 것이다.

2) 외국의 법령 사례와 가이드라인

(1) 감정노동과 작업장 폭력 관련 법령

감정노동 및 작업장 폭력과 관련해 외국에서 제도적으로 주로 다루고 있는 것은 작업장 폭력이다. 작업장 폭력은 가해자를 고객에 국한하지 않는 것이 일반적이며, 최근 여러 국가에서 제도적 개선이 이루어지고 있다. 감정노동 또는 이와 관련한 감정적 요구도와 감정적 부조화 자체에 대한 예방 의무를 부과하거나 문제가 되는 직종을 대상으로 사업주에게 의무를 부과하는 방식으로 독립적으로 입법한 예는 다른 국가에서는 찾을 수가 없었다. 다만 최근 유럽을 중심으로 직무 스트레스 관리 및 예방과 관련해 변화가 있었는데 유럽연합의 지침에 따라 위험성 평가의 일환으로 감정적 요구도를 스트레스 요인 중 하나로 다루면서 이를 제도화했다.

가장 대표적인 예인 독일의 경우에는 2013년 '산업안전보건법'을 개정하면서 제4조 1항에 신체적 건강뿐만 아니라 정신적 건강(psychische Gesundheit)을 보호할 의무를 명시했고, 위험성 평가 의무를 규정한 제5조에 위험성 평가 대상으로 "근로에 있어서의 정신적 부담"을 추가했다. 이를 바탕으로 정신 건강에 대한 위험성을 평가하는 과정에서 활용할 수 있는 행동 방침들을 작성해 배포하고 있는데, 여기에는 '고객을 상대하는 서비스 업종의 감정노동'에 대한 행동 방침과 '정신 건강의 위험성 평가 지침'이 있다. 정신적 스트레스 위험성 평가 지침에는 업무 조직과 관련한 스트레스 요인을 평가에 포함했고, 노동자의 참여를 통해 개선 방안을 마련하도록 하고 있다.

일본의 경우에는 감정노동에 대한 별도의 정책적 개입은 없는 상황이나, 정신 건강 문제로 접근을 시도하며 법 개정을 하고 있다. 그러나 일본의 정신 건강 프로그램은 장시간 노동에 따른 부정적 영향을 줄이는 것을 그 목표로 하고 있어 한국의 제도적 개선 방향과는 차이가 있다. 2015년 12월부터 시행되고 있는 스트레스 확인 제도는 50인 이상 사업장의 경우 의무적으로 스트레스 요인, 스트레스 반응 등을 평가하고 전문가들이 적절하게 면담을 지도할 수 있도록 설계된 제도이다.

대부분의 유럽 국가에서는 감정적 요구도와는 달리 유럽연합의 지침에 따라 성희롱, 폭언, 따돌림 등에 대한 별도의 법을 갖추고 있다. 해당 법령에는 사업주의 모니터링과 위험성에 대한 평가와 교육, 건강 문제 예방을 위한 보건 관리 체계의 구축 등 예방과 관련한 다양한 조치를 포함하고 있다. 가해자에 대한 처벌 등 사건 발생 이후의 문제는 해당 법령에서 다루고 있지 않으며, '형법'이나 '민법' 등으로 처리하도록 하고 있는 것이 일반적이다. 사건 발생 시 사실관계에 대한 조사 의뢰 의무 등을 부과하는 경우는 있었고, 직장 내 폭력과 제3자에 의한 폭력을 구분하고 있는 것은 아니었다. 따라서 폭언 및 폭력에 대한 규정을 두고 있는 영국, 벨기에, 핀란드, 오스트리아, 독일 등에서는 '공중질서법', '차별금지법', '고용평등법', '성희롱예방법' 등의 형태로 다루고 있으며, 핀란드, 아일랜드, 스웨덴, 캐나다('노동법' 125장)에서는 '산업안전보건법' 체계 내에서 다루고 있다. 프랑스의 경우 '도덕적 위해'에 대한 규정을 '노동법'에 포함하면서 이에 따른 건강 장해 예방과 위험성 평가 등을 사업주의 안전 유지 의무와 같은 맥락으로 해석해 법을 적용하고 있고, 가해자는 '형법'에 적용되어 처벌되는 것으로 알려져 있다. 덴마크의 경우는 2015년 2월부터 '근로환경법(Working Environment Act)'에 근무시간 외의 장소에서 벌어지는 업무 관련 폭력을 예방할 의무를 사업주에게 부여했다. 주요 내용은 발생 가능성에 대한 위험성 평가, 예방 조치 마련, 가이드라인 개발, 교육, 문제 발생 시 경찰 신고 등이다. 또한 최근 타이완에서도 작업장 내 폭력 문제가 대두되면서 '산업안전보건법'이 개정되어(2014년 시행) 노동자가 작업장 폭력을 신고할 경우 사업주가 적절하게 예방 조치를 수행했는지 관할 행정기관이 감독하도록 했다. 타이완의 경우에는 위법행위라는 명시적이고 구체적인 기준으로 폭언과 폭력을 제시하며, 사업주의 예방 대책 마련을 구체적으로 제시하기보다는 이에 대한 감독 기관의 감독과 지도를 통해 제도가 간접적으로 운영될 수 있도록 마련한 방안이라는 점에서 다른 국가의 제도와 차이가 있다고 할 수 있다.

(2) 감정노동 관련 가이드라인의 주요 권고 사항

독일 연방노동사회부는 '고객을 상대하는 서비스 업종의 감정노동'에 대한 행동 방침(Handlungshilfen)을 제시한 바 있다. 이 행동 방침은 감정 발생의 원리부터 직장 생활에서 직원이 느끼는 감정과 회사가 요구하는 사항들과의 괴리, 이에 따라 노동자가 느끼는 심리적인 부담감의 단기적·장기적 결과를 설명하고, 감정을 다스리는 법, 즉 감정노동을 관리하는 방법을 기업의 입장과 직원의 입장에서 각각 열거함으로써 합리적이고 건강한 일터를 만들 수 있는 구체적인 방안을 제시하고 하고 있다. 기업의 입장에서 직원의 감정노동과 부담감을 감소시킬 수 있는 방법으로 직원의 배치전환, 표현 규칙의 제시 및 지속적인 개선, 스트레스 해소 교육, 고객 담당 부서와 대체 부서 설치, 업무 환경 개선, 서비스의 질 평가 및 보상, 관리자의 의사 결정 능력 향상, 동료의 격려 등을 제시하고 있다.

구체적인 예를 들면 다음과 같다. 직원이 짜증스럽고 많은 것을 요구하는 고객을 상대해야 하는 경우에는 성격이나 경력을 고려해 적절하게 직원을 배치해야 한다. 의사소통 능력과 같은 스트레스 해소법을 첫 교육과 정기 훈련 과정에서 주요하게 다루고 "노동자가 행복해야 고객이 행복하다(Happy worker and happy customers)"를 기치로 직원들의 업무 만족도를 높이는 동시에 노출 자체를 줄이기 위해 전담 부서를 마련하고, 직원 보호를 위해 모니터링을 실시하도록 한다. 직원들의 스트레스를 지속적으로 감소시켜 효율성을 증가시키는 방향으로 표현 규칙을 개선하는 한편, 양질의 서비스는 충분한 시간이 필요하므로 서비스의 신속성 이외에 노동자의 노력을 평가할 수 있는 방법을 모색하도록 하고 있다. 또한 불만을 표현하는 고객에 대해서는 직원들이 판단할 수 있도록 권한을 주고, 동료들이 서로 격려와 지지를 할 수 있도록 지속적인 노력을 해야 한다고 강조한다.

영국의 보건안전청은 2008년 발간한 보고서에서 감정노동이 긍정적인 측면과 부정적인 측면을 모두 가지고 있기 때문에 이를 단순히 전통적인 '스트레스 요인' 중 하나로 보고, 모든 직종을 아우르는 일반적 관리 요령을 제시하는 것은 부적절하고 지양해야 한다고 적시했다. 감정노동에 따른 스트레스를 예방하기 위해서는 부정적인 영향들을 제거하려는 노력과 함께 가능하다면 감정노동의 긍정적인 면도 같이 고양할 방법을 찾는 것이 적절한 관리 방법이 될 수 있다고 강조했다. 또한 감정노동이 건강에 미치는 영향은 다른 직무 특성들에 영향을 받아 변할 수 있으므로, 전통적인 직무 특성과 함께 통합적으로 관리해야 한다고 했다. 예를 들어 전통적인 직무 요구도를 함께 다루는 것이 감정노동을 단독으로 평가하고 관리하는 것보다 더 큰 영향력을 발휘할 수 있다는 것이다.

한편 오스트레일리아에서는 감정적 요구도가 있는 노동자들을 위한 여섯 가지 예방 지침을 다음과 같이 제시하고 있다.

① 가능한 한 노동자들에게 자신의 업무에 대한 재량권을 주어야 한다. 예를 들면 상품 환불에 대한 권한을 줌으로써 감정적 요구도를 줄이도록 해야 한다.
② 감정적 요구로부터 멀어질 수 있는 휴식 시간을 주어야 한다.
③ 감정적 요구가 심각해지는 상황을 해결(대처)할 수 있는 훈련을 제공해야 한다.
④ 특히 고객(환자, 소비자, 손님)을 상대하는 노동자들에게는 특별한 추가 훈련과 지지가 제공되어야 한다.
⑤ 고객의 폭력과 위협에 대한 위험(risk)을 평가하고, 그 위험을 관리할 수 있는 시스템을 개발하고 도입해야 한다.
⑥ 감정적인 요구도와 사고성 사건에 직접적 또는 간접적으로 연루된 노동자들에게 심리적이고 의학적인 지원을 해야 한다.

전체적으로 감정노동에 따른 스트레스를 감소시키기 위해 각 국가의 가이드라인에서는 노동자의 재량권, 전담 부서 설립, 적정 배치를 위한 노력, 정기적인 교육과 모니터링 등을 기본적인 대안으로 삼고 있다고 할 수 있다. 물론 해당 업무의 구체적인 특성에 맞는 세부적인 내용을 신중하게 검토할 필요가 있으며, 감정노동의 긍정적 면을 부각시키기 위한 존중과 지지 역시 매우 중요한 요소라 할 수 있다.

(3) 작업장 폭력 관련 주요 권고 사항

앞서 언급한 바와 같이 감정적 요구도와는 다르게 대부분의 유럽 국가는 유럽연합의 지침에 따라 성희롱, 폭언, 따돌림 등에 대한 별도의 법이 제정되어 있다. 따라서 법적으로 제시되어 있는 내용을 충분히 이해할 필요가 있다. 법령으로 제시된 내용 이외에 가장 구체적인 지침을 제공하고 있는 국가는 캐나다이다.

캐나다는 '노동법' 125장에서 사업주가 작업장에서 발생하는 폭력으로부터 노동자를 보호·예방하기 위해 규정된 양식에 맞는 예방 단계(step)를 갖추고 있어야 한다고 밝히고 있다. 특히 캐나다는 '산업안전보건 규칙' 2장에서 작업장 폭력 예방(Violence Prevention In the Work Place)에 관한 내용을 별도의 장으로 다루고 있는데(Occupational Health and Safety Regulation Division 2), 이에 따르면 먼저 사업장마다 폭력 예방에 대한 방침(policy)을 세워야 하고, 위험 요인들을 찾아내고 평가하며 실행할 의무가 있다. 그리고 실행한 예방법들을 검토해 폭력에 빠르게 대처할 수 있는 절차를 개발해야 한다. 또한 작업장 폭력에 잘 대처할 수 있는 전문가를 양성해 보고 및 조사 체계를 구축하고, 노동자들에게 적절한 정보와 교육, 훈련 등을 제공한다. 단계별 주요 내용은 다음과 같다.

1단계: 작업장 폭력 예방 정책(Workplace Violence Prevention Policy)

2단계: 작업장 폭력에 기여하는 위험 요인의 확인(Identification of Factors that Contribute to Workplace Violence)

3단계: 평가(Assessment)

4단계: 통제(Controls)

5단계: 작업장 폭력 예방 방법 검토(Workplace Violence Prevention Measures Review)

6단계: 작업장 폭력에 대한 반응 과정(Procedures in Response to Workplace Violence)

7단계: 보고 및 조사, 정보 제공, 교육 및 훈련(Notification and Investigation, Information, Instruction and Training)

3) 한국의 감정노동 관련 법령과 정책

(1) 산업안전보건법

'산업안전보건법'은 "산업안전·보건에 관한 기준을 확립하고 그 책임의 소재를 명확하게 해 산업재해를 예방하고 쾌적한 작업 환경을 조성함으로써 근로자의 안전과 보건을 유지·증진함"을 목적으로 하고 있다. 산업안전보건에 관한 기준을 확립하는 근거는 실제 작업장에서 발생 가능한 위험·유해·안전에 대한 정의에서 출발한다. 최근에는 산업구조의 변화와 함께 제조, 건설, 화학물질 중심의 위험·유해·안전에 대한 정의에서 벗어나 변화된 산업구조와 노동 특성에 따른 위험·유해·안전에 대해 새로운 접근이 필요하다는 문제 제기가 있었다. 이런 맥락을 반영한 대표적인 사례로 정신적 스트레스를 다룬 '산업안전보건법' 제5조(사업주 등의 의무)와 이와 관련해 직무 스트레스에 의한 건강 장해 예방 조치를 사업주의 의무로 규정하고 있는 '산업안전보건기준에 관한 규칙' 제669조를 들 수 있다. 그러나 제5조는 사업주의 일반적 의무를 규정하는 조항으로, 현재 사회적으로 문제가 되고 있는 감정노동 수행 과정에서 발생 가능한 스트레스를 예방할 구체적인 조치로 보기는 어렵다. 또한 보건 규칙 제669조에서 제시하고 있는 직무 스트레스 관련 규정은 과로에 의한 뇌심혈관계 질환의 예방을 목적으로 만들어진 조항이므로 감정노동 스트레스나 정신 질환과는 거리가 있다.

최근에 문제가 되고 있는 것은 고객 응대 중 발생할 수 있는 언어적 폭력이나 물리적 폭력이나 성희롱 등에 따른 노동자의 심리적 위축과 불안, 공포 유발 등이다. 이런 환경에 일시적·지속적으로 노출될 경우 심리적·정신적으로 치료가 필요한 질병이 발생할 수 있으므로 이에 대한 예방이 필요하다. 그러나 이와 관련해서는 현재 '산업안전보건법'상에서 적용할 만한 적절한 규정을 찾기 어려운 실정이다. 또한 최근 '산업안전보건법'이 산업구조의 변화에 맞춰 기존에는 적용에서 상당수의 서비스업까지 전면 적용 범위를 확대했음에도 여전히 사각지대는 존재한다.[2]

산업안전보건법

제5조(사업주의 의무)

① 사업주는 이 법과 이 법에 따른 명령에서 정하는 산업재해 예방을 위한 기준을 지키며, 해당 사업장의 안전·보건에 관한 정보를 근로자에게 제공하고, 근로조건을 개선해 적절한 작업 환경을 조성함으로써 신체적 피로와 정신적 스트레스 등으로 인한 건강 장해를 예방함과 동시에 노동자의 생명을 지키고 안전 및 보건을 유지·증진시켜야 하며, 국가의 산업재

2 50인 미만의 '도매 및 소매업', '숙박 및 음식점업', '예술, 스포츠 및 여가 관련 서비스업', '기타 개인 서비스업'은 안전 보건 교육을 받지 못하는 적용 제외 업종이다. 교육 서비스업의 경우에는 '산업안전보건법' 제2장 안전보건 관리 체계, 제3장 안전보건관리 규정, 제29조 도급 사업 시의 안전보건조치, 제31조 안전보건 교육, 제32조 관리 책임자 교육 등에서 모두 제외된다. 이 업종에 속하는 노동자 중에는 고객 상대 업무를 하며 감정노동에 종사하는 노동자가 포함되어 있을 가능성이 높고, 해당 사업장들의 규모가 전반적으로 소규모라는 점을 감안하면 서비스업 노동자의 상당수가 보건 관리의 사각지대에 있다고 할 수 있다.

해 예방시책에 따라야 한다. 이 경우 사업주는 이를 준수하기 위해 지속적으로 사업장 유해·위험요인에 대한 실태를 파악하고 이를 평가해 관리·개선하는 등 필요한 조치를 하여야 한다.

산업안전보건기준에 관한 규칙

제669조(직무 스트레스에 의한 건강 장해 예방 조치) 사업주는 노동자가 장시간 근로, 야간작업을 포함한 교대작업, 차량운전[전업(專業)으로 하는 경우에만 해당한다] 및 정밀기계 조작작업 등 신체적 피로와 정신적 스트레스 등(이하 '직무 스트레스'라 한다)이 높은 작업을 하는 경우에 법 제5조 제1항에 따라 직무 스트레스로 인한 건강 장해 예방을 위하여 다음 각 호의 조치를 하여야 한다.

1. 작업환경·작업내용·근로시간 등 직무 스트레스 요인에 대하여 평가하고 근로시간 단축, 장·단기 순환작업 등의 개선대책을 마련하여 시행할 것
2. 작업량·작업일정 등 작업계획 수립 시 해당 노동자의 의견을 반영할 것
3. 작업과 휴식을 적절하게 배분하는 등 근로시간과 관련된 근로조건을 개선할 것
4. 근로시간 외의 노동자 활동에 대한 복지 차원의 지원에 최선을 다할 것
5. 건강진단 결과, 상담자료 등을 참고하여 적절하게 근로자를 배치하고 직무 스트레스 요인, 건강문제 발생가능성 및 대비책 등에 대하여 해당 근로자에게 충분히 설명할 것
6. 뇌혈관 및 심장 질환 발병위험도를 평가해 금연, 고혈압 관리 등 건강 증진 프로그램을 시행할 것

(2) 근로기준법

'근로기준법'은 제8조(폭행의 금지)에서 "사용자는 사고의 발생이나 그 밖의 어떠한 이유로도 근로자에게 폭행을 하지 못한다"라고 정하고 있으며, 이를 위반한 경우 5년 이하의 징역 또는 3000만 원 이하의 벌금에 처하도록 하고 있다. 이 조항은 사업주의 노동자에 대한 폭행만을 금지하고 있어 폭행의 주 행위자가 고객 또는 상급자가 되고 있는 현실을 규제하기 어려우며 폭언이나 정신적 폭력 문제가 제외되어 있다는 한계가 있다. 고용 관계의 외부에 있는 고객에 대한 조치를 '근로기준법'상에 정할 수 없으나, 고객, 상급자, 동료가 가하는 폭언, 폭행, 인격 무시에 대해 사업주가 이를 예방하고 조치를 취하도록 하는 규정은 필요할 것으로 판단된다. 따라서 다양한 관련 법령을 검토해 상급자나 동료로부터의 작업장 폭력에 대한 사업주의 적극적인 개입과 제도적 지원의 근거를 마련할 필요가 있다.

(3) 남녀 고용 평등과 일·가정 양립 지원에 관한 법률

현행 '남녀 고용 평등과 일·가정 양립 지원에 관한 법률' 제12조와 제14조에서는 '직장 내 성희롱의 금지'와 '직장 내 성희롱 발생 시 조치'에 대한 내용이 포함되어 있다. 해당 조항에서 '직장 내 성희롱'이란 사업주·상급자 또는 노동자가 직장 내에서의 지위를 이용하거나 업무와 관련해 다른 노동자에게 성적 언동 등으로 성적 굴욕감 또는 혐오감을 느끼게 하거나 성적 언동 또는 그 밖의 요구 등에 따르지 아니했다는 이유로 고용에서 불이익을 주는 것으로 정의된다. 해당 조항은 사업주, 상급자, 동료의 성희롱을 금지하고 처벌 규정을 둘 뿐 아니라, 사업주는 직장 내에서 성희롱이 발생할 경우 즉각적인 조치 의무를 다하도록 규정하고 있다.

그러나 감정노동 과정에서 주로 발생하는 형태는 고객 등 제3자에 의한 성

희롱이다. 이는 현행 법률에서 제시하는 직장 내 성희롱에 포함되는 것이 아니다. 현재는 제3자에 의해서 발생하는 성희롱은 '제14조의2 고객 등에 의한 성희롱 방지' 조항의 적용을 받는다. 해당 조항에 따르면 노동자가 고충 해소를 요청할 경우 근무 장소 변경, 배치전환 등 가능한 조치를 취하도록 노력해야 한다고 되어 있으며, 이에 따른 불이익을 금지한다. 이는 직장 내 성희롱 발생에 비해 상대적으로 사업주의 의무가 완화되어 있는 상태로서, 사업주는 고객이나 거래처 직원 등 업무 수행상 밀접한 관계를 맺고 있는 이의 성희롱 예방과 대응에 소홀해지며, 행정감독 또한 부족하게 만드는 원인이 된다.

이와 관련해 해당 조항에 사업주의 조치 의무를 강화하고 최근 개정된 '성폭력 범죄 처벌 등에 관한 특례법' 또는 '형법'에 등 관련 법령에 따라 처리할 수 있도록 해야 할 것이다. '성폭력 범죄의 처벌 등에 관한 특례법'에서는 '형법' 제298조(강제 추행), 제303조(업무상 위력 등에 의한 간음)를 포함해 성폭력 범죄를 정의하고 있다. 또한 제11조(공중 밀집 장소에서의 추행), 제13조(통신 매체를 이용한 음란 행위) 및 이와 관련한 미수범(제15조)에 대한 처벌 규정이 포함되어 있다. 또한 성폭력 범죄에 대한 친고죄를 폐지했다. 이와 같은 최근의 상황을 감안하면 제3자에 의한 성폭력 발생 시에 관련 법령에 따라 가해자 처벌이 가능하도록 사업주가 취할 수 있는 법적 조치에 대해 검토하고, 이런 검토 결과를 바탕으로 남녀 고용 평등과 일·가정 양립 지원에 관한 법률 제14조의2의 관련 항목을 보완하는 방안을 검토할 필요가 있다.

4) 개선 방안

현재까지 국회에서 논의 중인 의원 입법안 대부분은 '감정노동'이라는 용어를 직접 정의·사용하고 있다. 그렇지만 작업장 폭력의 상당수가 감정노동을 수행하는 노동자에게 더 빈번하게 나타날 수는 있으나 반드시 그에 국한된 현상은 아니라는 점, 감정노동이라는 용어가 다른 노동 방식이나 작업 방식과 명확히 구별될 수 있도록 규범적으로 정의되기 어렵다는 점, '산업안전보건법'이 업종과 유해 인자를 중심으로 사업주의 의무와 준수 사항에 관해 규제 체계를 구축하고 있다는 점, 감정노동이 이를 수행하는 노동자의 건강에 일관되게 악영향만 미치는 것은 아니라는 점, 감정노동을 수행하는 노동자의 건강에 직접 영향을 주는 것이 업무 수행 과정에서 나타나는 감정 부조화인데, 이는 스트레스 반응에 의한 것이라는 점 등이 간과되고 있다.

이런 문제 때문에 앞서 살펴본 바와 같이 서비스업을 중심으로 한 고객 응대 업무 종사자의 건강 보호와 관련된 외국의 입법 흐름은 '감정노동' 또는 '고객 응대 업무'를 독립된 법적 용어로 규정해 법령 체계를 구축하지 않고, 사회심리적 요인 또는 직무 스트레스의 예방과 그에 대한 대책을 중심으로 법령 체계를 구축하고 있다. 관련 조치 역시 사업주의 자발적인 위험성 평가를 중심으로 형성하도록 하고 있고, 작업장 폭력에 관한 사항은 '산업안전보건법'과는 다른 별도의 법령에서 사업주의 의무로 규정하는 것이 일반적이라 할 수 있다. 그에 따라 최근 작업장 폭력 문제가 현실적인 이슈로 대두되면서 별도의 법적 체계를 형성하는 국가도 늘어나고 있다.

한편 최근까지 한국의 '산업안전보건법'은 변화된 산업구조와 노동시장을 충분히 반영하는 데 한계가 있어, 많은 수의 비정규직 노동자나 서비스업 노동자, 취약 계층 노동자가 법적 보호의 사각지대에 있다. 따라서 감정노동 때문에 발생하는 스트레스와 이에 따른 건강 장해 예방을 위한 입법 방향을 설정하면서 변화된 노동시장과 산업구조를 반영해 새로운 위험에 선제적으로 대응할 수 있는 체계를 마련하는 계기로 삼아야 한다. 특히 감정노동에서 비롯된 스트레스가 업무의 성격을 나타낼 뿐 구체적인 유해 인자나 대상을 특정하기 어려운 점을 감안해 현행 체계에 따라 유해 인자에 대한 노출을 중심으로 대상을 정의하는 한편, 현재 한국의 법체계상 제외되어 있는 정신 질환 관리 및 정신 건강 증진을 위한 체계를 구축할 필요가 있다. 이를 위해서는 다른 보건관리자 규정이나 위험성 평가 규정 등과의 결합 등 서비스업의 보건관리를 위한 장기 계획도 수립해야 한다.

감정노동에 따른 스트레스의 해결 방향은 우리 사회 노동의 재구성이라는 측면에서 접근할 필요가 있다. 감정노동 업무를 '가치 있고, 보람 있는 일'을 할 수 있는 일자리로 인식하고, 일자리의 정책 방향 수립이 진행되어야 하는데, 실제 이런 업무를 수행하는 노동자를 존중하는 문화를 확산하는 것은 노동자의 기본권 향상을 위해서도 중요한 문제이다. 감정노동 업무와 직무가 '욕먹는 낭비적인 일(waste)'이 아니라, '보람 있는 직무(good job)'와 '가치 있는 일(worthwhile)'로 전환되는 것은 사실 감정노동이 상품화된 노동이 아닌 탈상품화된 노동으로의 전환이라는, 노동의 재구성을 의미하는 것이다.

2. 감정노동과 정신 건강의 이해와 산업재해 보상[3]

1) 한국 노동자의 정신 건강

정신 질환은 전 세계 질병 부담 중 가장 많은 부분을 차지하는 질환이다.

3 이 부분은 김인아 등이 고용노동부의 위탁을 받아 수행한 정책 연구 용역 보고서인 「정신 질병의 업무 관련성 판단 및 요양 방안 연구」(2013)와 「감정노동으로 인한 업무상 질병 인정 범위 및 기준에 관한 연구」(2015)에서 발췌해 수정·보완했다.

세계보건기구는 2004년 전체 장애보정생존년(Disability-Adjusted Life Year: DALY)[4]의 4.2%를 차지하고 있던 주요 우울 장애가 2030년 6.2%를 차지하면서 질병 부담 1순위를 차지할 것으로 예측했다. 일반 인구에서의 유병률 역시 증가하고 있는데, 2011년 64세 이하를 대상으로 한 역학조사에서 주요 우울 장애의 평생 유병률은 6.7%, 외상 후 스트레스 장애의 평생 유병률은 1.6%로 추정되었다(보건복지부, 2013). 또한 익히 알려져 있는 것과 마찬가지로 한국은 OECD 가입 국가 중에서 자살률이 가장 높은 나라이다. 이렇다 보니 조기 사망에 따라 소모된 연수(YLL)가 두 번째로 많은 사건이 자살이었다. 1990년에 비해 143%가 증가한 것이다(세계보건기구, 2010). 특히 한국에서의 자살 원인에 대해 분석한 연구 결과에 따르면 2012년 전체 자살 건 중 40.4%는 경제적 어려움 때문이었고, 정신 질환 또는 질병에 의한 어려움에서 비롯된 자살이 12.5%, 직장 관련 문제에 의한 자살이 7.4%였다는 것을 감안할 때 전체 자살률 중 업무 또는 직장과 직간접적으로 관련 있는 비율이 상당하다고 할 수 있다. 실제 자살자 중 직업이 있는 노동자의 비율은 2007년에 32.9%로 가장 낮았으며 2008년부터 2011년까지는 35% 정도를 유지하고 있다. 이는 일본 26.8%에 비해 약 10% 정도 높은 수치이다(우종민, 2013). 특히 최근에는 관리자, 사무직, 서비스직, 판매직 등에서 자살률이 급격히 증가하고 있음을 주목할 필요도 있다(윤진하, 2013).

---

4 특정 질환에 따라 장애로 소모된 연수(YLD)와 조기 사망에 따라 소모된 연수(YLL)를 더해 측정하는 지표로 해당 질환에 의한 사망뿐만 아니라 평균 질병 이환 기간을 통해 투병한 기간까지 고려해 질환의 상대적인 경중을 용이하게 판단할 수 있는 지표이다. 소모된 연수는 임의로 정해지는 어떤 수명의 한계에서 특정 사인에 따라 조기 사망한 시점의 연령을 차감해 계산한다. 이 특정 질병이 가져오는 장애의 종류와 그 중증도에 따라 가중치를 부여해 계산하게 된다.

이런 상황에 따라 노동자 정신 건강에 대한 기업들의 관심이 증가하고 있다. 2012년 삼성경제연구소가 발표한 보고서는 한국 노동자의 정신 건강 문제와 관련해 다양한 자료를 제시하고 있다. 이 보고서에 따르면 실제 정신 질환으로 인한 진료 건수가 2004년 약 160만 명에서 2010년 230만 명으로 1.5배 증가했으나, 의료 이용율은 여전히 낮은 수준이라고 지적했다. 특히 35~44세 대비 45~55세 노동자의 정신 질환 비율이 한국의 경우 3.52%로 오스트레일리아가 0.75%, 영국이 1.16%, 미국이 1.53%인 것과 비교했을 때 매우 높다. 이렇다 보니 정신 질환으로 인한 사회·경제적 비용은 한 해 동안 약 23조 원으로 GDP의 2.01% 정도로 추정되었다. 전체 약 23조 원 중 작업 손실 비용이 약 20조 원으로, 정신 질환에 따른 경제적 손실이 매우 커 사업장에서 이를 관리하기 위해 집중적으로 노력할 필요가 있다고 지적했다.

이렇게 정신 질환에 대한 관심과 중요성이 증가하는 가운데, 감정노동을 수행하던 다양한 노동자들의 자살과 정신 질환이 주목을 받게 되었다. 백화점 판매원, 전자 제품 수리공, 사회복지사, 경찰공무원, 항공기 승무원, 아파트 경비원 등이 직장 동료나 상사 또는 고객에 의한 폭언, 열악한 노동조건, 만성적 스트레스 등을 이유로 스스로 목숨을 끊는 경우 및 정신 질환을 호소하는 경우가 발생했으며, 이에 따라 산업재해보상보험 보상 신청이 증가했다. 즉, 감정노동을 수행하면서 다양한 폭언과 폭력에 시달리고 만성적인 감정적 부조화를 겪을 수 있는 노동자들의 정신 질환에 대한 보상 및 예방에 대한 관심이 증가하고 있는 것이다.

2) 감정노동, 작업장 폭력과 정신 건강의 관련성

감정노동에서 비롯된 스트레스에 대한 연구는 아직까지 부족한 수준이다.

김인아 등의 연구진이 실시한 체계적 문헌 고찰에 따르면 감정노동과 우울증을 비롯해 정신 건강을 다룬 논문은 현재까지 12편에 불과했다. 한국에서의 관심도가 반영되어 국내에서 진행된 연구가 7편이었고, 나머지는 미국, 네덜란드, 독일, 프랑스 등에서 진행되었다. 미국에서 진행된 두 연구는 모두 단면 연구로, 감정적 부하를 비롯한 감정노동의 구성 요소들이 우울 증상 혹은 정신 건강과 관련성이 있는 것으로 보고하고 있다. 국내에서 진행된 연구는 대부분 원인과 결과 사이의 원인적 관련성을 확인하기 어려운 단면 연구로, 우울 증상은 모두 의학적 진단이 아닌 자기 기입식 설문지를 이용해 평가했다. 이와 같은 애로 사항에도 감정노동의 강도, 빈도, 부조화 등과 우울 증상은 관련이 있는 것으로 드러났다. 즉, 감정노동 때문에 스트레스를 많이 받을수록 우울감을 느낄 가능성이 높을 수 있다고 해석할 수 있으며, 우울감이 있는 사람이 감정노동을 더 힘들게 느낀다고 해석할 수도 있다.

작업장 폭력에 따른 건강 영향에 대한 연구는 총 16편 정도가 있는데, 작업장 폭력, 왕따, 언어폭력, 사고의 경험이 있는 노동자에게서 우울 증상을 비롯한 정신 건강의 위험이 증가했다는 것을 알 수 있다. 덴마크에서 수행한 코호트(cohort) 내 환자-대조군 연구에 따르면 위협과 폭력 수준을 고위험(〉20%), 중등도(0~20%), 저위험(0%)으로 구분해 분석한 결과 여성의 경우 의사 진단 우울증은 폭력의 위험이 높은 경우 1.45배, 위협의 위험이 높은 경우에는 1.48배까지 증가했다. 남성의 경우에는 폭력에 대한 고위험군에서 우울증의 발생이 1.48배 증가했다.

감정노동이 정신 건강에 부정적인 영향을 끼칠 수 있다는 지적은 감정노동 자체가 가지고 있는 특성에서 기인한다. 조직에서 요구하는 감정 규칙을 준수하기 위해 노동자들은 자신이 '어떻게 느끼는가'보다는 '어떻게 느껴야 하는가'라는 감정 규칙에 의해 통제받고, 실제 자신의 감정 상태와 요구되는 감정 상태 사이의 감정적 불일치를 경험하게 된다. 한편 혹실드는 조직에서 노동자에게 '진심 어린' 미소를 광고하고, 그 미소를 만들도록 노동자를 훈련시키고, 그것을 감독하는 일련의 활동들이 기업의 이익 창출을 위해 더욱더 관리되고 체계화된다고 보았다. 또한 감정이 교환되는 시장에서 노동자는 고객의 부당한 요구와 기대를 참아내야 하는 불균등한 지위 관계에 놓이게 될 수 있다는 점에서 노동자 자신의 감정, 표현, 진정한 자아로부터 소외되는 결과를 낳을 수 있다고지적했다.

그랜디(Grandey, 2000)는 기존의 연구에서 감정노동의 결과로 직무 스트레스, 소진 등이 연구되고 있지만, 이 둘 간의 관계는 불분명하다고 지적하면서 감정노동에 대한 통합적인 모델이 필요하다고 주장했다. 그랜디는 감정노동이 개인이나 조직의 건강에 영향을 미치는 과정을 상황적 단서, 감정 규제 과정, 장기적 결과 등 세 단계로 구분했다. 먼저 상황적인 신호들에는 노동자와 고객이 상호작용하는 과정에 영향을 주는 요인들(빈도, 기간, 다양성, 표현 규칙 등)과 노동자가 경험하는 감정적인 사건들(부정적·긍정적)이 포함된다. 감정 규제 과정에서는 감정노동을 표면 행위와 내면 행위로 구분해, 실제 감정노동이 작동하는 과정에 영향을 주는 개인적 요인들(젠더, 표현 능력, 감성 지능, 정서 상태)과 조직적 요인들(직무 자율성, 관리자의 지원, 동료 간의 지원)을 제시했다. 마지막 단계인 장기적인 결과 단계에서는 감정노동이 지속될 경우 나타나는 결과를 개인적 차원(직무 소진과 직무 만족도)과 조직 차원(업무 성과와 철회)으로 구분하고 있다.

현재까지의 연구에서는 감정노동의 부정적 결과인 우울 증상 또는 신체 증상에 관한 조사가 일부 이루어졌으며, 대부분의 연구는 소진, 직무 만족도 및 이직 의도, 조직 시민 행동에 대한 것으로 감정노동의 건강 영향에 대한 연구는 매우 드문 편이다. 그러나 감정노동이 직무 스트레스 요인의 하나로 스트

〈그림 8-1〉 감정 규제에 대한 개념적 틀

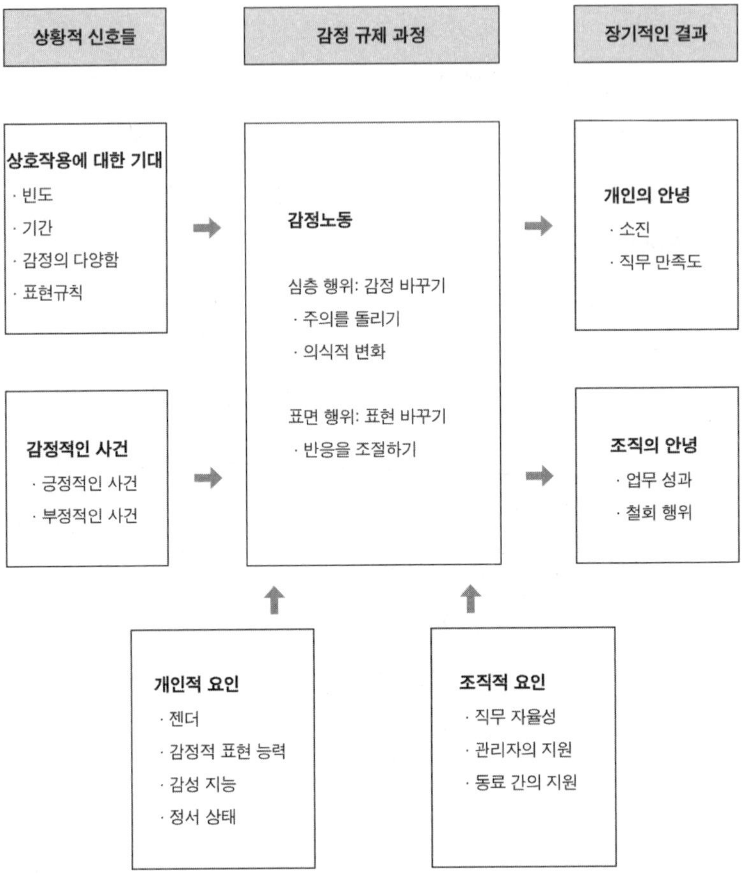

자료: Grandey(2000).

레스 반응을 유발해 건강에 영향을 미친다는 점을 생각할 때, 지금까지 직무 스트레스가 건강에 영향을 미쳐 발생한다고 알려진 작업 관련성 뇌심혈관 질환, 작업 관련성 근골격계 질환, 소화기 질환 등의 다양한 건강 문제와 관련이 있을 가능성이 있다. 그러나 아직까지는 관련 연구가 초기 단계이므로 앞으로 다양한 건강 결과와 감정노동의 관련성을 연구할 필요가 있다.

3) 산업재해 보상 관련 법령 및 실제 사례

(1) 산업재해보상보험법

감정노동 및 작업장 폭력을 스트레스 요인 중 하나로 판단할 때 고려해야 할 업무상 질병으로는 자살과 정신 질병이 있다. 다만 자살의 경우에는 '산업재해보상보험법'상 자해 행위가 원칙적으로 업무상 질병으로 인정이 되지 않으며, 자해 행위 발생 이전에 업무와 관련한 정신 질병이 발생한 경우에 한해 인정이 되고 있다. 따라서 이를 기준으로 정신 질병의 업무 관련성 판단에 중점을 두어야 할 것으로 판단된다. 즉, 자살 시도 또는 자살을 하게 된 결정적 계기가 업무 때문이라 하더라도, 인식능력이 정상적인 상태에서 복수심이나 분노의 표현을 위해 자살을 시도했을 경우에는 산업재해 보험의 대상이 되지는 않는다는 것이다. 이것은 사회보험의 특성에서 기인한 윤리적 문제와 관련이 있다. 따라서 자살이나 자해의 산업재해 보상을 위해서는 자살 시도 이전에 정상적인 인식능력이 뚜렷이 저하된 상태였다는 것이 확인되어야 하고, 그러한 인식능력의 저하가 업무와 관련해 발생한 것이라는 근거가 충분해야 한다.

한편 현행 '산업재해보상보험법' 시행령 별표의 업무상 질병 인정 기준에 따라 작업장 폭력에 의한 외상 후 스트레스 장애는 인정이 가능한 업무상 질병으로 이미 명시되어 있으며, 최근에는 고객 등의 폭력 및 폭언에 의한 적응 장애와 우울병 에피소드가 추가되었다. 이는 일본을 제외하면 국제적으로 가장 포괄적인 보상 기준이라고 할 수 있다.

산업재해보상보험법

○ 산업재해보상보험법 제37조(업무상 재해의 인정 기준) 2호 근로자의 고의·자해 행위나 범죄행위 또는 그것이 원인이 되어 발생한 부상·질병·장해 또는 사망은 업무상의 재해로 보지 아니한다. 다만, 그 부상·질병·장해 또는 사망이 정상적인 인식능력 등이 뚜렷하게 저하된 상태에서 한 행위로 발생한 경우로서 대통령령으로 정하는 사유가 있으면 업무상의 재해로 본다.

○ 산업재해보상보험법 시행령 제36조(자해행위에 따른 업무상의 재해의 인정 기준) 법 제37조 2항 단서에서 "대통령령으로 정하는 사유"란 다음 각 호의 어느 하나에 해당하는 경우를 말한다.

1. 업무상의 사유로 발생한 정신질환으로 치료를 받았거나 받고 있는 사람이 정신적 이상 상태에서 자해행위를 한 경우
2. 업무상의 재해로 요양 중인 사람이 그 업무상의 재해로 정신적 이상 상태에서 자해행위를 한 경우
3. 그 밖에 업무상의 사유로 정신적 이상 상태에서 자해행위를 했다는 것이 의학적으로 인정되는 경우

○ 산업재해보상보험법 시행령 제34조 3항 (별표 3) 4호 바 목 업무와 관련하여 정신적 충격을 유발할 수 있는 사건에 의해 발생한 외상후스트레스 장애

○ 산업재해보상보험법 시행령 제34조 3항 (별표 3) 4호 사 목 업무와 관련해 고객 등에 의한 폭력 또는 폭언 등 정신적 충격을 유발할 수 있는 사건 및 이와 직접 관련된 스트레스로 인하여 발생한 적응 장애, 우울병 에피소드

(2) 일본 등 외국의 예

현재 정신 질환에 대한 업무상 질병 인정은 전 세계적으로 외상 후 스트레스 장애를 제외하고는 매우 제한적이라고 할 수 있다. 국제노동기구의 직업병 목록에는 2010년 '외상 후 스트레스 장애'가 포함되었고, 일부 유럽 국가가 이를 포함하고 있다. 그러나 외상 후 스트레스 장애를 제외한 다른 질병이 법령상의 목록에 제시되어 있는 경우는 거의 없으며, 일부 보상을 해주는 국가의 경우에도 주요 질병은 외상 후 스트레스 장애, 우울증, 적응 장애, 불안 장애 등이었다. 특히 감정노동자를 대상으로 한 인정 기준이 없었다. 다만 작업장 폭언이나 폭력은 대부분 정신 질환의 유발과 관련이 있는 유해 인자로 판단하고 있다.

정신 질병에 대한 가장 구체적인 판정 지침이 있고, 최근에 이를 개정한 일본은 승인까지의 소요 시간을 단축하기 위해 행정 담당자들이 바로 적용할 수 있는 지침을 만들었다. 이 지침의 내용을 살펴보면, 우리나라와 마찬가지로 감정노동 자체에 대한 고려가 두드러지지는 않지만, 감정노동을 수행하는 과정, 즉 고객과의 갈등에 따른 스트레스 수준을 평가해 정신 질환에 대한 산업재해 승인 여부를 판단하고 있다. 일본은 '노동기준법 시행규칙 별표 제1의2'에 "9. 생명을 위협하는 사고의 발생, 기타 심리적으로 과도한 부담을 주는 사건을 수반하는 업무에 의한 정신 및 행동 장애 또는 이와 관련된 질병"이 2010년 5월 새롭게 목록에 추가되었다(정신 장해의 산업재해 인정 기준에 관한 전문가 검토회, 2011). 1999년 9월 14일에 공포된 기발 제544호로 '심리적 부하에 의한 정신 장해 등과 관련한 업무상 외의 판단 지침에 대해'를 바탕으로 업무 관련성에 대한 판단을 실시했다. 그러나 2011년 12월 인정 기준을 새롭게 개정했는데 여기에서는 원인이 되는 구체적인 스트레스 사건을 명시하고 그 강도를 강, 중, 약의 세 단계로 나누어 행정 직원이 판단하도록 되어 있다. 판단이 어

〈표 8-1〉 일본 정신 질환의 업무상 질병 인정을 위한 스트레스 수준 평가표

구체적 사건	고객이나 거래처로부터 무리한 주문을 받음	고객이나 거래처로부터 불만 사항을 들음
평균적 부하	중	중
종합 평가 고려 사항	· 고객, 거래처의 중요성, 요구되는 내용 등 · 사후 대응의 곤란성 등	· 고객이나 거래처의 중요성, 회사에 미치는 손해의 내용, 정도 등 · 사후 대응의 곤란성 등[1]
심리적 부하 판단 예		
강	· 통상이라면 거절하는 것이 분명한 주문(실적에 현저한 악화가 예상되는 주문, 위법 행위를 내포하는 주문 등)이지만, 중요한 고객이나 거래처이기 때문에 이를 주문받아 타 부문이나 다른 거래처와 곤란한 조정을 하게 된 경우	· 고객이나 거래처로부터 중대한 불만 사항(거액의 거래를 하는 고객의 상실을 초래하는 것, 회사의 신용에 현저한 영향을 미치는 것 등)을 지적받아, 이에 대한 해결을 위하여 타 부문이나 다른 거래처와의 곤란한 조정을 하게 된 경우
중	● 고객이나 거래처로부터 무리한 주문을 받음 ('중'에 해당하는 예) · 업무와 관련해, 고객이나 거래처로부터 무리한 주문(큰 폭의 단가 인하나 납기일의 앞당김, 반복되는 설계 변화 등)을 받아, 어떤 형태로든 사후 대응을 시행함.	● 고객이나 거래처로부터 불만 사항을 들음 ('중'에 해당하는 예) · 업무와 관련해, 고객 등으로부터 불만 사항(납품 물건의 부적합에 대한 지적 등 그 내용이 타당한 것)을 들은 경우
약	· 동종의 경험이 있는 근로자라면 달성 가능한 주문을 받아, 업무 내용과 업무량에 어느 정도의 변화가 있었던 경우 · 요망되는 업무는 있었으나, 달성을 강하게 요구받은 것은 아니고 업무 내용이나 업무량의 큰 변화는 없었던 경우	· 고객으로부터 불만 사항을 접수했으나, 특별히 대응이 요구되는 것은 아니며 거래 관계나 업무 내용, 업무량에 큰 변화도 없었던 경우

주: 1) 본인의 과실이 없는 불만 사항인 경우에 평가한다. 본인의 실수에 의한 경우는 별도의 항목으로 평가한다.

려운 경우에는 전문가에게 의뢰할 수 있다. 스트레스 목록에는 감정노동 또는 작업장 폭력과 관련된 평가 항목으로 볼 수 있는 사항이 명백히 제시되어 있지 않다. 즉, 감정노동을 수행하는 노동자의 업무 자체 특성이나 고객에 의한 폭언 및 폭력 등이 구체적인 인정 기준에 포함되어 있지 않으며, 작업장 폭력과

관련한 것은 주로 직장 내 폭력에 해당하는 사건이다. 일본에서 정신 질환이 산업재해로 인정을 받기 위해서는 첫째, 대상 질병이 발병된 상태여야 하며, 둘째, 대상 질병이 발병하기 전 대략 6개월 사이에 업무에 의한 강한 심리적 부하가 인정되어야 하고, 마지막으로 업무 이외의 심리적 부하가 있었다거나 또는 개인적 요인에 의해 대상 질병이 발병했다고 인정될 만한 근거가 없어야 한다. 감정노동 문제와 관련이 있다고 볼 수 있는 항목인 '고객이나 거래처로부터의 무리한 주문과 불만'에 대한 평가 지침은 앞의 〈표 8-1〉과 같다.

(3) 실제 승인 사례

일부 산업재해 신청 건에 대한 재해 조사서와 신청 서류, 업무상질병판정위원회 심의 안건 등을 검토해 직접적으로 고객을 상대하는 업무를 하는 감정노동 종사자들의 사례 중 대표 사례의 신청 경과와 질병 발생 양상 등을 정리해보았다. 해당 사례들은 산업재해로 인정받은 사례이기는 하지만, 이를 일반화해 승인 양상을 정형화하는 것은 매우 조심해야 한다. 실제 업무상질병판정위원회에서 정신 질환과 직업과의 관련성을 판단하는 데는 진단의 정확성, 해당 질병과 스트레스의 일반적인 관련성, 주요 스트레스 요인과 강도, 개인의 취약성, 회피 가능성, 사회적 지지 체계의 존재 여부 등이 종합적으로 고려되기 때문이다. 따라서 일반 노동자들이 보기에는 같은 질환에 같은 진단명을 받았음에도 승인 여부가 달라지는 경우가 있을 수 있으며, 그렇기에 성급한 일반화는 매우 주의해야 한다.

그런데도 감정노동을 수행하는 노동자들의 일반적인 스트레스 수준을 감안해 작업 과정 중에 경험한 폭언 등이 주된 스트레스 요인이 되어 우울 장애나 적응 장애 등이 발생한 경우에는 비교적 일관되게 산업재해를 인정하는 경향을 보이고 있다고 할 수 있다. 물론 가장 흔하게 인정되는 경우는 작업장 폭력 등에 노출이 되고 난 후 발생하는 외상 후 스트레스 장애나 급성 스트레스 반응이라고 할 수 있다.

한국의 인정 사례들은 질병 발생 이전에 특정한 사건을 경험한 경우에 승인되는 일이 많았는데, 주요 사건들로는 고용상의 문제(권고사직 등), 책임의 문제(감사 등), 성희롱 및 작업장 폭력, 상사나 동료와의 관계(폭언 등), 사고 경험 등이 있었다. 이렇게 볼 때 감정노동에 종사하는 노동자에게서 발생한 정신 질환과 업무와의 관련성을 평가하기 위해서는 작업 관련 요인, 업무 외적 스트레스 요인, 개인적 취약성 요인을 구체화하고 감정노동 등 제외되어 있는 스트레스 요인을 추가해 조사가 이루어지도록 해야 할 것이다. 또한 감정노동과는 별개로 작업장 폭력을 고려해야 한다. 다수의 승인 사례에서 고객에 의한 폭언·폭행·성희롱뿐만이 아니라 직장 내에서의 상사 및 동료에 의한 폭언·폭행·성희롱이 문제가 되었으므로 이를 면밀히 살필 필요가 있다. 물론 이런 요인은 보상을 위해서 뿐만이 아니라 예방을 위해서도 매우 중요하다.

결론적으로 현재 한국의 정신 질병 관련 승인 실태와 범위는 외국과 큰 차이가 있지 않았으며, 절차상으로도 유럽과 비슷한 방식으로 진행되고 있다는 것을 확인했다. 다만 업무상질병판정위원회의 전문가들이 업무 관련성을 판단하는 데 도움이 될 수 있도록 재해 조사 내용을 표준화하고 질병의 특성을 감안해 만성적 스트레스 요인과 급성의 충격적 사건에 대한 내용을 범주화해 구체적인 조사가 이루어질 수 있도록 방안을 마련해야 한다. 이후 요양 관리 방안 마련과 재해 조사의 표준화 방안을 지속적으로 모색한다면 한국에서 늘어나고 있는 정신 질병과 자살의 문제 등에 적극적으로 대응할 수 있을 것이다. 또한 노동자의 정신 건강 증진을 위해 다수의 노동자가 종사하고 있는 업무를 충분히 이해하고 해당 업무를 수행하는 노동자의 권리를 보호하기 위한 방안을 다각적으로 검토해야 할 때이다.

〈표 8-2〉 감정노동자의 정신 질환 인정 사례

연번	성/연령대	직업	신청 상병	주요 스트레스 요인
1	F/40	마트 판매원	전신 불안 장애	침입한 강도에 의해 협박과 포박을 당한 상태로 심한 신체적 압박을 당하고 저항을 하다가 상해를 입은 이후 정신적 충격을 호소함.
2	F/40	요금 정산원	급성 스트레스 장애	요금 정산을 위해 정차되어 있던 차량을 화물차가 들이받으면서 요금소가 심하게 파손되고 동료가 크게 다치는 대형 사고를 목격함.
3	F/30	간호조무사	외상 후 스트레스 장애	업무 수행 중 마스크를 쓴 괴한이 들어와 목을 조르고 가슴을 만지며 주사실로 끌고 들어가려 하는 등 강제 추행을 시도했으나 피해자가 완강히 반항하자 도주함.
4	F/20	카지노 종업원	급성 스트레스 장애	현장에서 근무하던 중 고객들이 피해자에게 폭언 등 위협적으로 행동하는 것을 본 후 영업장 또는 길거리에서도 사람들을 보면 두려운 마음이 생김.
5	F/50	요금 정산원	급성 스트레스 장애	요금소 근무 중 차량이 전복되어 사망하는 사고를 목격함.
6	F/30	수영 강사	적응 장애	상사가 성추행함.
7	F/50	사우나 매표사	외상 후 스트레스 장애	술에 취한 취객이 욕을 하면서 "네 아들보다 내 아들이 잘났어"라고 하더니 매표소 유리를 주먹으로 깨서 유리 파편이 몸에 박히는 사고를 당함.
8	F/20	보험 설계사	상세불명의 신경증	직장 동료와 함께 인정 조사를 하던 중 업무 절차에 불만을 품은 고객이 몽키스패너를 들고 와 동료를 수차례 가격하는 정황을 보고 정신적인 충격을 받음. 저지하다가 팔꿈치를 가격당했으며, 머리채를 잡힌 상태로 2층에서 3층으로 끌려와 무릎을 꿇은 채 협박을 당하는 등 생명의 위협을 받음.
9	F/40	면세점 화장품 판매원	급성 스트레스 장애	악질적 컴플레인 등으로 블랙컨슈머에 속하는 고객이 제품 구매와 취소를 여러 번 반복하는 과정 중 일반 고객들과 달리 지나친 복종을 요구하며 폭언, 집기 파손 등 난동을 부림. 그 이후 롯데면세점 관계자가 해당 고객에 대한 응대를 피해자에게 전달시키면서 급격하게 정신적 스트레스를 받음.
10	M/50	지하철역 서비스 센터 근로자	적응 장애	야간 근무 중 고객과 갈등이 있었음. 막차 시간이 지났음을 알리자 역무실로 난입, 무단 점거하고 이후 14차례 민원 제기와 인사 처분을 요구함.
11	F/50	보훈 섬김이	적응 장애	노후 복지 서비스 대상자의 집을 방문해 가사 서비스를 하던 중, 대상자가 낮잠을 오래 자는 듯해 깨우러갔다가 사망 사실을 확인함.

09

지방정부의 과도한 감정노동 규제 방안

정진주 사회건강연구소 소장

1. 과도한 감정노동 규제를 위한 가이드라인의 필요성

한국 사회에서 과도한 감정노동이 문제가 되고 있는 가운데 공공 영역에서 이를 개선하기 위해 모범을 보이는 것은 매우 중요하다. 물론 민간 영역도 문제가 심각하지만, 정치적 의지만 있다면 과도한 감정노동에 대한 규제와 개입은 공공 영역에서 더 빠르게, 제대로 이루어질 수 있다.

따라서 이 장에서는 공공 영역 중에서도 지방정부에서 수행할 수 있는 과도한 감정노동 규제를 위한 가이드라인을 제공한다.[1] 가이드라인은 매뉴얼과 다르게 과도한 감정노동을 규제하기 위해 꼭 필요한 구성 요소를 제시하

---

1 이 장은 필자가 공저한 「서울시 공공 부문 감정노동 보호 방안 연구」(서울노동권익센터, 2015)의 글을 수정한 것이다.

고, 전반적인 방향과 함께 책임과 역할을 명확히 규정하는 데 그 의의가 있다. 감정노동과 건강에 대해 지자체 중 서울시가 가장 먼저 관심을 갖고 있었으므로 서울시에 맞게 작성된 가이드라인의 내용을 제시한다. 하지만 여기서 기술하는 내용은 서울시뿐만 아니라 다른 모든 지방정부 지자체의 특성에 맞게 조정해 활용할 수 있다. 더 나아가 민간 영역에서도 충분히 활용할 수 있는 내용으로 구성되어 있다.

이 가이드라인은 서울시와 서울시 산하기관, 민간 위탁 업체 등 감정노동 관련 업무를 수행하는 직원을 두고 있는 조직이 지켜야 할 사항들을 권고하고 있다. 각 기관에 소속되어 근무하는 감정노동자를 보호하고 악성 민원에 따른 피해를 예방하거나 구제하기 위해 필요한 조치를 일차적으로 제시하고 있으며, 서울시 산하의 공공 부문을 총괄한다고 볼 수 있는 서울시가 최종적으로 해야 할 역할을 규정해 실질적인 실행력을 담보할 수 있는 방안을 담고 있다.

2. 서울시 공공 부문 감정노동 보호를 위한 가이드라인

서울시는 2015년 12월 21일 '서울시 공공 부문 감정노동 보호를 위한 가이드라인'을 통과시키고, 2016년 1월 7일 이를 공포했다. 가이드라인의 내용은 다음과 같다.

> 1. 목적
> 본 가이드라인은 조직의 과도한 감정노동으로 인해 발생할 수 있는 문제를 사전에 파악해 예방하고, 감정노동 관련 문제 발생 시 해결할 수 있는 방안

을 제시하는 데 그 목적이 있다.

2. 적용 대상

본 가이드라인은 서울시와 산하(위탁)기관에 적용한다.

3. 감정노동의 정의

감정노동이란 직업상 고객을 대할 때 자신의 감정이 좋거나, 슬프거나, 화나는 상황이 있더라도 기관에서 요구하는 감정과 표현을 고객에게 보여주는 등 고객 응대 업무를 하는 노동을 말한다.

4. 서울시의 역할

1) 서울시는 서울시와 산하(위탁)기관의 감정노동과 관련한 문제에 관심을 갖고 해결하기 위한 의지를 천명한다.
2) 서울시는 서울시와 서울시 산하(위탁)기관의 감정노동에 관한 사항을 기획·집행·심의·평가하는 기구를 구성해 정기적으로 운영한다.
   ① 이 기구는 감정노동 현황 파악, 과도한 감정노동 방지, 정책 생산, 평가 등의 업무를 수행한다.
   ② 이 기구에는 공무원, 전문가, 감정노동을 수행하는 노동자 대표가 참여한다.
   ③ 기구를 구성하는 방식은 독립적인 기구를 구성하거나 서울시의 노동 관련 위원회의 소속 팀으로 운영할 수 있다.
3) 서울시는 서울시와 서울시 산하(위탁)기관의 감정노동을 하는 노동자의 권리를 보호하기 위한 실무 기구를 운영한다.
   실무 기구는 산하(위탁)기관의 감정노동 관련 사항이 현장에 적용될 수 있도록 하는 업무를 담당한다.
   실무 기구는 컨설팅, 매뉴얼 작성 지원, 교육 프로그램 개발, 피해 구제 조치 등에 대해 활동한다.
4) 서울시는 서울시와 산하(위탁)기관의 감정노동을 하는 노동자를 위한 매뉴얼 작성을 지원하고 실행한다.

매뉴얼은 적정 서비스 제공, 서비스의 질 제고, 감정노동을 하는 노동자의 인권을 보장하기 위한 목표를 갖는다.

5) 서울시는 서울시와 산하(위탁)기관에 가이드라인에 대한 정보를 제공한다.
   ① 정보 제공은 적극적으로 알려달라고 하기 전에 미리 알려 준다.
6) 서울시는 감정노동 가이드라인과 산하(위탁)기관 평가체계를 연계해 가이드라인이 실제 실행력을 갖도록 한다.
   ① 평가 지표는 예방 체계, 교육 실시, 실행 내용의 적절성 등을 활용할 수 있다.
   ② 위탁 기관의 경우 감정노동 가이드라인의 준수의무를 용역계약서, 과업 지시서나 업무지침에 포함하고 서울시는 위탁 기관의 평가 지표에 포함한다.
7) 서울시는 이런 조치를 실행하기 위한 예산을 확보한다.

5. 산하(위탁)기관장의 역할

1) 기관장은 감정노동과 관련한 문제에 관심을 갖고 해결하기 위한 의지를 천명한다.
2) 산하(위탁)기관은 감정노동 관련 문제를 파악하고 논의하며 결정할 수 있는 구조를 마련한다.
   ① 기관 내 감정노동 관련 업무 책임자를 지정하고 권한을 위임해 조직 내 감정노동 관련 사항을 총괄한다.
   ② 책임자는 조직 내 감정노동 관련 사항에 대한 실질적인 권한을 갖는다. 이 구조는 노-사 협의체, 노동조합과 기관 등 조직에 적합한 형태로 하되 노동자가 참여해 노-사 공동으로 운영한다.
   ③ 이 구조는 감정노동과 관련한 다양한 안건을 논의하고, 그 결과를 조직 전체에 알리며, 개선 조치를 확인하는 등의 순환적인 시스템으로 운영한다.
3) 산하(위탁)기관의 조직과 조직 구성원에 적합한 감정노동 관련 매뉴얼을 작성해 실행한다.

① 기관에 적합한 매뉴얼을 작성하고, 조직 구성원의 의견을 반영해 갱신한다.

② 고객의 요구 사항은 어떤 상황에서도 꼭 수용해야 하는 것이 아니며 '적절한' 서비스가 무엇인지 논의해 반영한다.

③ 서비스를 제공하는 노동자와 서비스를 받는 고객 모두가 행복하고 상호 배려해야 한다는 점을 포함한다.

④ 기관이 바라는 '모두가 행복한 서비스'가 무엇인지 알리고, 기관이 노동자도 고객처럼 대우하며, 실제 그러한 지원을 하고 있다는 점을 고객에게 알림으로써 '모두가 행복한 서비스'에 고객이 함께 할 수 있도록 유도한다.

4) 조직 내 감정노동 관련 매뉴얼의 존재와 내용을 조직 구성원에게 알린다.

5) 노동자에게 감정노동 관련 교육을 체계적으로 실시하고, 현재의 친절 교육이 과도한 친절만을 강조하는지 검토해 시정한다.

친절 교육뿐 아니라 감정노동을 수행하는 노동자의 권리에 대한 교육, 조직 내 감정노동 매뉴얼, 과도한 감정노동과 건강 등에 대한 교육을 실시한다.

6) 감정노동을 하는 노동자가 외부적인 지원(상담, EAP 등)에만 의존하기보다 스스로의 역량을 강화하고 주체가 되는 프로그램을 강화한다.

7) 기관이 고객과 노동자 모두를 존중하는 문화를 실천한다는 것을 고객에게 알린다.

8) 감정노동 관련한 평가를 주기적으로 실시해 현황을 파악하고 개선책을 마련한다.

9) 개선책이 실제 효과가 있었는지 3년에 한 번씩 평가한다.

10) 감정노동 관련한 정책과 매뉴얼이 개정되거나 개선안이 수정되면 노동자와 고객에게 알린다.

11) 이 모든 과정에 노동자의 참여를 보장한다.

12) 이런 조치에 따른 예산을 확보한다.

6. 감정노동을 하는 노동자 보호 관련 사항

1) 노동자의 업무 범위를 명확히 하고 업무와 관련된 규정을 마련한다.
2) 고객 응대 과정에서 발생하는 문제를 해결하고 도와주는 직장 내의 공식적인 제도와 절차를 마련한다.
3) 감정노동 책임자가 「감정노동 가이드라인」과 매뉴얼에 근거해 현장에서 감정노동 관련한 책임을 맡도록 한다.
4) 고객과의 갈등이 발생했을 때 고객과 노동자 모두의 이야기를 경청한다.
5) 악성(진상) 고객의 경우 고객의 요구에 응하지 않을 권리를 보장하고 업무를 잠시 중단할 수 있는 시간을 준다. 문제 발생 시 감정노동 책임자가 문제 해결을 맡도록 한다.
6) 개별 노동자가 응대하기 어려운 고객의 요구에 대한 조직 차원의 대응 방안을 마련한다. 이를 위해 악성 민원 처리 전문가 양성, 숙련된 고참 선배의 악성 고객 담당, 악성 고객 전담 부서 설치 등을 활용할 수 있다.
7) 고객과의 민원 문제를 인사 및 근무 평가에 과도하게 반영해 무리한 감정노동을 하지 않도록 한다.
8) 직장 내 고충이나 애로 사항을 전달할 수 있는 의사소통 채널을 마련해야 한다. 전달된 내용은 조직 내 감정노동 담당 단위에서 논의하고 대책을 마련한다.
9) 고객 응대를 하는 감정노동 관련한 교육을 체계적으로 실시한다.

7. 감정노동을 완화하는 근로조건 마련

1) 적정 서비스 양을 위한 고객 수를 정한다. 서비스해야 할 고객 수가 많으면 노동자가 피로해 자극에 더 민감하게 반응할 수 있는 원인이 된다.
2) 장시간 노동이나 교대제로 피곤한 상태에서 고객 응대를 하지 않도록 적정한 근로시간을 확보한다.
3) 문제 고객 응대 후 쉴 수 있는 휴식 시간과 근로시간 중 쉴 수 있는 휴식 시간을 확보하고 쉴 수 있게 한다.
4) 근무 중 자유롭게 이용할 수 있는 휴게 시설을 마련하고, 쾌적하고 편안

한 환경을 조성해 누구나 쉴 수 있도록 한다.

5) 감정노동을 적정하게 수행하기 위해, 또 과도한 감정노동으로 발생할 수 있는 상황 및 치유를 해결하기 위한 적정 인력을 확보한다.

6) 한국인 체형에 맞는 의자와 책상, 가벼운 헤드셋과 키보드 트레이 등을 제공하거나, 오래 서 있는 경우 발바닥을 편안하게 해주는 패드 깔기, 의자 등의 편의를 제공한다.

8. 감정노동자 치유 방안

1) 스트레스 완화 프로그램 및 노동자 지원 프로그램을 실시한다.

2) 감정노동으로 인해 상담할 수 있는 프로그램이나 상담실을 마련한다.

3) 기관은 과도한 감정노동을 방지하기 위한 예방책이 우선이며, 감정노동자 치유 방안은 보완책이라는 점을 명확하게 인식한다.

4) 과도한 감정노동으로 인해 발생하는 건강상의 문제를 해소하기 위한 치료비를 지원한다.

9. 휴직자의 직장 복귀 지원

1) 무리한 감정노동으로 문제가 발생할 때는 일정 기간 업무에 복귀시키지 않고 쉬는 시간을 준다.

2) 기관 복귀에 대한 걱정 없이 쉬는 시간을 가질 수 있도록 한다. 심한 경우 심리 상담사의 상담을 받도록 한다.

3) 휴직자는 기관에서 조직 차원의 개선 조치가 이루어진 이후에 복귀하도록 한다.

4) 감정노동 관련해 휴직한 노동자가 직장 복귀를 할 때 기관은 노동자가 적응할 수 있도록 지원한다.

5) 복귀 시 업무는 본인의 의사에 따라 원래 업무에 복귀하거나 업무 전환을 요청할 수 있다.

6) 휴직 시 각종 차별이 발생하지 않도록 한다. 기관의 매뉴얼에 복직 시 차별 금지를 반영한다.

다음은 '서울시 공공 부문 감정노동 보호를 위한 가이드라인'의 주요 내용을 정리한 것이다.

1) 목적

이 가이드라인은 과도한 감정노동에 따라 발생할 수 있는 문제를 사전에 파악해 예방하고, 감정노동과 관련해 문제가 발생했을 때 해결 방안을 제시하는 데 그 목적이 있다. 그동안 과도한 감정노동에서 비롯된 노동의 질 저하와 건강 문제가 사회적으로 주목을 받아왔다. 지나친 감정노동은 인권침해의 소지가 있고, 노동자의 정신 건강 저하 및 노동력 상실, 이직률 증가에 따른 기업의 생산성 하락, 감정노동 예방과 치료에 소요되는 사회적 비용의 증가 등을 초래해 노동자와 기업, 사회 전반에 폐해를 낳는다. 특히 고객 응대 서비스 업무를 하는 노동자 중에는 여성이 더 많아 여성에 대한 비하와 언어적 폭력, 성희롱, 신체적 폭력 등이 함께 발생하기 때문에 여성 노동문제가 중요한 원인 중 하나가 되고 있다.

존중받지 못하고, 건강하지 않은 감정노동자의 처우를 개선하기 위해 그동안 노동계는 꾸준히 법 개정을 요구해왔고, 최근에는 감정노동 관련 공청회, 토론회가 매우 활발하게 열리고 있다. 중앙정부는 한국인 노동자의 감정노동과 건강 문제를 측정하기 위한 한국인 감정노동과 폭력 표준 측정 도구(장세진 외, 2013; 2014)를 개발해왔고, '산업안전보건법'의 개정을 위한 연구(김인아 외, 2013; 2014)를 수행해왔다. 또한 고용노동부는 감정노동을 하는 노동자를 위한 캠페인 사업과 감정노동 서포터스단을 구성해 기업별로 방문해 감정노동 관련 컨설팅을 실시하는 등 노력을 기울이고 있다. 하지만 아직까지 과도한 감정노동의 규제와 예방을 위한 법적 조치는 취해지지 않고 있다.

한편 서울시는 지역사회 여성 건강 사업의 일환으로 강북구(여만세 지역협의체·강북구 보건소·서울사이버대학교, 2014)에서 감정노동을 하는 노동자를 위한 건강 사업을 펼치고 있고, 서울시여성가족재단도 감정노동을 하는 노동자를 초청해 현장의 이야기를 듣는 등 다양한 시도가 이루어지고 있다. 하지만 감정노동자를 보호하기 위해 예방 조치를 취하고 문제 발생 시 해결할 수 있는 체계적인 방안은 마련되지 않았다. 그런 와중에 서울시가 최초로 감정노동자를 보호하기 위한 가이드라인을 마련해 서울시와 산하(위탁)기관에 적용함으로써 공공 영역에서 선도적으로 모범을 보이고 있다. 특히 이 가이드라인은 감정노동자를 보호하기 위한 기관장의 적극적인 의지와 현실적인 실행을 강조해, 현실에 적용되는 체계적인 방안을 마련하는 데 보탬을 주고자 작성되었다.

2) 적용 대상

이 가이드라인은 서울시 본청과 산하(위탁)기관에 종사하는 감정노동자를 보호하기 위해 서울시와 산하(위탁)기관에 적용한다. 건강한 노동자를 위한 책임의 소재는 '산업안전보건법'에도 명시되어 있듯이 사업주(기관장)에게 있다. 사업주의 책임은 고용 형태와 관련 없이 모든 노동자에게 적용되며, 감정노동자의 업무와 건강 보장은 기관장의 책임에 달려 있다.

이는 시장 및 기관장의 책임하에 가이드라인을 작성하고 적용함으로써 감정노동자를 보호하는 데 목적이 있다. 현재 공공 영역은 감정노동자를 적극적으로 보호하는 가이드라인이나 매뉴얼을 아직 갖추고 있지 않지만, 노동자의 건강을 보장하는 '산업안전보건법'[2]의 구성을 빌려 지자체에서도 정부와 사업주의 책임에 관한 사항을 강화한 가이드라인을 작성하고 활용할 수 있다.

3) 감정노동의 정의

'감정노동'이란 회사가 원하는 고객의 감정 상태를 만들어내기 위해 노동자가 자신의 어떤 감정을 억누르거나 다른 감정을 만들어내는 행위를 말한

---

2 '산업안전보건법' 제4조와 제5조는 노동자 건강에 대한 정부와 사업주의 책무를 규정하고 있다.

제4조(정부의 책무)

① 정부는 제1조의 목적을 달성하기 위하여 다음 각 호의 사항을 성실히 이행할 책무를 진다.

1. 산업안전·보건정책의 수립·집행·조정 및 통제
2. 사업장에 대한 재해 예방 지원 및 지도
3. 유해하거나 위험한 기계·기구·설비 및 방호장치(防護裝置)·보호구(保護具) 등의 안전성 평가 및 개선
4. 유해하거나 위험한 기계·기구·설비 및 물질 등에 대한 안전·보건상의 조치기준 작성 및 지도·감독
5. 사업의 자율적인 안전·보건 경영체제 확립을 위한 지원
6. 안전·보건의식을 북돋우기 위한 홍보·교육 및 무재해 운동 등 안전문화 추진
7. 안전·보건을 위한 기술의 연구·개발 및 시설의 설치·운영
8. 산업재해에 관한 조사 및 통계의 유지·관리
9. 안전·보건 관련 단체 등에 대한 지원 및 지도·감독
10. 그 밖에 근로자의 안전 및 건강의 보호·증진

② 정부는 제1항 각 호의 사항을 효율적으로 수행하기 위한 시책을 마련하여야 하며, 이를 위해 필요하다고 인정할 때는 「한국산업안전보건공단법」에 따른 한국산업안전보건공단(이하 '공단'이라 한다), 그 밖의 관련 단체 및 연구기관에 행정적·재정적 지원을 할 수 있다.

제5조(사업주 등의 의무)

① 사업주는 다음 각 호의 사항을 이행함으로써 근로자의 안전과 건강을 유지·증진하는 한편, 국가의 산업재해 예방시책에 따라야 한다.

1. 이 법과 이 법에 따른 명령으로 정하는 산업재해 예방을 위한 기준을 지킬 것
2. 근로자의 <u>신체적 피로와 정신적 스트레스 등을 줄일 수 있는 쾌적한 작업환경을 조성하고 근로조건을 개선</u>할 것
3. 해당 사업장의 안전·보건에 관한 정보를 근로자에게 제공할 것

② 다음 각 호의 어느 하나에 해당하는 자는 설계·제조·수입 또는 건설을 할 때 이 법과 이 법에 따른 명령으로 정하는 기준을 지켜야 하고, 그 물건을 사용함으로 인하여 발생하는 산업재해를 방지하기 위해 필요한 조치를 해야 한다.

다. 즉, 직업상 고객을 대할 때 회사(기관)가 요구하는 감정과 표현을 고객에게 보여주기 위해 노동자가 자신의 감정을 통제하는 행위이다. 감정노동은 주로 고객 응대 업무에서 많이 요구되며, 감정노동을 하는 노동자는 자신의 기분이 나쁘거나, 슬프거나, 화가 나는 상황에도 회사가 요구하는 감정만을 표현해 고객을 만족시켜야 한다. 노동자의 응대에 고객이 친절하다고 느껴야만 친절한 서비스가 되므로 감정노동은 고객에 대한 노동자의 종속성을 초래할 수 있다.

감정노동은 그동안 다양하게 정의되어왔다. "외적으로 관찰 가능한 표정이나 몸짓을 만들기 위한 느낌의 관리"(Hochschild, 2003), "적절한 감정을 보이기 위한 행동으로, 조직을 위한 인상 관리 형태에 몰입"(Ashforth and Humprey, 1993), "개인 간에 계약·매매를 하는 동안 조직으로부터 바람직하다고 여겨지는 감정을 표현하기 위한 노력, 계획, 통제"(Morris and Feldman, 1996) 등의 정의가 있지만, 여기서는 일반인이 이해하기 쉽게 사업주의 요구에 의해 조직 차원에서 이루어진다는 의미를 강조했다.

감정노동은 고객을 직접 또는 간접적으로 상대하는 업무에서 주로 이루어지며, 이런 정의에 따라 우리나라의 감정노동 종사 인구를 추정해보면, 전체 임금 노동자의 약 45.0%가 이에 해당한다고 할 수 있다(김인아 외, 2014). '근무시간 중 절반 이상을 고객, 승객, 학생, 환자와 같은 직장 동료가 아닌 사람들을 직접 상대'하는 노동자는 전체 임금 노동자의 41.8%로 약 740만 명이며, '화가 난 고객이나 환자를 상대하는 업무를 근로시간의 4분의 1 이상 수행'하는 노동자는 15.9%인 약 280만 명으로 나타났다. 이때 둘 중 하나라도 해당되는 경우를 '고객 상대 업무'로 정의할 때 전체 임금 노동자의 45.0%인 약 800만 명이 이런 일을 하고 있다고 볼 수 있다. 취업자 근로 환경 조사에서 '고객 상대 업무를 하루 절반 이상 수행하는 경우'라는 노출 여부 자체를 기준으로 감정노동자의 규모를 분석했는데, 약 740만 명이 이에 해당했다. 국민건강영양조사에서는 '감정을 숨기고 일을 하는 경우'로 정의한 결과 약 560만 명 정도가 여기에 해당했다(김인아 외, 2014). 그러나 전자의 경우는 감정 연루나 감정 부조화 등 감정적 요구도에 대한 내용이 포함되어 있지 않고, 후자의 경우는 사적 영역에서의 감정 관리와 구분이 되지 않는다는 점을 감안할 때 정확한 추정은 어렵다. 한편 한국직업능력개발원(2013)은 직업에 따른 감정노동의 실태를 밝힌 바 있다.

일상 업무에서 감정노동을 수행하고 있는 노동자들을 유형별로 나누어보면, 고객을 직접 대하지는 않지만 전화 등을 통해 고객 응대 서비스를 주로 하는 업무(콜센터 상담원 등), 고객과 직접 대면해 서비스를 제공하는 업무(항공기 승무원, 판매원 등), 노인과 환자, 아동, 장애인 등을 돌보는 업무(요양 보호사, 간호사, 보육 교사 등), 공공 부문에서의 민원 처리 업무(시청 안내직 공무원, 사회복지사, 경찰 등)로 구분할 수 있다.

4) 서울시의 역할

서울시장은 과도한 감정노동으로 발생할 수 있는 부정적인 결과를 사전에 예방하겠다고 선언하고, 구체적으로 실행 대책을 강구하는 것이 중요하다. 서울시는 서울시와 서울시 산하(위탁)기관의 감정노동에 관한 사항을 기획·집행·심의·평가하는 기구를 구성해 정기적으로 운영한다. 이를 위해 새로운 기구를 만들 수도 있지만 이미 많은 기구가 존재하는 상황이므로 기존의 노동 관련 위원회에서 팀을 구성해 실질적인 일을 담당할 수 있다. 이 기구는 감정노동과 관련한 제반 사항을 총괄하는 역할을 하는데, 이때 다양한 이해 당사자의 참여가 중요하다. 또한 총괄 기구와는 별도로 실무 기구를 운영해 서울시와 산하(위탁)기관에서 활용할 수 있는 내용을 만들고, 지원하는 역할을 한다. 자치구, 산하기관, 위탁 기관 등에서 자체적으로 수행하기에는 역부족인 영역을 실무 기구에 적용할 수 있는 내용으로 만들고 피해에 대해서는 구제 조치를 취한다.

가이드라인이 현장에서 적극적으로 실행되기 위해서는 이를 기관에 자율적으로 맡기기보다 서울시가 기관 평가 내역에 감정노동자 보호 방안 등에 관한 평가 지표를 포함할 필요가 있다. 위탁 기관의 경우 용역 계약서의 과업지시서 등에 가이드라인을 반영하고, 실제로 감정노동자를 보호하기 위한 방안을 수행할 예산까지 계산해 용역비를 책정하는 것이 바람직하다. 이 장의 부록에서 제시하는 평가표를 참고해 서울시와 산하기관, 위탁 업체에 적절하게 적용한다면 감정노동 보호를 위한 체계를 수립하는 데 도움이 될 것이다.

감정노동자를 위한 조치를 실행하기 위해서는 예산이 필요하다. "예산 없는 정책은 없다"라는 말이 있듯이 감정노동을 하는 노동자를 보호하기 위해서는 서울시의 예산 정책이 수반되어야 한다.

5) 산하(위탁)기관장의 역할

단체장이 과도한 감정노동으로 발생할 수 있는 부정적인 결과를 사전에 예방하겠다고 선언하고, 구체적인 실행 대책을 강구하는 것이 중요하다. 서울시 본청과 마찬가지로 산하(위탁)기관도 감정노동을 하는 노동자를 보호하기 위한 책임과 권한이 있는 기구를 마련하고, 책임자가 이를 총괄해야 한다. 이 기구는 노사가 공동으로 참여해 실행안을 검토하고, 결정하며, 개선하는 형태를 취한다. 이 기구에서 논의되고 결정되는 모든 사항을 모든 노동자에게 알리고, 노동자의 의견도 반영되어야 한다.

산하(위탁)기관은 시 차원에서 다양한 서비스를 제공하며 고객도 다양하다. 각 조직에 맞는 매뉴얼을 마련해 감정노동을 하는 노동자를 보호해야 한다. "고객은 왕이다"라는 슬로건에서 탈피해 '적정'하고 '공정'한 서비스를 제공하며, 이런 서비스를 통해 노동자와 고객 모두 행복할 수 있는 방안을 매뉴얼에 담아야 한다. 문제 발생 시 감정노동을 하는 노동자 개인에게 모든 책임을 떠넘기는 것이 아니라 조직의 변화가 필요한 부분은 없는지, 업무 내용이 변해야 하지는 않는지, 노동자에게 더 많은 권한이 주어져야 하는 것은 아닌지 등을 판단해 문제의 재발생율을 낮춰야 한다. "고객과 문제 발생 시 고객보다는 노동자를 무시하고 책임을 묻는 관리자에게 더 서운하다"라는 많은 감정 노동자들의 말을 명심하자. 고객이 문제라면 악성 고객을 차단하거나 고객의 변화를 유도할 수 있는 방안을 만들어야 한다. 기관에서 실시하고 있는 감정노동자 보호 방안은 감정노동을 하는 노동자는 물론이고 고객 및 서비스와 관련된 모든 사람들에게 알려 해당 기관이 어떻게 서비스를 제공하고 있는지를 홍보해야 한다.

또한 조직 내 감정노동 관련 매뉴얼의 존재와 내용을 조직 구성원에게 알린다. 이는 노동자의 알 권리를 충족하는 것이며 조직 구성원이 이를 실행할 수 있도록 하는 방법이다. 서비스를 제공하며 감정노동을 하는 노동자는 입사 후 친절 교육을 주로 받아왔다. 과도한 친절이 과도한 감정노동의 원인이므로 불필요한 친절 교육은 지양하고, 감정노동과 관련해 회사가 감정노동자를 보호하기 위해 취하고 있는 조치나 매뉴얼, 감정노동과 관련해 발생할 수 있는 문제를 해결하는 방법 등을 교육한다.

감정노동이 문제가 되면서 조직에서 주로 사용하고 있는 방식은 상담, 치유 프로그램의 제공이다. 과도한 감정노동 문제에 대한 조직적 차원의 개선이 이루어지지 않는 것은, 기관의 의지가 없거나 예산이 소요된다는 생각, 고객이 어떻게 생각할지 모르겠다는 모호함 때문에 나타나는 현상이다. 그러나 예방보다 더 좋은 방안은 없다는 것을 명심하자. 한편 상담·치유 프로그램은 대상자의 수로 성과를 나타내기 쉽기 때문에 자주 활용된다. 이런 상담·치유 프로그램의 효과는 단기적이므로, 모든 조직 구성원을 대상으로 한 조직 차원의 변화를 추구해야 한다. 하지만 외부자에게 주로 의지하는 상담·치유가 아니라 감정노동을 하는 노동자 스스로가 역량을 강화해 자존감을 향상시키고, 삶의 주체로 살아갈 수 있는 프로그램에 좀 더 관심을 기울일 필요가 있다.

서울시 다산콜센터의 경우 악성 민원 대응 강화로 1일 평균 악성 전화 건수가 2014년 1월 평균 31건에서 2015년 4월 2.3건으로 대폭 감소했다(서울시 보도 자료, 2015년 5월 27일). 서울시는 악성 민원에 대한 적극적인 대응 계획을 통해 상습적이고 반복적인 악성 민원인에게 사전 경고 후 개선이 없을 시 법적 조치를 단행했다. 성희롱을 했을 경우 원 스트라이크 아웃제(32명), 폭언, 욕설, 업무방해, 거짓 신고의 경우 삼진 아웃제(13명) 등을 적용해 총 45명을 고소했다. 또한 서울시는 법률 전문 기관의 자문을 얻어 법적 검토를 철저히 해 악성 민원인에 대해 2개월 단위로 정기적인 법적 조치를 진행하는 등 상담사 보호를 위해 적극적으로 대응하고 있다.

과도한 감정노동에 의해 발생하는 문제를 조직에서 해결하는 것이 우선이지만, 고객도 올바른 시민 의식으로 서비스를 제공받을 필요가 있다. 따라서 기관에서는 감정노동자를 어떻게 대우하고 있으며, 고객과 노동자가 상호 존중하는 문화가 필요하다는 것을 다양한 수단을 통해 고객에게 알려야 한다. 고객과 노동자의 상호 존중에 관한 포스터, 악성 민원인과 고객에 대한 법적 조치에 대한 안내문 게시 등을 통해 적극적으로 소통해야 한다.

조직 내에서 과도한 감정노동 예방과 개선책이 실행되면 평가(부록 참조)를 정기적으로 실시해 현황을 파악하고 개선책을 마련한다. 평가 지표는 조직 변화, 예산, 실태 파악, 근로조건 개선, 치유 대책, 휴직 후 복귀 영역으로 구분되며, 각 영역별로 세부 사항을 담고 있다. 조직 내에서 과도한 감정노동을 감소시키기 위한 대책을 마련하고 실행할 때 체크리스트로 참고할 수 있다.

6) 감정노동자 보호 관련 사항

감정노동자를 보호하기 위해서는 업무 범위를 명확히 하고 업무와 관련된 규정을 마련한다. 이는 개별 노동자의 권한 밖의 일을 요구하는 고객에 대응하기 위해 필요하며, 또한 감정노동을 하는 노동자에게 업무 재량권을 부여해 고객 응대 문제를 해결할 수 있도록 한다.

미국 노드스트롬 백화점에는 "어떠한 상황에서도 자신의 현명한 판단에 따라주십시오"라는 규정이 있다. 이 간결한 규정에는 고객 서비스에 대한 리더의 식견과 종사원들의 능력에 대한 깊은 신뢰가 들어 있다. 이런 신뢰는 4세대를 이어온 노드스트롬 기업 문화의 핵심으로, 고객 접점에 있는 직원에게 권한을 부여한다. ≪매일경제≫ 2011년 7월 29일 자 "커버스토리: 고객만족의 대명사 노드스트롬" 기사에 따르면 노드스트롬의 CEO는 "스스로의 판단으로 무엇이든 교환·환불할 수 있고, 한 달에 200달러 한도 내에서 고객에게 자유롭게 서비스하게 했더니 다들 사업가처럼 일하더라"라고 진술한 바 있다. 리츠칼튼 호텔은 고객의 불만 해소를 위해서라면 상사의 사전 승인 없이도 연간 2000달러까지 지출이 가능하다. 동료가 불만 해소나 욕구 충족을 위해 도움을 청하면 자신의 업무 영역이 아니더라도 무엇이든지 협조하도록 조직 문화를 형성하고 있다. 이는 업무에 대한 재량권을 확대하면서 가능해졌다. ≪조선일보≫ 2013년 4월 26일 자 기사 "'손님이 폭언 땐 전화 끊어라' 대기업 파격 실험"을 한 예로 들면 폭언 고객의 전화를 일단 끊게 조치한 ○○ 카드 회사의 경우 이직률이 급감했다. 2010년 14.9%이던 콜센터 직원의 이직률은 2013년 3월 4.2%까지 감소했다.

고객과의 갈등이 발생했을 때 고객과 노동자 모두의 이야기를 경청해야 한다. 민원인과 갈등이 발생하면 노동자의 이야기를 무시하거나 고객에게 일방적으로 사과할 것을 요구하는 경우가 자주 생긴다. 그러나 구체적인 증거 등을 확인하고 양측의 입장을 경청해 문제를 해결하려는 자세를 보여야 한다. 악성(진상) 고객의 경우 고객의 요구에 응하지 않을 권리를 보장하고, 업무를 잠시 중단할 수 있는 시간을 준다. 문제 발생 시 감정노동 책임자가 문제 해결을 맡도록 한다.

무리한 감정노동은 조직의 관찰과 규제에 의해 지속된다. 특히 친절과 서비스를 연동해 서비스 품질만을 강조하고 이를 근무 평가와 연동했을 때 감정노동을 하는 노동자의 삶의 질은 저하되고, 건강은 악화될 수밖에 없다. 고객과의 민원 문제를 인사 및 근무 평가에 과도하게 반영해 감정노동을 무리하게 강요하지 않는다.

한편 감정노동 관련한 교육을 체계적으로 실시한다. 교육 대상은 기관장, 중간 관리자, 감정노동 책임자, 감정노동을 하는 노동자, 그 외 관련자(자원봉사자, 환자 보호자 등) 모두를 포함한다. 교육 대상에 따라 감정노동 예방, 대처 방법, 고객으로서 지켜야 할 수칙 등을 교육한다. 감정노동 자체에 대한 교육뿐 아니라 고객 응대를 위한 사회적 기술 향상, 자기 효능감 증진을 위한 교육 내용을 포함한다.

7) 감정노동을 완화하는 근로조건 마련

감정노동으로 나빠진 건강을 회복할 수 있는 근로조건이 필요하다. 피곤한 상태에서 고객 응대를 하지 않도록 적정한 근로시간을 확보해야 한다. 장시간 노동이나 교대제는 1급 발암물질에 노출되었을 때와 같은 수준으로 건강에 악영향을 끼친다고 알려져 있으므로 '적정한' 노동시간을 유지하는 것이 중요하다. 규칙적인 휴게 시간과 휴식 공간의 제공도 필요하다. 같은 자극이라 하더라도 피곤하거나 힘든 근무 조건에서 지속적으로 일할 때 더 민감하게 반응할 수 있기 때문이다.

8) 감정노동자 치유 방안

스트레스 완화 프로그램 및 노동자 지원 프로그램(Employee Assistance Program: EAP)을 실시한다. 근육이완법, 복식 호흡, 긍정적으로 생각하기, 자신의 감정 털어놓기, 자기주장 훈련 등의 프로그램을 제공하는 것이다. 또한 일상의 고민을 비롯해 노동자가 자신의 문제를 이야기할 수 있는 창구를 마련해 노동자의 삶의 질을 높일 수 있는 다양한 지원 조치를 마련한다. '근로복지기본법'에서는 정신 건강 관리를 위한 근로자 지원 프로그램에 대해 규정하고 있으니, 이를 근거로 노동자 지원 프로그램에 대한 예산을 확보하는 것도 하나의 방안이 될 수 있다.

3. 가이드라인 준수를 촉진하기 위한 방안

서울시 공공 부문 감정노동 보호를 위한 가이드라인은 광역·지자체 최초로 서울시가 감정노동자를 보호하기 위해 제작한 것이라는 점에서 그 의미가 매우 크고 중요하다. 따라서 감정노동 가이드라인이 현장에서 제대로 적용되고 준수될 수 있도록 하기 위한 구체적인 방법을 마련해야 한다.

가이드라인에서 제시하는 바와 같이 감정노동 업무가 주를 이루는 기관은 감정노동자를 보호하기 위해 자체적으로 전담 부서나 관리자를 두고, 내부에 심의 또는 논의 기구 등을 설치해 감정노동 보호 관련 세부 지침을 수립하고 운영해야 한다. 그러나 현재 수준의 인력과 예산을 고려할 때, 기관 고유의 업무를 수행하면서 감정노동자 보호를 위한 제도까지 마련한다는 것은 쉽지 않은 일이다. 따라서 서울의 공공 부문을 책임지고 있는 서울시가 감정노동을 수행하고 있는 노동자를 보호하는 데 구체적인 역할을 하는 것이 중요하다. 이 절에서는 공공 부문 감정노동 보호를 위해 서울시가 수행해야 할 구체적인 방안 중 위원회와 기구 설치 및 운영을 중심으로 검토하고자 한다.

1) 위원회 설치와 역할

가이드라인에서는 "서울시와 서울시 산하(위탁)기관의 감정노동에 관한 사항을 기획·집행·심의·평가하는 위원회를 구성해 정기적으로 운영할 것"을 제안하고 있다. 이러한 위원회는 감정노동과 관련한 제반 사항을 총괄하는 역할을 하며, 다양한 이해 당사자의 참여를 통해 객관성과 전문성을 유지하는 것이 좋다. 이 기구는 감정노동의 현황 파악, 과도한 감정노동 방지, 감정노동 예방과 관련한 정책의 생산과 평가 등 의사 결정과 관련한 역할을 하게 된다. 또한 서울시 산하기관에 대한 평가 방침이나 민간 위탁 사업을 발주할 때 감정노동자 보호를 위한 내용을 계약 사항으로 반영하는 등의 의사 결정을 해 기관의 부담을 덜어줄 필요가 있다.

2) 실무 기구인 '서울 공감(公感) 센터'의 설치와 역할

가이드라인이 실제 현장에서 준수되기 위해서는 해당 기관들이 수행하기 어려운 일을 전문적으로 도와줄 수 있는 기구가 필요하다. 앞서 언급된 총괄 업무를 수행하는 위원회에서 결정된 사항을 실제로 작동하게 하는 실무 기구가 필요한 것이다.

실무 기구는 기관별로 수행하는 업무에 따라 그 특성에 맞는 감정노동자 보호 제도 컨설팅, 매뉴얼 제작 지원, 교육 프로그램 개발, 피해 구제 조치 등의 역할을 하게 된다. 특히 감정노동자가 악성 민원으로 피해를 입었을 경우를 생각해보자. 다산콜센터 사례를 살펴보더라도 경우에 따라서는 피해 당사자가 직접 고소를 진행해야 하는데, 공공 부문 노동자가 민원인을 상대로 소송을 한다는 것 자체가 현실적으로 어려운 일이다. 따라서 친고죄에 해당하는 위법행위를 제외하고는 실무 기구에서 고발을 하게끔 제도화해 감정노동자가 전면에 나서 피해를 구제받아야 하는 어려움을 덜어주는 역할을 한다면 좀 더 큰 효과를 거둘 수 있을 것으로 보인다. 또한 각 기관별로 감정노동 보호를 위한 예산과 인원을 단기간에 확보·배정하는 것이 현실적으로 어려운 실정이므로 서울시 공공 부문 전반에 걸쳐 감정노동 관련 실무를 전담하는 기구를 편성하는 것이 오히려 예산과 인력을 확보하는 데 유리하다.

3) 감정노동 인식 제고를 위한 지자체의 역할

감정노동은 노동과정 속에 또 다른 주체(고객, 민원인)가 개입되어 있고, 그 주체와의 관계 속에서 노동강도가 심화되기도 하고 약화되기도 하는 특성이 있다. 제품을 생산하거나 시설을 보수하는 업무, 또는 일반 사무를 보는 업무와는 다른 특징이 존재한다는 것이다. 공공 부문의 감정노동은 시민과의 접점에서 일어나게 된다. 각 기관들이 감정노동자를 보호하는 데 많은 노력을 기울이더라도 상대방인 시민이 변화하지 않는다면 그 효과는 급격히 줄어들 수밖에 없다. 따라서 감정노동에 대한 시민의 의식 변화가 무엇보다 중요하며 서울시는 시민의 의식 변화를 위해 많은 노력을 기울일 필요가 있다. 그중 하나가 감정노동자를 보호하기 위한 서울시의 역할과 시민이 지켜야 할 태도 등을 지속적으로 명확하게, 일관된 메시지로 전달하는 것이다.

가이드라인에 나와 있듯이 과도한 친절을 지양하고 적절한 수위의 친절과 서비스를 제공하겠다는 내용을 포함해 악성 민원에 대한 대응 방침과 감정노동자 보호를 위한 방안 등을 적극적으로 홍보해야 한다. 지속적인 홍보와 메시지가 전달이 되면 시민 의식의 점진적인 변화를 기대할 수 있을 것이다.

더 나아가 서울시 자체의 인식 변화가 필요하다. 시민을 먼저 생각하고 시민의 안전과 평안에 최우선 가치를 두고 공공서비스를 제공하는 것은 무엇보다 중요하다. 그러나 정당하지 못한 민원 제기와 위법한 행위(성희롱, 폭행, 폭언)에 대해서는 단호하게 대응하겠다는 자세를 조직 스스로가 보여야 한다. 감정노동을 수행하는 노동자를 보호하고 만족도를 높이는 것이 결국 대다수의 시민에 대한 서비스 품질 향상으로 이어진다는 인식을 가져야 한다. 또한 민원을 상대하는 직무의 전문성과 역량을 높이고, 재량권을 확장시켜야 한다. 서울시가 감정노동 가이드라인과 관련해 진정한 모범 사용자가 되고 이를 민간에 확산시킬 수 있기를 기대해본다.

2015년 말에 이 가이드라인의 내용을 충분히 반영한 서울시 조례가 통과되었다. 「서울특별시 감정노동 종사자의 권리 보호 등에 관한 조례」는 총 4개 장

24개 조항으로 이루어져 있으며 ① 조례 제정의 목적과 용어, 적용 범위를 정의하고(안 제조 및 제2조, 제31조), ② 서울시의 의무(안 제4조), ③ 실태 조사 및 권리 보장 교육, 가이드라인 및 매뉴얼 배포(안 제8조 및 제9조), ④ 서울시 감정노동 사용자의 의무 및 서울 시민의 책임(안 제11조, 제12조, 제13조, 제14조, 제16조, 제18조), ⑤ 감정노동 종사자 권리 보호 위원회 및 권리 보호 센터 설치를 한다는 내용을 담고 있다(안 제20조 및 제21조, 제22조, 제23조). 서울시는 "서울시 감정노동자 보호 조례 제정으로 서울시가 노동 존중 특별시로 거듭나도록 이끌어갈 것이며 서울시가 전국의 60만 감정노동 종사자의 보호에 선도적인 역할을 할 것이다"라고 강조했다. 2016년은 서울시의 감정노동자 보호 방안 실행에서 중요한 기점이 되었다. 서울시뿐 아니라 다른 지자체에서도 조례와 실행 방안을 적극적으로 마련해 그 대열에 동참해야 할 것이다.

부록: 과도한 감정노동을 방지하기 위한 조직 점검·평가 지표

분야	항목	세부 내용	확인	
			유	무
조직 변화	노·사 공동 추진	• 노·사가 함께 과도한 감정노동 관리를 추진하고 있는가?		
	기관장의 관심	• 기관장이 감정노동 관리의 필요성을 충분히 인식하고 관리를 위해 선언했는가?		
	종합 계획	• 감정노동 관리에 대한 종합 계획을 작성하고 있는가?		
	감정노동 부서, 담당자	• 감정노동자 보호 업무를 담당하는 부서 또는 담당자가 있는가?		
	관리자의 지원	• 고객과 문제가 발생했을 때 관리자가 노동자를 보호하고 지원하는가?		
	과잉 민원 통제 규정	• 고객의 과잉 민원을 통제할 수 있는 사내 규정이 마련되어 있는가?		
	악성 고객 비응대 권리 보장	• 악성 고객으로 인한 부정적 결과를 방지하기 위해 응대하지 않을 자유를 주고 있는가?		
	업무 범위 규정	• 고객 응대 문제를 원활히 해결하기 위한 재량권을 주고 있는가?		
	매뉴얼 마련	• 과도한 감정노동에 대처하는 구체적인 매뉴얼이 있는가?		
	매뉴얼 실행	• 기관 내 매뉴얼이 제대로 실행되고 있는가?		
	정보 제공 의무	• 기관 내 감정노동 관련 조치, 기구, 종합 계획, 매뉴얼 등에 대해 정보를 제공하고 있는가?		
	교육	• 과도한 친절 교육을 지양하고, 감정노동과 대응, 건강 영향에 관한 교육을 하고 있는가?		
	고객에게 홍보	• 감정노동자를 보호하고, 과잉 민원을 통제한다는 내용을 고객에게 미리 알리고 있는가?		
	건의 제도	• 감정노동으로 인한 문제를 건의할 온라인 또는 오프라인 건의 제도가 있는가?		
	대외 행사 참여	• 외부에서 주관하는 감정노동 관련 교육, 세미나, 간담회 등에 적극적으로 참여하는가?		
	지역사회 연계	• 감정노동 관리를 위해 다양한 지역사회 기관과 연계를 갖고 있는가?		
예산	예산 지원	• 감정노동 관리를 위해 필요한 예산을 편성해 지원하고 있는가?		
	치료비 지원	• 과도한 감정노동으로 인한 건강 장해 시 치료비를 지원하고 있는가?		

실태 파악	실태 파악	• 감정노동의 빈도와 수준 등을 파악하고 있는가?		
	요구도 조사	• 감정노동 관리에 대한 노동자의 요구도를 조사하고 있는가?		
	벤치마킹	• 감정노동 관리와 관련한 국내외 우수 사례를 벤치마킹하고 있는가?		
근로조건 개선	휴식 시간	• 노동자들의 신체적 피로 및 정신적 스트레스를 해소할 수 있는 휴식 시간이 있는가?		
	휴게 시설	• 노동자들의 신체적 피로 및 정신적 스트레스를 해소할 수 있는 휴게 시설이 있는가?		
	휴게 시설 이용 시간	• 휴게 시설은 근무 중 아무 때나 자유롭게 이용할 수 있는가?		
	근로시간	• 장시간 노동과 교대제가 적정한 서비스를 제공하고 감정노동을 하는 노동자의 건강을 보장하기에 적정한가?		
	노동 인력	• 편안하게 감정노동과 관련한 일을 수행하기에 적정한 노동력을 확보하고 있는가?		
	건강관리실	• 감정노동으로 인한 건강 문제를 관리할 건강관리실이 있는가?		
	심리 상담실	• 감정노동으로 인한 스트레스를 상담할 심리 상담실이 있는가?		
	체육 시설 등	• 감정노동으로 인한 스트레스를 해소할 체육 시설이나 기타 시설 등이 있는가?		
평가	정기 평가	• 정기적으로 감정노동 관리에 대한 전체적인 평가를 실시하고 있는가?		
	지속 추진	• 감정노동 프로그램을 매년 지속적으로 추진하고 있는가?		
	개선 효과 평가	• 기관의 다양한 조치에 대한 개선 효과를 평가하고 있는가?		
치유 대책	건강관리	• 감정노동으로 인한 건강 문제를 관리할 건강관리실이나 프로그램이 있는가?		
	심리 상담	• 감정노동으로 인한 스트레스를 상담할 심리 상담실이나 프로그램이 있는가?		
	체육 시설 등	• 감정노동으로 인한 스트레스를 해소할 체육 시설이나 기타 시설 등이 있는가?		
휴직자 복귀	휴가 및 휴직 사용	• 무리한 감정노동으로 인해 아무 걱정 없이 휴가 사용이나 휴직을 할 수 있는가?		
	상담 및 치유 지원	• 휴가, 휴직 중에도 상담 및 치유를 위한 지원을 하는가?		
	조직 변화 후 복귀	• 문제가 되는 기관 내 감정노동 관련 요인이 복귀 전에 개선되었는가?		
	복귀 후 업무 선택	• 휴직자는 본인의 선택에 따라 원하는 곳에서 일할 수 있는가?		
	차별 금지	• 휴직 사용이나 복귀 시 차별 발생을 방지하는 기관 내 조치가 있는가?		

10

감정노동 및 작업장 폭력의 한국형 측정 도구와 조직의 변화

장세진 연세대학교 원주의과대학 교수

1. 한국형 감정노동 측정 도구[1]의 필요성

감정노동이란 직무나 조직의 요구에 맞게 근로자 스스로가 감정을 억제 혹은 조절하면서 고객의 요구를 충족시키는 노동 행위를 말한다(Adelmann, 1995). 감정노동은 대인(고객) 응대 업무를 하는 동안 조직이 원하는 바람직한 감정을 표현하기 위해 노력·계획·관리 과정에 표현이나 감정을 속여서 꾸며내거나(surface acting), 감정 상태를 직무가 요구하는 감정에 맞춰 바꾸려는 노력을 포함해 기분(feeling)을 적절하게 조절하는(deep acting) 업무라는 특성

1 이 연구는 한국산업안전보건공단 한국산업안전보건연구원의 2013년(2013-연구원-953) 및 2014년(2014-연구원-810)의 위탁 연구 용역 사업으로, 다수의 연구자들과의 공동으로 수행되었다.

이 있다(Morris and Feldman, 1996).

최근 서비스산업의 확대로 감정노동을 수행하는 근로자들은 점차 늘어나고 있으며, 한국의 감정노동 수행 직업군은 교육 서비스업, 음식 숙박업, 보건 및 사회복지 사업, 가사 서비스업, 도매 및 소매업, 금융 및 보험업, 운수업, 기타 공공 수리 및 개인 서비스업, 통신업 등으로, 이러한 업종에서 근무시간 대부분을 감정노동 수행에 사용하는 근로자의 비율은 30~60%를 차지한다(한국산업안전보건공단, 2006).

감정노동이 건강에 미치는 영향에 대해서는 아직 완전하게 입증된 것은 아니지만 최근 연구에 따르면 감정노동은 소진(Brotheridge and Grandey, 2002), 감정 고갈(emotional exhaustion), 이직 의사(Grandey, 2003), 직무 불만족(Pugliesi, 1999) 등 부정적인 결과를 초래하고, 우울증(김수연 외, 2002)과 같은 정신 건강 문제를 유발할 수 있다. 따라서 보건학적 정신 건강 측면에서 감정노동은 매우 중요한 연구 주제이자 사회적 문제가 되고 있다.

우리나라의 경우 고객에게 적절하게 응대하고 있는지를 확인하기 위한 조직의 고객 응대 감시 모니터링이나 관리 및 감시 체계 등이 외국에 비해 훨씬 강도 높이 실시되고 있어, 조직이 감정노동 때문에 발생하는 부정적인 측면으로부터 노동자를 보호해주기보다는 오히려 무조건적인 친절이나 무제한적인 고객 응대를 더욱 부추기거나 강요하고 있는 실정이다.

감정노동과 함께 거론되고 있는 중요한 문제는 작업장 폭력(workplace violence)이다. 최근 작업장의 폭력 문제가 점차 증폭되고 사회적으로 이슈화됨에 따라 작업장 폭력에 관한 개념과 이에 따른 건강 문제 등에 대한 학문적 관심도 점차 높아지고 있다. 작업장은 더 이상 근로자를 보호하고 안정감을 주는 곳이 아니며(Barling, 1996), 작업장 폭력은 점차 보편화되고(Bulatao and Vandenbos, 1996) 1990년 이후 점차 폭력의 강도가 높아지고 있는 추세이다

(Elliott and Jarrett, 1994; Mack et al., 1998: 119~141).

국제노동기구가 1996년 32개국 노동자를 대상으로 작성한 직장 폭력 보고서에 의하면, 직장에서 발생할 수 있는 대표적인 폭력 유형은 산업재해, 상해, 해고 위협, 스트레스 등이며, 이전에 비해 물리적인 폭력 외에 성희롱이나 동료들의 집단 따돌림 등 정신적인 폭력이 증가했다(ILO, 2003). 로젠스톡(Rosenstock, 1996)은 직장 내 폭력을 '직장에서 혹은 업무와 관련해 다른 사람에게 행해지는 폭력적 행동으로, 육체적 공격과 공격의 위협을 포함하는 것'으로 정의하고 있으며, 콘드라숙 외(Kondrasuk et al., 2001)의 연구에서는 "다른 피고용인이나 혹은 피고용인이 아닌 사람들이 피고용인에게 가하는 행동"으로 정의하고 있다.

서비스산업의 확대로 감정노동을 수행하는 근로자들은 점차 늘어나고 있으며, 감정노동을 수행하는 근로자들은 업무 수행 과정에서 고객들로부터 욕설, 모욕, 고함 등의 언어폭력이나 신체적 폭력을 경험하게 된다. 고객 중 일부는 근로자가 일하는 회사(매장)에 불만을 품고 있거나 회사(매장)와 관계없는 스트레스로 이미 감정이 격해진 상태에서 근로자를 대하는 경우가 많기 때문에 감정노동자가 작업장에서 폭력을 경험할 가능성은 제조업 등과 같은 다른 직업군에 비해 상대적으로 높다고 할 수 있다(Grandey et al., 2007). 예를 들면 미국의 콜센터 직원들의 경우 하루에 평균 일곱 번의 언어폭력을 경험하며(Grandey et al., 2004), 영국의 항공 승무원과 철도 승무원의 75%가 최소 한 달에 한 번 정도 언어폭력을 당한다고 보고했다(Boyd, 2002).

국내에서는 외국에서 개발된 감정노동 및 작업장 폭력의 평가 도구를 번역해 감정노동과 직장 폭력이 건강(우울, 신체화 등) 및 직무 성과와 관련된 지표(직무 만족도, 소진, 이직 의도 등) 등에 영향을 주는지에 초점을 맞춰 다양한 연구가 수행되었다. 그러나 기존 연구들은 한국의 조직 문화가 반영된 한국적인 평가 도구가 아니라 외국의 것을 그대로 번역해 사용함으로써 방법론적으로 제한성이 제기되었고, 한국의 조직 문화의 특수성이 반영된 한국형 감정노동 및 작업장 폭력 평가 도구 개발의 필요성이 요청되었다. 즉, 우리나라 서비스산업의 모습이 외국과는 다른 상황에서, 외국에서 만들어진 도구를 이용해 감정노동의 강도나 문제를 측정할 경우 감정노동자들의 정확하고 적절한 업무 수행 과정에서 발생하는 문제와 어려움 등이 평가에서 빠져버리거나 왜곡되어 평가될 수 있다는 것이다. 우리나라는 전통적으로 '사농공상'의 직업윤리가 토착화된 상태에서 서비스 업종에 종사하는 사람들을 상대적으로 비하하는 문화적 전통이 있지만 서구에는 이러한 차별이 없다. 또한 우리나라의 기업들은 현재 직원들의 친절도가 생산성이나 매출에 직접적인 영향을 준다는 판단해 고객의 구미에 맞는 과잉 친절을 강요한다. 더 나아가 고객 응대를 제대로 수행하고 있는지 감시하는 수준이 상상을 초월한다. 따라서 문화적 특성이 다른 상황에서 외국의 도구를 사용하는 것은 적절하지 못하다고 볼 수 있다.

이러한 문제를 해결하기 위해 한국산업안전공단 산업안전보건연구원의 연구 용역을 통해 한국의 조직 문화와 서비스산업의 특수성을 반영한 「한국형 감정노동 및 작업장 폭력 평가 도구 개발」(장세진 외, 2013)에 이어 「한국형 감정노동 및 폭력(2013년도 연구) 조사 도구 적용 연구」(장세진 외, 2014)가 수행된 바 있다.

'한국형 감정노동 및 작업장 폭력 평가 도구'는 한국의 조직 문화와 서비스산업의 특수성을 반영한 감정노동 근로자들의 감정노동 수준과 강도, 감정노동에 따른 부정적인 정서 반응, 그리고 직장 및 고객으로부터 경험하는 다양한 형태의 폭력에의 노출과 폭력의 강도 등을 정량적이고 객관적으로 평가하기 위해 감정노동 전체 24문항(K-ELS@24), 작업장 폭력 24문항(K-WVS@24)으로 개발했다(장세진 외, 2014).

2절에서는 한국형 감정노동과 작업장 폭력 평가 도구의 설문 문항을 소개하고 현장에서 적용할 수 있는 지침과 활용 방안에 대해 기술하고자 한다.

2. 감정노동과 폭력의 한국형 측정 도구의 개발

이 연구는 대표성이 있는 전국 규모의 조사 연구를 위해 다섯 개 지역의 연구팀(호남, 부산·경남, 서울·경기, 충청, 강원)으로 구성해 설문 조사를 실시했다.

이 연구의 목표를 달성하기 위한 연구의 추진 과정과 절차를 요약하면 〈그림 10-1〉과 같다.

1) 조사 대상자

(1) 조사 대상

설문 대상자는 한국 표준 직업 분류상 서비스 종사자와 판매 종사자, 그리고 최근 감정노동 위험군으로 거론되고 있는 콜센터 상담원, 보건 의료인(간호사, 치과위생사, 물리치료사 등), AS 기사, 공공 기관의 대민 민원 업무 담당자 등 조사 시점을 기준으로 1년 이상 근무한 자를 대상으로 구조화된 설문지를 이용해 자료를 수집했다. 표본은 앞에서 언급한 대표적인 감정노동자들 중 감정노동자의 비율이 여성에 집중되어 있다는 것을 감안해 여성과 남성의 비율을 7 대 3으로 층화한 후 지역별 공동 연구자들의 감독하에 설문 조사를 실시했다. 전국 다섯 개 연구 권역에서 총 2396명이 설문에 응답했고, 이 중 고객 응대 시간이 1시간 미만인 노동자 23명, 고객 응대가 주 업무가 아니고 고

〈그림 10-1〉 연구 추진 과정과 절차

설문 문항 선정(연구자 회의)

↓

예비 조사 실시 (5개 지역별로 10명씩 총 50명)

↓

최종 설문 문항 확정 및 작성
(1차 수정: 연구자 회의, 2차 수정: 국어국문학과 교수 3인 교정)

↓

조사 예비 표본 선정(N=2396)
(성·업종·지역 반영)

↓

조사 실시(N=2396)

↓

자료 분석(N=2221) (남성: 661명, 30%, 여성: 1550명, 70%)
- 감정노동 및 작업장 폭력 수준의 비교
- 감정노동 및 작업장 폭력 관련 요인 분석
- 감정노동, 작업장 폭력 하부 요인 간의 관련성 분석

↓

평가 도구의 신뢰도 및 타당도 분석

↓

평가 도구의 단축형 개발 및 적용 가능성 평가

↓

활용 가이드라인 제시 및 성별 참고치(reference value) 제시

객 응대 시간에 무응답한 152명을 제외한 총 2221명을 최종적으로 분석했다.

(2) 직업군(업종) 분포

분석 결과, 가장 높은 비율을 차지한 직업군은 콜센터 상담원(442명, 19.9%), 간호사(358명, 16.1%), 백화점 및 마트 판매 서비스직(296명, 13.3%), AS 기사 및 기타 서비스직(271명, 12.2%), 보건 의료 기관의 원무 행정직(209명, 9.4%), 보육 교사(118명, 5.3%), 버스·택시·열차 운전직(95명, 4.3%), 요양 보호사(87명, 3.9%) 순이었고, 그 외 공공 기관 민원 행정 서비스직, 은행원, 소방 공무원, 항공 승무원, 호텔 서비스직 등 다양한 감정노동 직업군이 포함되었다(〈표 10-1〉).

〈표 10-1〉 설문 응답자의 직업군(중분류) 분포

직업군 중분류	빈도	%
간호사	358	16.1
호텔 서비스직	50	2.3
백화점 및 마트 판매 서비스직	296	13.3
요양 보호사	87	3.9
버스·택시·열차 운전직	95	4.3
콜센터 상담원	442	19.9
항공 승무원	24	1.1
보건 의료 기관의 원무 행정직	209	9.4
은행원	36	1.6
보육 교사	118	5.3
공공 기관 민원 행정 서비스직	64	2.9
소방공무원	70	3.2
AS 기사 및 기타 서비스직	271	12.2
무응답	101	4.5
합계	2,221	100.0

〈표 10-2〉 설문 응답자의 직업군(대분류) 분포

직업군 대분류	빈도	%
콜센터 상담원	442	19.9
판매 서비스직	296	13.3
돌봄 서비스직	802	36.1
공공 기관 및 민원 업무 서비스직	309	13.9
AS 기사 및 기타 서비스직	271	12.2
무응답	101	4.5
합계	2,221	100.0

13개 직업군을 고객 응대 방식과 제공되는 서비스의 내용에 따라 〈표 10-2〉와 같이 다섯 가지 감정노동 직업군으로 분류했다. 분석 결과, 사람 돌봄 서비스직(간호사, 보육 교사, 요양 보호사, 항공 승무원, 소방공무원, 호텔 서비스업 등)이 802명(36.1%)으로 가장 많았고, 다음은 콜센터 상담원 442명(19.9%), 공공 기관 및 민원 업무 서비스직(은행원 포함) 309명(13.9%), 판매 서비스직 296명(13.3%), AS 기사 및 기타 서비스직 271명(12.2%) 순서이었다.

2) 한국형 감정노동 및 작업장 폭력 측정 도구의 최종 설문 문항 선정

2013년에 만들어진 한국형 감정노동 및 작업장 폭력 평가 도구를 세 차례의 연구자 회의를 거쳐 수정·보완해 최종 설문 문항을 선정했고, 국어국문학과 교수 세 명의 설문지 교정 작업을 거쳐 최종 설문 문항을 확정했다.

한국형 감정노동(Korean Emotional Labor Scale: K-ELS)과 작업장 폭력 평가 도구(Korean Workplace Violence Scale: K-WVS)의 개발을 위해 다섯 개의 연구 권역에서 수집된 13개 직업군의 감정노동 근로자 2221명에 대한 설문 조사와 타당도 및 신뢰도 분석을 통해 다음과 같이 설문 문항을 최종 선정했다.

설문은 '감정 부조화 및 손상'(6문항), '조직의 지지 및 보호 체계'(7문항), '감정 조절의 요구 및 규제'(5문항), '조직의 감시 및 모니터링'(3문항), '고객 응대의 과부하 및 갈등'(3문항) 등의 다섯 개 하부 요인과 24개의 문항으로 구성했고, 설문 문항의 배열은 감정노동의 강도 혹은 노출을 평가하는 '감정 조절의 요구 및 규제'(5문항), '고객 응대의 과부하 및 갈등'(3문항), '감정 부조화 및 손상'(6문항) 영역을 먼저 배치하고, 그 뒤에 조직 관리 체계를 평가하는 '조직의 감시 및 모니터링'(3문항), '조직의 지지 및 보호 체계'(7문항) 순으로 구성했다.

'감정 부조화 및 손상'은 고객 응대 과정에서 상처를 받거나 자존심이 상하는 등 감정노동 근로자들이 겪는 정서적 손상이나 감정적 어려움의 정도를 평가한다. '조직의 지지 및 보호 체계'는 고객 응대 과정에서 문제가 발생할 때 조직 차원의 관리 방안 및 조치가 이루어지는지 정도와 문제를 완화해줄 수 있는 직장 내 지지 체계의 수준을 평가한다. '감정 조절의 요구 및 규제'는 고객 응대 과정에서 감정 조절에 대한 노력이 얼마만큼 수반되는지 정도와 감정 표출의 이중성이나 다양성에 대한 요구와 규제 등의 수준을 평가한다. '조직의 감시 및 모니터링'은 근로자들이 고객 응대를 제대로 하는지를 감시하고 이를 일방적으로 인사고과나 평가에 적용하는지에 대한 정도를 평가한다. 마지막으로 '고객 응대의 과부하 및 갈등'은 고객 응대 시 동반되는 과부하의 정도와 까다롭고 무례한 고객(일명 '진상 고객')을 상대하면서 발생할 수 있는 갈등의 수준을 평가한다.

각 문항에 관한 척도는 '감정 조절의 요구 및 규제'(5문항), '고객 응대의 과부하 및 갈등'(3문항), '감정 부조화 및 손상'(6문항) '조직의 감시 및 모니터링'(3문항)을 1-2-3-4 리커트 척도로, '조직의 지지 및 보호 체계'(7문항)는 4-3-2-1 리커트 척도로 점수화하도록 했다.

작업장 폭력 관련 설문은 '조직의 폭력 보호 체계'(14문항), '직장 내 정신적·

성적 폭력'(4문항), '고객의 정신적·성적 폭력'(4문항), '직장·고객의 신체적 폭행'(2문항) 등 네 개 하부 요인과 24개 문항으로 구성했고, 설문 문항의 순서는 작업장 폭력의 노출과 경험 수준을 평가하는 '고객의 정신적·성적 폭력'(4문항), '직장 내 정신적·성적 폭력'(4문항), ' 직장·고객의 신체적 폭행'(2문항) 영역을 먼저 배치하고, '조직의 폭력 보호 체계'(14문항)를 그 뒤에 배열했다.

'조직의 폭력 보호 체계'는 직장 내 및 고객으로부터의 다양한 폭력에 대처할 수 있는 행동 지침과 보호 장치가 직장 내 제도적으로 어느 정도 마련되어 있는지 정도와 고객으로부터 폭력을 경험했을 때 직장 동료 및 상사의 위로와 지원 체계 정도를 평가한다. '직장 내 정신적·성적 폭력'은 직장 내 동료나 상사로부터의 정신적·성적 폭력에의 노출 및 경험의 수준을, '고객의 정신적·성적 폭력'은 고객으로부터의 정신적·성적 폭력에의 노출과 경험의 수준을 각각 평가한다. 마지막으로 '직장·고객의 정신적·신체적 폭행'은 비교적 폭력의 강도가 높을 것으로 판단되는 고객이나 직장 내에서의 신체적 폭행(구타, 공격 등)의 노출과 경험의 수준을 평가한다. 각 문항에 관한 척도는 '고객의 정신적·성적 폭력'(4문항), '직장 내 정신적·성적 폭력'(4문항), ' 직장·고객의 신체적 폭행'(2문항)은 1-2-3-4 리커트 척도로, '조직의 폭력 보호 체계'(14문항)는 4-3-2-1 리커트 척도로 점수화하도록 했다.

(1) 한국형 감정노동 평가 도구 최종 설문 문항

● 다음의 설문은 귀하의 감정노동의 수준을 평가하기 위해 만들어진 것입니다. 현재의 업무 수행 상황을 토대로 아래의 설문에 대한 귀하의 생각과 가장 가까운 곳에 V표 해주시기 바랍니다.

설문 문항	전혀 그렇지 않다	약간 그렇지 않다	약간 그렇다	매우 그렇다
1. 고객에게 부정적인 감정을 표현하지 않으려고 의식적으로 노력한다.	1	2	3	4

2. 고객을 대할 때 회사의 요구대로 감정을 표현할 수밖에 없다.	1	2	3	4
3. 업무상 고객을 대하는 과정에서 나의 솔직한 감정을 숨긴다.	1	2	3	4
4. 일상적인 업무 수행을 위해서는 감정을 조절하려는 노력이 필요하다.	1	2	3	4
5. 고객을 대할 때 느끼는 나의 감정과 내가 실제 표현하는 감정은 다르다.	1	2	3	4
6. 공격적이거나 까다로운 고객을 상대해야 한다.	1	2	3	4
7. 나의 능력과 권한 밖의 일을 요구하는 고객을 상대해야 한다.	1	2	3	4
8. 고객의 부당하거나 막무가내 식의 요구로 업무 수행의 어려움이 있다.	1	2	3	4
9. 고객을 응대할 때 자존심이 상한다.	1	2	3	4
10. 고객에게 감정을 숨기고 표현하지 못할 때 나는 감정이 상한다.	1	2	3	4
11. 고객을 응대할 때 나의 감정이 상품처럼 느껴진다.	1	2	3	4
12. 퇴근 후에도 고객을 응대할 때 힘들었던 감정이 남아 있다.	1	2	3	4
13. 고객을 대하는 과정에서 마음의 상처를 받는다.	1	2	3	4
14. 몸이 피곤해도 고객들에게 최선을 다해야 하므로 감정적으로 힘들다.	1	2	3	4
15. 직장이 요구하는 대로 고객에게 잘 응대하는지 감시를 당한다(CCTV 등).	1	2	3	4
16. 고객의 평가가 업무 성과 평가나 인사고과에 영향을 준다.	1	2	3	4
17. 고객 응대에 문제가 발생했을 때, 나의 잘못이 아닌데도 직장으로부터 부당한 처우를 받는다.	1	2	3	4
18. 고객 응대 과정에서 문제가 발생할 경우 직장에서 적절한 조치가 이루어진다.	4	3	2	1
19. 고객 응대 과정에서 발생한 문제를 해결하고 도와주는 직장 내의 공식적인 제도와 절차가 있다.	4	3	2	1
20. 직장은 고객 응대 과정에서 입은 마음의 상처를 위로받게 해준다.	4	3	2	1
21. 상사는 고객 응대 과정에서 발생한 문제를 해결하기 위해 도와준다.	4	3	2	1
22. 동료는 고객 응대 과정에서 발생한 문제를 해결하기 위해 도와준다.	4	3	2	1
23. 직장 내에 고객 응대에 관한 행동 지침이나 매뉴얼(설명서, 안내서)이 마련되어 있다.	4	3	2	1
24. 고객의 요구를 해결해줄 수 있는 권한이나 자율성이 나에게 주어져 있다.	4	3	2	1

주: 문항 번호 1~5는 '감정 조절의 요구 및 규제', 문항 번호 6~8은 '고객 응대의 과부하 및 갈등', 문항 번호 9~14는 '감정 부조화 및 손상', 문항 번호 15~17은 '조직의 감시 및 모니터링', 문항 번호 18~24는 '조직의 지지 및 보호 체계'이다.

● 다음의 설문은 고객 폭력 및 직장 내 폭력 경험에 대한 직장 내 보호나 관리가 어떻게 이루어지고 있는지를 평가하기 위해 만들어진 것입니다. 지난 1년 동안의 업무 수행을 토대로 아래의 설문에 대한 귀하의 생각과 가장 가까운 곳에 V표 해주시길 바랍니다.

설문 문항	전혀 그렇지 않다	약간 그렇지 않다	약간 그렇다	매우 그렇다
11. 직장 내에 고객들의 폭력으로부터 보호하는 장치나 제도가 마련되어 있다.	4	3	2	1
12. 직장은 고객에게 폭력을 당하지 않도록 다양한 조치를 해준다.	4	3	2	1
13. 직장 내에서 고객의 폭력에 대처할 수 있는 교육 프로그램과 행동 지침이 마련되어 있다.	4	3	2	1
14. 직장은 고객의 폭력으로부터 안전하게 일할 수 있도록 보호해준다.	4	3	2	1
15. 직장 내에 고객 폭력 문제가 발생할 경우, 잘잘못을 가리는 과정(지침, 내부 규정 등)이 있다.	4	3	2	1
16. 직장 내에 동료나 상사의 폭력으로부터 보호하는 장치나 제도가 마련되어 있다.	4	3	2	1
17. 직장은 동료나 상사로부터 폭력을 당하지 않도록 다양한 조치를 해주고 있다.	4	3	2	1
18. 직장 내에 동료나 상사의 폭력에 대처할 수 있는 교육 프로그램과 행동 지침이 마련되어 있다.	4	3	2	1
19. 직장은 내가 동료나 상사의 폭력으로부터 안전하게 일할 수 있도록 보호해준다.	4	3	2	1
20. 직장 내 동료나 상사로부터의 폭력 문제가 발생할 경우, 잘잘못을 가리는 과정(지침, 내부 규정 등)이 있다.	4	3	2	1
21. 폭력을 당했을 때, 문제 해결을 위해 도와주는 상사가 있다.	4	3	2	1
22. 폭력을 당했을 때, 문제 해결을 위해 도와주는 동료가 있다.	4	3	2	1
23. 직장은 폭행을 당하면서 입은 마음의 상처를 공감하고 위로해준다.	4	3	2	1
24. 직장은 폭력 과정에서 발생한 문제를 해결해준다.	4	3	2	1

주: 문항 번호 11~24는 '조직의 폭력 보호 체계'이다.

(2) 한국형 작업장 폭력 평가 도구 최종 설문 문항

● 다음의 설문은 귀하의 고객 폭력 및 직장 내 폭력 경험의 수준을 평가하기 위해 만들어진 것입니다. 지난 1년 동안의 업무 수행을 토대로 아래의 설문에 대한 귀하의 생각과 가장 가까운 곳에 V표 해주시길 바랍니다.

설문 문항	전혀 없음	이따금	자주	매우 자주
1. 업무 수행 시 고객에게 모욕적인 비난이나 고함, 욕설 등을 들은 적이 있다.	1	2	3	4
2. 업무 수행 시 고객에게 원치 않는 성적인 신체 접촉이나 성희롱을 당한 적이 있다.	1	2	3	4
3. 업무 수행 시 고객에게 위협, 괴롭힘을 당한 적이 있다.	1	2	3	4
4. 업무 수행 시 고객에게 직위, 성, 나이의 차별 대우를 당한 적이 있다.	1	2	3	4
5. 직장 상사나 동료에게 모욕적인 비난이나 고함, 욕설 등을 들은 적이 있다.	1	2	3	4
6. 직장 상사나 동료에게 원치 않는 성적인 신체 접촉이나 성희롱을 당한 적이 있다.	1	2	3	4
7. 직장 상사나 동료에게 위협이나 괴롭힘, 따돌림 등을 당한 적이 있다.	1	2	3	4
8. 직장 상사나 동료에게 직위, 성, 나이 관련 차별 대우를 당한 적이 있다.	1	2	3	4
9. 업무 수행 시 고객에게 신체적인 폭행(구타 등)을 당한 적이 있다.	1	2	3	4
10. 직장 상사나 동료에게 신체적인 폭행(구타 등)을 당한 적이 있다.	1	2	3	4

주: 문항 번호 1~4는 '고객의 정신적·성적 폭력', 문항 번호 5~8은 '직장 내 정신적·성적 폭력', 문항 번호 9~10은 '직장·고객의 신체적 폭행'이다.

3. 측정 도구 설문 문항의 적용

1) 점수 산정 방식

영역별 점수는 다음에 제시한 공식에 의거해 100점 만점으로 환산한다.

$$영역별\ 환산\ 점수 = \frac{(해당\ 영역의\ 각\ 문항에\ 주어진\ 점수의\ 합 - 문항\ 개수)}{(해당\ 영역의\ 예상\ 가능한\ 최고\ 총점 - 문항\ 개수)} \times 100$$

2) 활용 방안

한국형 감정노동 및 작업장 폭력 측정 도구는 조사의 목적과 활용에 따라 다음과 같이 두 가지 버전으로 활용할 수 있다.

(1) 한국형 감정노동 측정 도구

감정노동의 경우 다섯 개의 하위 영역을 '감정노동의 강도 평가'와 '조직 관리 체계의 평가'로 구분해 측정하도록 하되, 연구 목적이나 활용에 따라서 '감정노동의 강도'만을 평가하고자 할 때는 기본형인 '한국형 감정노동 평가 도구-14(K-ELS@14)'를, '감정노동의 강도'와 '조직의 관리 체계'를 동시에 평가하고자 할 때는 선택형인 '한국형 감정노동 평가 도구-24(K-ELS@24)'를 사용하도록 한다(〈표 10-3〉).

(2) 한국형 작업장 폭력 측정 도구

작업장 폭력 평가 도구 역시 네 개의 하위 영역을 '폭력에의 노출 및 경험 평가'와 '조직의 폭력 관리 체계의 평가'로 구분해 측정하도록 하되, 연구 목적이

〈표 10-3〉 한국형 감정노동 평가 도구의 활용 버전

기본형 감정노동 강도의 평가 (한국형 감정노동 평가 도구-14)	선택형 조직의 관리 체계의 평가 (한국형 감정노동 평가 도구-24)
문항 번호 1~5: 감정 조절의 요구 및 규제	문항 번호 1~5: 감정 조절의 요구 및 규제
문항 번호 6~8: 고객 응대의 과부하 및 갈등	문항 번호 6~8: 고객 응대의 과부하 및 갈등
문항 번호 9~14: 감정 부조화 및 손상	문항 번호 9~14: 감정 부조화 및 손상
	문항 번호 15~17: 조직의 감시 및 모니터링
	문항 번호 18~24: 조직의 지지 및 보호 체계

〈표 10-4〉 한국형 작업장 폭력 평가 도구의 활용 버전

기본형 폭력에의 노출 및 경험 평가 (한국형 작업장 폭력 평가 도구-10)	선택형 조직의 폭력 관리 체계의 평가 (한국형 작업장 폭력 평가 도구-24)
문항 번호 1~4: 고객의 정신적·성적 폭력	문항 번호 1~4: 고객의 정신적·성적 폭력
문항 번호 5~8: 직장 내 정신적·성적 폭력	문항 번호 5~8: 직장 내 정신적·성적 폭력
문항 번호 9~10: 직장·고객의 신체적 폭행	문항 번호 9~10: 직장·고객의 신체적 폭행
	문항 번호 11~24: 조직의 폭력 보호 체계

나 활용에 따라 '폭력에의 노출 및 경험 평가'만을 평가하고자 할 때는 〈한국형 작업장 폭력 평가 도구-10(K-WVS@10)〉을 사용하고, '폭력에의 노출 및 경험 평가'와 '조직의 폭력 관리 체계의 평가'를 동시에 평가하고자 할 때는 '한국형 작업장 폭력 평가 도구-24(K-WVS@24)'를 사용하도록 한다(〈표 10-4〉).

3) 한국형 감정노동 및 작업장 폭력 평가 도구의 성별 참고치

한국형 감정노동 및 작업장 폭력 평가 도구의 정상군 및 고위험군 판정을 위한 참고치는 남성과 여성을 구분해 〈표 10-5〉, 〈표 10-6〉, 〈표 10-7〉, 〈표 10-8〉

〈표 10-5〉 감정노동 하부 요인에 대한 절단점(환산 점수, 남성)

		감정노동				
		감정 부조화 및 손상	조직의 지지 및 보호 체계	감정 조절의 요구 및 규제	조직의 감시 및 모니터링	고객 응대의 과부하 및 갈등
우울	곡선 아래의 면적	0.744	0.63	0.694	0.692	0.715
	민감도	67.9%	31.4%	58.3%	63%	61.7%
	특이도	69.6%	81.8%	73.7%	65.9%	71.5%
	절단값	69.44	69.05	90.00	61.11	83.33
소진	곡선 아래의 면적	0.811	0.695	0.717	0.742	0.763
	민감도	74.3%	66.5%	70.6%	68.5%	66.8%
	특이도	73.5%	63.6%	63.4%	68.6%	75%
	절단값	69.44	50.00	83.33	61.11	83.33

〈표 10-6〉 감정노동 하부 요인에 대한 절단점(환산 점수, 여성)

		감정노동				
		감정 부조화 및 손상	조직의 지지 및 보호 체계	감정 조절의 요구 및 규제	조직의 감시 및 모니터링	고객 응대의 과부하 및 갈등
우울	곡선 아래의 면적	0.741	0.604	0.595	0.646	0.665
	민감도	74.3%	52.1%	54.2%	64.7%	66.3%
	특이도	60.6%	65.8%	60.3%	55.3%	58.7%
	절단값	63.89	50.00	83.33	50.00	72.22
소진	곡선 아래의 면적	0.761	0.58	0.647	0.664	0.675
	민감도	59.8%	59.2%	72.6%	64.8%	65.7%
	특이도	77.4%	54.7%	48.8%	59.2%	63.1%
	절단값	69.44	45.24	76.67	50.00	72.22

과 같이 제시하고자 한다. 감정노동 및 작업장 폭력의 노출과 강도, 조직적 차원의 보호 체계는 성별에 따라 다른 양상을 보여, 성별로 구분해 제시했다.

성별 참고치의 제시는 측정 도구의 출발 시점에서 그 기준점을 제시하는 데 많은 제한점을 수반하고, 향후 건강 영향 관련 변수들과의 관련성 연구를 통해 수정·보완해야 하지만, 이런 제한점에도 불구하고 이 연구에서는 설문조사에서 수집한 우울·소진과의 수용자 작용 특징 곡선(Receiver Operating

〈표 10-7〉 작업장 폭력 하부 요인에 대한 절단점(환산 점수, 남성)

		직장 폭력			
		조직의 폭력 보호 체계	직장 내 정신적·성적 폭력	고객의 정신적·성적 폭력	작업장·고객의 신체 폭행
우울	곡선 아래의 면적	0.697	0.673	0.695	0.590
	민감도	48.9%	59.3%	61.4%	38.1%
	특이도	78.7%	72.2%	65.2%	78.8%
	절단값	79.76	4.17	20.83	8.33
소진	곡선 아래의 면적	0.75	0.651	0.746	0.595
	민감도	65.2%	57.3%	66.7%	38.5%
	특이도	73.9%	72.1%	67.8%	79.3%
	절단값	67.86	4.17	20.83	8.33

〈표 10-8〉 작업장 폭력 하부 요인에 대한 절단점(환산 점수, 여성)

		직장 폭력			
		조직의 폭력 보호 체계	직장 내 정신적·성적 폭력	고객의 정신적·성적 폭력	작업장·고객의 신체 폭행
우울	곡선 아래의 면적	0.596	0.585	0.699	0.541
	민감도	40.7%	42.1%	75.7%	18.4%
	특이도	74.7%	73.1%	53.4%	89.8%
	절단값	65.48	4.17	12.50	8.33
소진	곡선 아래의 면적	0.602	0.572	0.676	0.53
	민감도	49%	39.6%	71.4%	16%
	특이도	67.6%	74.1%	55.3%	89.9%
	절단값	60.71	4.17	12.50	8.33

Characteristic Curve: 이하 ROC)의 분석 결과를 토대로 감정노동과 작업장 폭력 평가 도구의 성별 절단점(cut-off value)을 제시했다.

성별 절단점은 감정노동과 작업장 폭력의 하부 요인을 모두 0~100점으로 환산한 값을 이용해 구했고, 우울과 소진에 대한 'ROC 분석에서 ROC 아래의 면적(Area Under ROC Curve: AUC)'이 최대화되는 지점의 값을 기준으로 각각 구했다.

성별 우울과 소진의 절단점을 활용해 감정노동의 다섯 개 하위 요인과 작

〈표 10-9〉 한국형 감정노동 평가 도구(K-ELS)의 요인별 성별 참고치

감정노동 하부 요인		정상	위험
감정 조절의 요구 및 규제	남성	0 ~ 83.32	83.33 ~ 100
	여성	0 ~ 76.66	76.67 ~ 100
고객 응대의 과부하 및 갈등	남성	0 ~ 83.32	83.33 ~ 100
	여성	0 ~ 72.21	72.22 ~ 100
감정 부조화 및 손상	남성	0 ~ 69.43	69.44 ~ 100
	여성	0 ~ 63.88	63.89 ~ 100
조직의 감시 및 모니터링	남성	0 ~ 61.10	61.11 ~ 100
	여성	0 ~ 49.99	50.00 ~ 100
조직의 지지 및 보호 체계	남성	0 ~ 49.99	50.00 ~ 100
	여성	0 ~ 45.23	45.24 ~ 100

〈표 10-10〉 한국형 작업장 폭력 평가 도구(K-WVS)의 요인별 성별 참고치

작업장 폭력 하부 요인		정상	위험
고객의 정신적·성적 폭력	남성	0 ~ 20.82	20.83 ~ 100
	여성	0 ~ 12.49	12.50 ~ 100
직장 내 정신적·성적 폭력	남성	0 ~ 4.16	4.17~ 100
	여성	0 ~ 4.16	4.17 ~ 100
직장·고객의 신체적 폭행	남성	0 ~ 8.32	8.33 ~ 100
	여성	0 ~ 8.32	8.33 ~ 100
조직의 폭력 보호 체계	남성	0 ~ 67.85	67.86 ~ 100
	여성	0 ~ 60.70	60.71 ~ 100

업장 폭력의 네 개 요인에 대한 성별 ROC 분석을 수행한 결과를 토대로 우울과 소진 중 낮은 절단점을 평가 도구의 참고치로 정했다. 각 도구의 성별 참고치는 〈표 10-9〉, 〈표 10-10〉과 같다.

4) 평가 도구 활용 시 주의 사항

감정노동과 작업장 폭력에 대한 강도 및 노출 수준의 정상·고위험군을 판정하기 위해 성별 참고치를 적용할 때 주의할 점은 다음과 같다.

첫째, 감정노동과 작업장 폭력을 모두 각 하부 요인을 합한 전체 점수로 평가해서는 안 되고, 각 하부 요인별로 성별 참고치를 이용해 정상·고위험군으로 구분해 평가해야 한다. 그 이유는 전체 점수를 이용해 정상·고위험군으로 판정을 내릴 경우 각 하부 요인별 고위험군이 어느 하부 영역에서 발견되는지 확인하기 어렵고, 일정 하부 요인의 점수가 극단적일 경우 전체 점수에 왜곡된 영향을 줄 수 있기 때문이다. 예를 들면 '감정 조절의 요구 및 규제'의 점수가 89점으로 고위험군에 속하는데 '조직의 감시 및 모니터링' 영역이 0점으로 매우 낮다면 두 요인의 점수를 합했을 때 전체적으로는 정상군으로 평가되어 '감정 조절의 요구 및 규제'에 대한 위험 수준이 나타나지 않는 문제가 발생한다.

둘째, 앞서 활용 방안에서 제시된 것처럼 감정노동의 경우 근로자의 특성에 맞게 기본형과 선택형을 적절하게 사용해야 한다. 즉, 자영업자는 조직의 보호나 지원 체계, 모니터링과 같은 하부 영역에 해당되지 않으므로 기본형만 사용하고, 경영주와 근로자가 구분되어 있는 임금 근로자의 경우는 선택형을 사용해야 적확하고 객관적으로 감정노동의 강도를 평가할 수 있다.

11

조직 내 감정노동 치유 프로그램의 적용

정혜선 가톨릭대학교 보건대학원 교수

감정노동에 종사하는 근로자는 다양한 대응 양식을 나타낸다. 대표적으로 감정노동 업무에 적응해 순응하는 경우와 업무에 적응하지 못하고 저항하는 경우로 구분할 수 있다.

감정노동에 순응하면서 적극적으로 대응하는 사람들은 고객에게 공감과 감사, 사과를 표현한다. 감정노동에 순응하지만 소극적으로 대응하는 사람들은 억지 미소를 짓는 등 스마일 증후군을 보이면서, 직무 만족도가 저하되고 직무 스트레스가 증가되는 문제를 보이고 있다.

감정노동에 저항하면서 이에 적극적으로 대응하는 사람은 이직을 하는 경우가 많고, 소극적으로 대응하는 사람은 필요한 말만 하고 마지못해 업무를 수행해 우울증과 적응 장애를 보이며, 흡연이나 음주 등의 불건강 행위를 하는 경우가 있다.

감정노동 때문에 나타나는 신체적·정신적 증상을 해소하지 않으면 더 큰

〈그림 11-1〉 감정노동에 대한 근로자 대응 양식

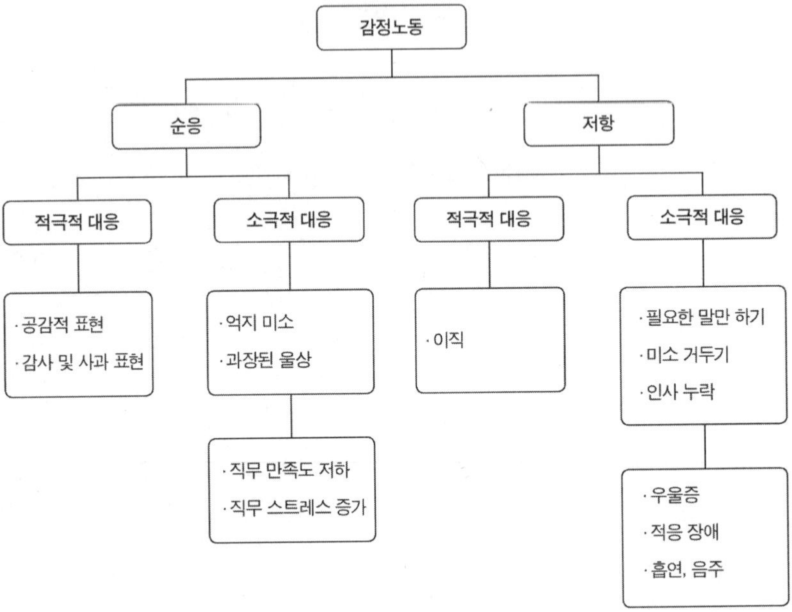

질병이 유발될 수 있으므로, 감정노동을 관리하고 치유할 수 있는 방법을 찾는 것이 중요하다. 하지만 감정노동 때문에 발생하는 문제를 해결하기 위해서는 개인적인 노력과 더불어 감정노동 종사자들이 속해 있는 기업의 조직적인 노력이 함께 이루어져야 한다. 개인적인 노력이 이루어진다고 해도 조직 내에서 감정노동을 치유하기 위한 분위기 조성과 지원 프로그램이 실시되지 않는다면 감정노동 종사자들은 결국 직장을 그만두거나 직무 만족도가 감소해 기업의 성과가 낮아지는 결과를 초래할 것이다. 이에 이 장에서는 조직 내 감정노동을 치유하기 위한 주요 내용 등을 파악하고, 추진 사례들을 살펴봄으로써 각 사업장에서 적용할 수 있는 방안을 모색해보고자 한다.

1. 조직 내 감정노동 치유 체계 구축

1) 감정노동 관리를 위한 정책 마련

감정노동자를 치유하기 위해 가장 중요한 것은 기업주와 관리자가 감정노동자를 보호하고 관리해야 한다는 인식을 갖는 것이다. 지금까지 관리자의 사고방식은 직원을 보호하기보다는 고객의 요구를 들어주는 데 초점을 맞춰, 무조건적으로 고객을 만족시키고 나아가 고객을 감동시키는 정책을 추진해왔다. 그러나 이제는 부당한 요구를 하거나 무리한 태도를 보이는 고객에 대해서는 직원의 입장을 옹호하고 직원의 의견을 존중함으로써 고객과 감정노동자를 함께 보호하기 위한 경영 방침을 수립하는 것이 중요하다.

많은 기업이 고객에 대한 서비스를 중요한 요소로 생각하고 있지만, 정작 고객에게 서비스를 제공하는 직원들은 소중하게 생각하지 않는 것이 사실이다. 고객 서비스 업무를 수행하는 직원들이 인정받고 존중받을 때 그 직원들이 고객에게 친절히 서비스할 수 있다는 점을 인식하고, 조직 내에서 좀 더 적극적으로 감정노동자를 보호하며, 그들의 입장을 이해하도록 관심을 기울일 필요가 있다.

고객이 지나친 행동을 할 때 강력히 조치할 수 있는 규정을 만들어야 한다. 악성 고객에 대한 규정이 마련되어 있지 않다면 고객이 무리한 요구를 하더라도 그에 대처하기가 매우 곤란하다. 따라서 직장 내에 악성 고객 관리 규정을 마련해 시행해야 한다.

직장 내에 마련된 악성 고객 관리 규정을 고객에게 알려 고객과 갈등이 생겼을 때 직원을 보호할 수 있는 근거를 마련한다. 게시판이나 인터넷 사이트

〈사진 11-1〉 감정노동자 보호를 위한 알림문

자료: 한국산업간호협회(2015).

등에 관련 내용을 게시하고, 고객이 볼 수 있는 곳에 포스터, 현수막 등을 설치해 악성 고객에 대응하는 규정이 있다는 것을 알림으로써 소비자가 과도한 서비스를 요구했을 때 감정노동자들을 보호할 수 있도록 조치한다.

예를 들면 매장에서 욕설, 폭언, 성희롱을 자행한 고객에 대해서는 출입이 제한될 수 있음을 알리는 포스터를 마련해 고객의 눈에 잘 띄는 곳에 게시한다. 관할 지역 내 경찰서와 양해 각서(memorandum of understanding: MOU)를 체결해 감정노동자를 보호하고 있음을 공지한다. 욕설, 폭언, 성희롱을 방지하기 위한 회사의 적극적인 노력과 의지를 보여주는 캠페인을 전개하는 것도 하나의 방법이다.

또한 고객과의 갈등 및 분쟁 시 인사고과와 급여에 반영하거나 불이익을 주지 않는 문화를 조성한다. 인사, 조직, 직장 문화, 규범 등을 개선해 민주적이고 합리적으로 조직이 운영되게 함으로써 근로자의 감정을 통제하는 것이 아니라 회사가 함께 노력하는 방안을 마련한다.

직장 내에서 의사 결정에 참여하지 못하거나 직무 자율성이 부족하면 스트레스를 받게 된다. 가능한 범위에서 감정노동자가 활용할 수 있는 업무 재량권을 부여한다. 고객의 요구에 대해 융통성 있게 처리할 수 있는 업무 재량권이 있다면 고객과의 갈등을 최소화할 수 있을 것이다.

2013년 한국직업건강간호학회가 콜센터, 백화점, 할인점, 호텔 등에서 감정노동 업무를 수행하는 2436명을 대상으로 설문 조사를 실시한 결과, 고객과 문제 발생 시 벌칙이 주어진다는 응답이 24.1%였고, 벌칙의 내용은 시말서 제출 38.4%, 공개 사과 12.2%, 임금 삭감 7.2%, 승진 불이익 5.4% 등으로 나타났다. 고객 친절을 확인하는 방법으로는 온라인 게시판 확인 42.3%, 녹음 42.3%, 관리자 수시 확인 35.5%, 컴퓨터 모니터링 29.3%로 나타났다.

2) 감정노동자를 위한 조직 체계 구축

감정노동의 문제를 발견하고 해결 방안을 강구하기 위해 노사협의체를 구성한다. 사업장에 이미 구성되어 있는 노사협의회 또는 산업안전보건위원회를 활용하거나 감정노동 문제를 해결하기 위한 별도의 협의체를 구성해 노사가 함께 감정노동 문제를 정기적으로 논의하고 관리 방안을 검토할 필요가 있다.

노사협의체에서는 감정노동 종사자 보호를 위한 정책의 수립, 실행 및 운영, 평가에 대한 사항, 교육 및 훈련에 관한 사항을 결정하고, 감정노동과 관련된 건강 문제 호소자의 조기 발견과 조치 등을 시행할 수 있다.

불합리한 요구, 지속적인 업무방해, 폭력 및 폭언 등과 같은 인격 모독을 행하는 고객 때문에 감정노동자가 어려움에 처했을 때 즉각적으로 도움을 요청할 수 있는 체계를 마련한다.

심각한 갈등 상황에서는 업무를 수행한 감정노동자가 아닌 다른 직원 및 고객 갈등 조정 부서, 고객 전담팀이 업무를 담당할 수 있도록 한다. 갈등 조정 부서는 고객과 근로자의 이야기를 모두 경청하고 갈등 상황을 객관적으로 평가해 회사 차원에서 지원해야 할 사항이 무엇인지, 고객의 감정적 과잉 민원은 아닌지, 갈등 재발 방지를 위한 대책은 무엇인지 등을 파악한다. 고객의 이야기만 듣거나 관리자가 자의적으로 판단해 감정노동자에게 경고 조치를 하거나, 시말서 작성 또는 공개 사과를 하도록 하는 등의 질책을 하지 않는다. 고객과 감정노동자의 관계를 고려해 고객 불만 사항에 대한 근로자의 입장을 충분히 배려해야 한다.

감정노동자의 피해나 건강 문제 등을 일상적으로 모니터링하고 관리할 수 있는 전담 인력을 지정하는 것이 좋다. 감정노동 관련 전담 인력은 다음의 역할을 수행한다. 첫째, 주기적으로 업무 현장을 순회하고, 근로자 면담 등을 통해 감정노동과 관련해 건강에 이상 증세를 보이는 노동자를 조기에 발견한다. 둘째, 고객 및 직원으로부터 심한 욕설을 듣거나 폭행, 성적 피해를 당한 경우 근로자가 심한 언쟁을 한 경우에는 휴식 시간을 갖도록 조치하고, 24시간 이내에 심리 상담을 받을 수 있도록 안내한다. 셋째, 피해를 입은 근로자와 주기적으로 면담해 신체적·정신적 피해를 최소화하고 작업에 복귀할 수 있도록 돕는다. 넷째, 회사 내 감정노동과 관련한 각종 프로그램의 운영과 정책 결정에 참여한다.

고충이나 애로 사항을 관리자에게 전달할 수 있는 통로를 마련한다. 상사의 지지는 감정노동 문제를 해소하는 데 중요한 역할을 한다. 따라서 직장 내 멘토링 시스템을 마련해 운영하도록 한다. 업무 수행 시 직장 상사의 도움이 없을 경우 겪게 되는 고충을 해결하고, 직장 상사가 감정노동자를 보호해줄 수 있는 지지 체계를 만드는 것이 필요하다. '멘토-멘티' 방식으로 경험을 공유하거나 지지해주는 체계를 마련하는 것이 필요하다.

직장 상사뿐만 아니라 동료와의 의사소통도 중요하다. 감정노동자들은 동료로부터 소외되었다고 느낄 때, 동료로부터 도움을 받지 못할 때, 직장 생활의 고충을 함께 나눌 동료가 없다고 느낄 때, 힘들다는 것을 알아주고 이해해주는 사람이 없을 때 큰 어려움을 겪는다. 동료들과 함께 터놓고 이야기할 기회와 통로를 마련하고, 동호회나 소그룹 모임을 지원함으로써 직장 동료 간 상호 지지 체계를 강화하도록 한다.

3) 고객 응대 매뉴얼 마련

감정노동에서 비롯된 문제별로 구체적인 대응 매뉴얼을 개발하고 교육해 근로자들이 직접 활용할 수 있게 한다. 이는 고객이 불합리한 요구를 하거나 인격적으로 모독하는 경우, 심한 욕설이나 폭행, 성희롱을 하는 경우 등 발생할 수 있는 다양한 상황을 미리 예측하고 대비해 정신적 피해와 감정적 소진을 최소화할 수 있도록 하는 것이다. 이런 매뉴얼을 통해 다양한 문제에 유연하게 대처할 수 있는 능력을 키워 근로자가 불필요하게 굴욕적으로 사과하는 등 지나친 감정적 소진을 최소화할 수 있다.

국가인권위원회는 2011년 11월 「사업주를 위한 여성 감정노동자 인권 가이드」를 발간했는데, 근무 환경 개선 가이드라인, 업무 개선과 시스템 가이드라인, 새로운 제안 등 세 가지 분야로 구성된다.

또한 국가인권위원회는 2012년 7월 여성 감정노동자들의 인권 향상과 개선을 위해 감정노동자들이 보장받을 수 있는 권리 등의 내용을 담아 현장에서 활용할 수 있도록 휴대가 간편한 '여성 감정노동자 인권 수첩'을 제작했다. 주요 내용은 ① 근로시간 및 근로 환경 등 건강권, 모성보호권, 고객의 성희롱 등에 대해 감정노동자들이 법적으로 보장받을 수 있는 권리, ② 스트레스 및 우울 수준을 평가할 수 있는 자가 진단법 및 스트레스 대처 방안, ③ 직종별 고객 응대 매뉴얼, ④ 인권침해를 당했을 경우 심리 상담이나 법적 구제 등의 도움을 받을 수 있는 기관의 소개 등이다.

이와 같은 자료를 활용해 개별 사업장에서 적용할 수 있는 고객 응대 매뉴얼을 마련하고 배포한다면 감정노동을 관리하는 데 크게 도움이 될 것이다.

롯데백화점의 경우에는 감정노동 문제가 발생하는 15가지의 구체적인 사례를 가려내어 감정노동자들이 이에 대처할 수 있는 방안을 마련함으로써 노동자들을 보호하기 위한 방안을 시행하고 있다.

2. 조직 내 감정노동자 치유를 위한 시설 마련

1) 심리 상담 센터의 설치 및 운영

폭언, 폭행, 성희롱 등으로 심한 정신적 충격을 받거나 심한 언어폭력, 인격적 모독을 당한 근로자는 일시적으로 업무를 중지하고, 24시간 이내에 심리 상담을 받을 수 있도록 조치해야 한다. 이를 위해 사업장 내에 상담실을 만들어서 심리적 어려움을 겪는 감정노동자들이 상담을 받을 수 있도록 해야 한다. 보건관리자와 심리 상담사 등의 전문가를 통해 감정노동 문제를 종합적으로 상담할 수 있도록 한다면 감정노동에 따른 정신적 건강 문제를 치유하는 데 크게 기여할 것이다.

이와 같은 상담 센터는 무엇보다도 감정노동자들이 자유롭고 편안하게 이용할 수 있어야 한다. 신분이 노출되지 않으면서 비밀이 보장될 수 있는 상담

센터를 운영해 감정노동자들이 심리적 안정감을 찾도록 하는 것이 필요하다.

2) 휴게 시설 설치 및 휴식 시간 제공

감정노동자들은 오랜 시간 서 있거나 장시간 고객과 접촉하면서 피로와 스트레스가 쌓이게 된다. 이럴 때 감정노동자들이 심리적으로 편안함을 느끼면서 안정을 찾을 수 있도록 휴게 시설을 마련해 감정노동자가 자유롭게 이용할 수 있도록 배려해야 한다.

휴식은 근로자들의 기분을 전환시켜 자신의 업무에 더 잘 적응하도록 돕고 눈의 피로, 두통, 근골격계 긴장을 해소하는 한편 혈액순환을 촉진하고 목소리의 긴장을 완화하는 역할을 하므로, 근로자들이 충분한 휴식을 취할 수 있는 공간과 시간을 제공할 필요가 있다.

휴게 시설이 있더라도 너무 멀리 있다면 근로자가 이용하기 곤란하므로, 접근이 쉽고 근로자의 이동이 많은 곳에 휴게 시설을 마련하는 것이 좋다. 휴게 시설에는 가볍게 근육의 긴장을 풀 수 있는 장비, 적절한 음악과 조명 등 심리적 안정감을 줄 수 있는 설비를 구비하는 것이 필요하다. 교대 근무를 하는 근로자가 있는 경우에는 야간에 이용할 수 있도록 수면 시설을 마련한다.

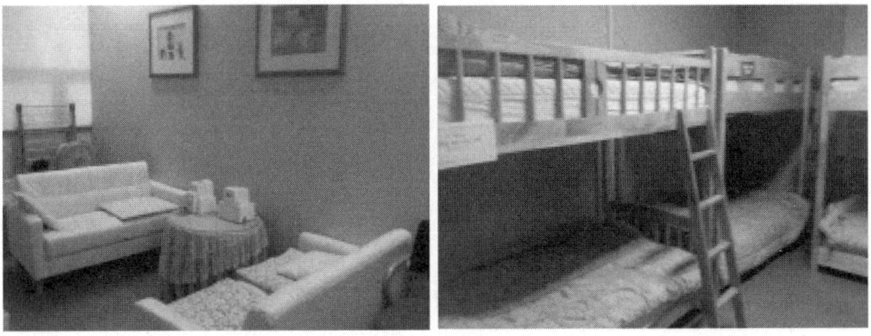

〈사진 11-2〉 의자가 비치된 휴식 공간(왼쪽), 수면을 취할 수 있는 휴식 공간(오른쪽)

3) 보건관리자 배치 및 건강관리실 설치

근로자는 감정노동으로 불면증, 대인 공포, 울화병, 공황장애, 외상 후 스트레스, 자살 충동 등의 정신 건강 문제를 겪을 수 있다. 또한 감정노동자가 수행하는 서비스에 대한 과도한 감시 때문에 디스크, 방광염, 하지정맥류, 성대결절, 소화 장애 등 신체적 건강 문제도 발생한다.

사업장에는 이런 건강 문제를 관리할 수 있는 보건관리자를 배치해 감정노동자의 신체적·정신적 건강 문제를 관리해야 한다. 보건관리자가 배치된 곳에는 건강관리실을 설치해 건강 상담을 할 수 있는 환경을 조성한다.

3. 조직 내 감정노동의 치유 방법 교육 및 훈련

1) 교육의 추진 방향

사업주는 모든 근로자를 대상으로 감정노동을 치유하고 관리하기 위한 교육을 실시한다. 교육 내용은 고객에 대한 일방적인 친절 교육이 아니라 감정노동 때문에 근로자들에게 나타나는 감정적 부조화 문제를 해소할 수 있는 방안 등이어야 하며, 세부적으로는 감정노동이 건강에 미치는 영향, 감정노동에 대한 근로자의 자기 보호(self-care) 방법, 감정노동 관련 이상 증상의 종류와 보고 방법, 고객 폭력 및 성희롱 사례와 대처 행동, 고객 폭력 및 성희롱을 당한 근로자의 보상 및 법적 조치에 관한 사항 등이 될 수 있다. 관리자에게도 감정노동자를 보호하기 위해 관리자가 수행해야 할 방법에 관해 교육한다. '산업안전보건법'에 따라 회사에서 실시해야 할 관리 감독자 교육에 감정노동 관리 방법에 대한 내용을 포함시켜 교육한다.

2) 감정을 다스리기 위한 훈련

(1) 고객의 입장에서 생각하기

감정노동 업무에 종사하는 근로자는 업무에 자부심을 갖고 자신의 업무를 사랑하며, 업무에 적응하고자 노력해야 한다. 고객이 불만을 호소한 원인을 생각해보고 입장을 바꾸어 고객의 상황을 이해해보려고 노력한다.

(2) 일과 나의 분리

일과 자신을 구분하는 감정적 격리 방법을 습득한다. 일 때문에 다른 사람이 될 뿐이라 생각하고 업무와 자신을 분리한다. 고객과의 갈등이 나 때문이 아닌 일 때문에 생긴 것이라고 생각한다.

(3) 스스로 격려하기

스스로를 격려하고 위로하는 말을 한다. 오늘 하루도 잘 지냈음에 감사하고, 스스로를 칭찬한다. '내가 참 자랑스럽다. 그 어려운 상황도 잘 이겨냈다'라고 생각한다.

(4) 생각 멈추기

불쾌한 상황이나 사건을 지속적으로 생각하지 말고, 생각을 의식적으로 멈추도록 노력한다.

〈표 11-1〉 감정노동 관리 방법

방법	내용
고객의 입장에서 생각하기	'나를 일부러 무시하려고 한 것은 아니야'라며 고객의 입장을 이해하려고 노력하기
일과 나와의 분리	'나는 지금 연극을 하고 있어. 나는 일 때문에 다른 사람이 되는 거야'라며 자신과 업무를 분리해 생각하기
스스로 격려하기	스스로 위로하고 격려하는 자기 암시나 혼잣말하기
생각 멈추기	'그만'이라고 하며 생각을 멈추거나 긍정적으로 생각하기
긍정적으로 생각하기	어쩔 수 없는 상황이라면 즐겁게 받아들이고, 해야 하는 일을 즐겁게 하도록 긍정적인 생각 갖기
자신의 감정 털어놓기	심호흡, 자극 피하기, 관심 바꾸기, 용서를 통한 해소 등으로 분노가 쌓이지 않게 노력하고, 화가 났을 때 마음에 쌓아두지 말고, 글을 쓰거나 낙서를 해서 자기감정 표출하기
자기주장 훈련	다른 사람을 비난하거나 불쾌하게 만들지 않으면서 자신의 욕구나 생각, 감정 등을 명확히 주장하는 방법 훈련하기

자료: 정혜선 외(2011).

(5) 긍정적으로 생각하기

어쩔 수 없이 발생하는 상황이라면 기분 좋게 받아들이고, 자신이 해야 하는 일을 즐겁게 열심히 한다.

(6) 자신의 감정 털어놓기

자신의 감정을 표현하지 않으면 더 큰 문제가 발생할 수 있다. 심호흡, 자극 피하기, 관심 바꾸기, 용서를 통한 해소 등으로 분노가 쌓이지 않게 노력한다. 화가 났을 때 화를 나게 한 사람에게 편지를 쓰는 것도 하나의 방법이다. 하지만 쓴 편지는 발송을 하거나 다시 읽지 않고 없애버린다. 편지 쓰기는 글쓰기를 통해 자기감정을 표출할 수 있어 스트레스에서 벗어나는 데 도움을 준다.

(7) 자기주장 훈련

효율적으로 의사소통할 수 있는 방법을 습득한다. 상대를 이해하면서 자기 주장을 할 수 있는 의사소통 기술을 익힌다. 주장행동이란 비난 및 지시로 다른 사람을 불쾌하게 만들지 않으면서 동시에 자기 주장을 분명하고 직접적으로 표현하는 것으로 자신의 욕구나 생각, 감정 등을 나타내는 방법이다. 주장행동을 훈련함으로써 부정적인 감정 문제 발생을 예방하고, 억제된 감정을 해소해 부정적 사고와 자기 비하적 사고를 바로잡을 수 있으며, 결국 갈등을 능숙하게 다룰 수 있게 된다.

3) 감정노동에서 비롯된 증상을 완화하는 방법

(1) 복식호흡법

다양한 호흡법은 몸을 이완하는 데 도움을 준다. 복식호흡법도 그중에 하나인데 편안한 자세로 앉거나 누워서 몸을 좌우로 부드럽게 움직여 몸과 마음을 편안히 이완시키는 방법이다. 복식호흡을 할 때는 양손을 아랫배에 대고 숨을 천천히 들이마시고 내쉬는데, 이때 코나 목으로 호흡하는 것이 아니라 아랫배를 이용해 숨을 쉰다. 몸이 이완되면 온몸이 환한 빛으로 감싸였다고 상상하면서 편안함과 행복감을 누리고(20분간), 마지막으로 복식호흡을 5분간 하고 마무리한다.

(2) 근육이완법

근육이완법은 근육에 주의를 집중시켜 불필요한 긴장을 인식하고 이를 해소하는 단계적인 훈련을 말한다. 이 방법을 통해 근육의 이완이 이루어지면 자율신경 활성도가 낮아지며 불안이나 스트레스 수준이 감소하게 된다.

(3) 명상법

명상을 하면 뇌파가 의식이 깨어 있는 β(베타)파에서 가수면 상태인 α(알파)파로 변화해, 안정되면서 자율신경계의 조화가 이루어진다. 또한 긴장된 근육이 이완되는 효과와 함께 면역력이 강해진다. 이처럼 명상은 마음을 훈련하는 활동이다.

4. 조직 내 감정노동자 치유 프로그램 운영

1) 근로자 지원 프로그램 운영

감정노동자에 대한 '감정 소진' 및 건강 문제를 예방·치료하기 위해 직무 스트레스, 가정생활, 부부 갈등, 자녀 상담 등 직원의 사생활을 포함해 폭넓게 상담할 수 있는 근로자 지원 프로그램(Employment Assistant Program: EAP)을 운영한다.

근로자 지원 프로그램이란 근로자의 음주 문제에 대한 전문가의 상담이나 치료를 지원하는 데서 출발해 정신 건강, 가족 문제, 직장 폭력, 실직과 이직 등 직무 몰입을 방해하는 다양한 문제를 해결하도록 돕는 프로그램으로 발전해 현재는 기업 구성원의 삶의 질을 높이는 프로그램으로 정착했다. 이 프로그램은 기업의 생산성에 영향을 미칠 수 있는 요인에 대한 상담, 컨설팅, 코칭, 서비스 연계 등의 기술을 활용해 근본적 해결 방안을 종합적으로 지원하는 것이다. 이를 통해 근로자의 직무 스트레스를 줄이고, 근로자가 직장과 가정 생활을 원만하게 영위할 수 있게 하며, 자기 계발을 지원해 삶의 질을 향상하는 데 도움을 준다.

2) 종합적인 건강 증진 프로그램 운영

감정노동자들이 신체적·정신적 소진을 극복하고 자아 탄력성을 유지하기 위해서는 사업장 내에서 종합적인 관리 방법을 마련해 시행할 필요가 있다.

영국의 산업안전보건청(Health and Safety Executive: HSE)에서는 근로자들의 감정 회복을 위해 편안한 근무 환경, 좋은 인간관계 구축, 전문가 지지 체계 마련, 건강 행위 실천 등을 추진해야 한다고 보았다. 이와 같은 종합적인 건강 증진 프로그램을 운영함으로써 감정노동자를 보호하는 것이 필요하다.

5. 조직 내 감정노동자 치유 프로그램 추진 사례

1) NC백화점 순천점 추진 사례

NC백화점 순천점은 고객 항의가 잦은 서비스 센터에 "폭언과 폭행으로부터 직원들을 보호합니다"라는 안내판을 걸어놓았다. 고객이 화가 나더라도 직원들에게 충격을 줄 수 있는 말이나 행동을 일단 자제할 수 있도록 유도해 보자는 취지에서이다.

특히 NC백화점 순천점은 고객 불만이 접수되는 과정에서 항의가 격하게 일어날 경우, 이에 적절히 대처할 수 있는 단계별 매뉴얼도 만들었다. 이 매뉴얼에 따르면 고객 불만 때문에 직원 피해가 우려되는 상황이 발생하면 책임자가 즉각 현장으로 이동해 고객을 조용한 사무실로 데려가고, 불만을 최대한 들어주며 해결책을 모색한다. 만약 해결이 어렵다면 상관인 총괄 책임자와 지점장이 단계적으로 상담을 진행해 고객의 화를 진정시키고 타협을 시도

〈그림 11-2〉 NC백화점 순천점의 감정노동 관리 조직

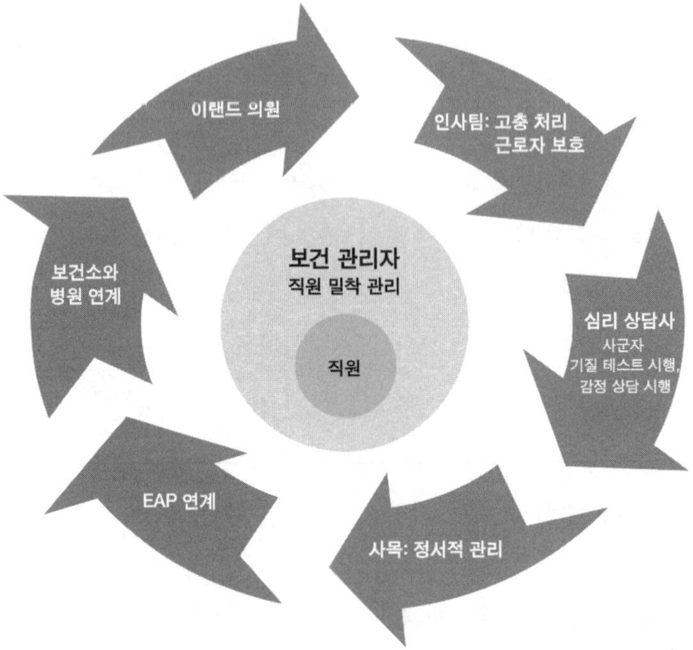

한다. NC백화점 관계자는 "매뉴얼을 통해 직원들은 고객 항의로부터 안전하게 보호받고 갈등 역시 원만히 해결하고 있다"라고 말했다.

또 NC백화점 순천점은 매년 한 차례씩 감정노동 중인 직원들을 대상으로 우울증 테스트와 직무 스트레스 테스트를 받도록 한다. 이 과정에서 문제점이 발견되면 전문의의 치료를 받게 하거나 '힐링 등산', '웃음 치료' 등 관련 프로그램을 통해 치유가 될 수 있도록 유도한다.

2) LG전자 추진 사례

LG전자는 '2014 감정노동 종사자 건강 보호 우수 사례 발표 대회'에서 콜센

터 부문 대상을 수상했다. 1981년 콜센터를 구축하고 도급·운영해온 LG전자는 2010년 고객 서비스 전문 자회사 '하이텔레서비스'를 설립해 인소싱으로 전환한 사례이다. 현재 콜센터 상담사 700명을 보유 중인 LG전자는 '감정노동자 10대 실천 항목'을 마련해 운영하고 있다. 여기에는 감정노동 업무의 전문성을 인정하고 그에 맞는 처우를 보장하며, 안전한 근무 환경을 조성하는 것 등의 10가지 항목이 포함된다.

LG전자는 상황별 자율 휴식제도와 월별 이벤트를 통해 조기 퇴근권을 지급하는 등 적정한 휴게 시간과 휴식 공간을 보장하고 있다. 이 외에도 스트레스 면담 일지와 자가 진단을 통해 고위험군으로 판단되면 별도로 관리하며, 간호사가 상주하는 건강관리실을 운영해 응급처치와 건강 상담 등이 자유롭게 이루어지도록 하고 있다.

특히 무엇보다 상담사들에게 중요한 것은 이들을 효율적으로 보호할 수 있는 소비자 응대 매뉴얼이다. 이에 따라 감정노동자들이 고객 응대 교육을 통해 스스로를 보호할 수 있도록 정기적으로 교육을 실시하고 있다.

이 외에도 LG전자는 감정노동자들이 성범죄 피해를 당했을 경우 법적 대응 프로세스를 적용, 회사 차원에서 보호하고 있다. 악성 고객은 법적으로 대응하고 있으며, 업무상 과실 부담을 최소화하기 위해 국내에서 처음으로 전문인 배상책임보험(Professional Indemnity Insurance: PI), 영업배상책임보험에 가입했다.

3) 현대C&R 추진 사례

현대해상화재보험 콜센터를 운영 중인 현대C&R은 감정노동자의 업무 스트레스 해소와 심리적 안정의 필요성을 인식해 다양한 감정노동 지원 프로그

〈그림 11-3〉 단계별 감정노동 보호 프로그램

감정노동 종사자 지원이라는 구체적 목표 아래 상시 제공하는 심리 상담을 비롯해 채용부터 장기근속에 이르는 단계별 감정노동 보호 프로그램을 체계적으로 운영하고 있다.

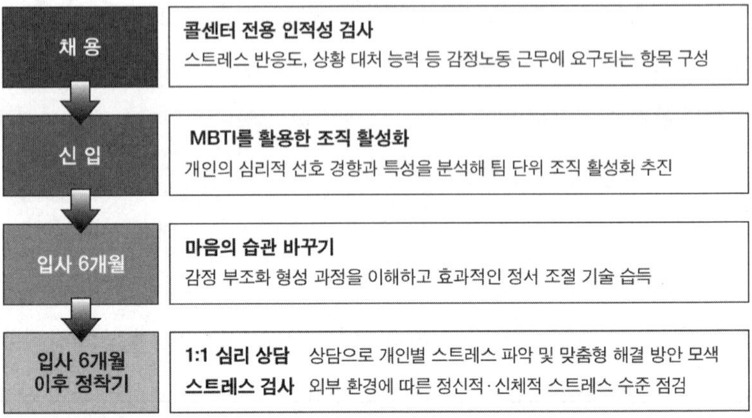

램을 앞장서서 진행하고 있다. 이에 따라 이직률이 감소하고, 장기근속자가 증가하는 등 가시적인 성과를 거두고 있다.

현대C&R은 감정노동자 지원을 전방위적인 근로자 지원 관점에서 접근하고 전문 인력과 시설을 별도로 구성해 직원 개인별 상황에 따른 맞춤형 서비스를 제공하고 있다. 심리 상담 전문가 세 명을 직접 고용해 1 대 1 심리 상담과 스트레스 검사, MBTI를 통한 조직 활성화를 진행하고 있다. 연간 1 대 1 심리 상담 횟수는 600여 회에 이른다. 감정노동에 시달리는 상담사들이 일상에서 상담을 원할 때마다 진행할 수 있어 순간순간 힘든 일을 털어놓고 마음의 응어리를 풀 수 있다.

특히 현대C&R은 콜센터 필요 역량과 감정적 특성을 추출하는 표준화된 '인성·적성 검사'를 업계 처음으로 도입해 실시하고 있다. 검사 항목은 아홉 개 분야 48개 문항으로 감정, 능력, 소통으로 구분된다. 감정 조절 능력과 낙관성, 자기 관리, 의사소통 능력 등을 검사하는 것이다. 이를 통해 채용 과정에서 심리적 역량이 뛰어난 지원자를 선발하고, 채용 후에도 상담사 개개인의 특성을 고려해 교육, 훈련, 코칭, 제도 개선 등 다방면에 걸쳐 감정노동 지원 활성화에 적용한다.

이 외에도 '행복한 콜센터'를 모토로 삼은 현대C&R은 동호회 활동 지원, 펀리더(Fun-Leader) 운영, 멘토, 임산부 휴식, 스트레스 완화 교육 등을 실시하고 있다.

12

감정노동자와 소비자의 관계 재정립

임상혁 노동환경건강연구소 소장

1. 머리말

우리나라에서 감정노동 문제가 사회적으로 크게 불거진 시기는 2013년이다. 2013년 4월, 국내 항공기에 탑승한 대기업 상무가 "라면을 제대로 못 끓였다"라면서 항공기 여승무원을 폭행하는 사건이 발생했다. 9월에는 공항에서 대기업 회장이 비정규직 항공 보안 노동자를 폭행하는 사례가 보도되었다. 이후 연속 보도되는 폭행, 폭언, 성희롱 등 일련의 불미스러운 일과 일하는 사람들의 인권을 빼앗는 행위가 드러나면서, 감정노동을 수행하는 것으로 생각되는 약 700만 명의 고객 대면 노동자들의 정신 건강 및 스트레스가 클 것이라는 사회적 의제가 대두되었다.

이 과정에서 감정노동자를 힘들게 하는 '소비자'의 문제가 제기되었는데 소비자들은 소비권을 가진 권리 주체에서 가해자 집단으로 한순간에 '폄하'되고 말았다. 물론 '진상'으로 불리는 '안하무인'형 소비자가 일부 존재하는 것은 분명해 보인다. 그러나 다수 소비자의 불만은 이런 유형과 다를 수 있다. 제품이나 서비스에 실제로 문제가 있기 때문에 '이유 있는 불만'을 토로하고 있다는 가설을 세워볼 수 있다. 이 장에서는 동시에 진행된 감정노동에 대한 소비자 의식조사와 감정노동자 실태 조사 결과를 비교해, 서비스를 제공하는 주체와 서비스를 제공받는 주체가 겪는 고충이 상반된 것인지 아니면 동일한 문제에서 시작되는지를 확인하고자 한다. 또한 소비자의 불만이 서비스를 제공하는 노동자의 어려움과 통합되고 순화될 수 있는 것인지, 아니면 평행선을 그리며 계속되는 갈등 관계를 겪을 수밖에 없는지에 대해 답을 찾고자 한다.

2. 감정노동, 무엇이 문제인가

1) 기업은 왜 소비자에게 감정노동을 제공하는가

우리나라는 전체 산업의 70% 정도가 서비스산업이다. 서비스산업이란 제품과 서비스가 결합된 상품을 판매함으로써 이윤을 창출하는 산업으로, 제품 자체가 지닌 속성이나 기능이 소비자 만족을 결정하는 것이 아니라, 제품이 어떻게 전달되는가의 문제, 즉 그 과정 속에서 서비스 전달자 및 서비스 환경과 고객이 어떻게 상호작용하는지에 대한 총체적 경험이 고객의 만족을 결정한다는 것이다(이유재, 2013). 더욱이 서비스는 고객과 서비스 노동자가 직접 마주해 생산·교환·소모되는 특징이 있기 때문에 서비스 노동자와의 접점 지역에서 소비자가 느끼는 경험이 서비스 질을 판단할 때 주요한 역할을 한다(Staw and Barsade, 1993). 많은 연구에서 역시 감정노동자의 긍정적인 감정 전달이 소비자의 긍정적인 감정 향상 및 행동적 변화와 관계가 있다는 결과가 나왔다(Mattila and Enz, 2002; Pugh, 2001; Staw and Barsade, 1993).

따라서 기업은 감정노동자의 직무와 관련한 감정 표출이 어떻게 소비자에게 영향을 주어 기업의 이익을 증진시키는지의 관점에서 감정노동자의 내적 경험보다는 관찰 가능한 감정 표현 규칙에 따른 외적인 효과에 집중했다(Rafaeli and Sutton, 1987). 기업은 서비스 내용을 표준화해 고객 응대의 변동성을 줄이고 일관된 서비스 품질을 유지하고자 한다. 이를 위해 서비스 평가에 주요한 영향을 미치는 감정노동자의 언어뿐만 아니라 말하는 방식, 태도, 행동 등과 같은 비언어적인 요소까지도 기업의 고객 응대 규칙에 포함시켜 직원의 감정 표현을 관리한다.

2) 소비자는 왜 기업에서 제공하는 감정노동 서비스에 불만을 품는가[1]

소비자들은 서비스를 제공받으면서 불쾌한 경험을 한 경우가 약 67%라고 응답했고, 6% 수준에서는 불쾌한 경험이 자주 있다고 답했다.

서비스를 받으면서 불쾌함이나 불편함을 느낀 이유는 '내가 필요한 정보를 제대로 주지 않아서'가 가장 높았고, '내가 필요로 하는 서비스 내용에 대해 이해하지 못하는 것 같아서'가 다음 순위였다. 또한 '원스톱 서비스가 안 되어서'

1 이 항은 2014년 10월 감정노동을 생각하는 기업 및 소비문화 조성 전국 협의회에서 조사한 감정노동에 대한 소비자, 노동자 의식조사를 축약한 것이다. 전국 캠페인을 통해 1000명의 소비자가 참여했으며, 남성이 약 34%, 여성이 약 66% 응답했다. 응답자 연령대는 10대부터 60대까지 고르게 분포되어 있으며, 40~50대가 상대적으로 많다. 692명의 감정노동자가 참여했고, 이들은 청년 비정규직 노동자, 판매 등의 분야에서 일하는 노동자, 콜센터 노동자, 공무원으로 구성되었다. 남성이 19.5%, 여성이 80.5%로 여성의 비율이 높았으며, 30대, 40대가 각각 30%씩 차지했고, 20대는 23%로 나타났다.

〈그림 12-1〉 소비자의 서비스 불만 원인

(단위: %)

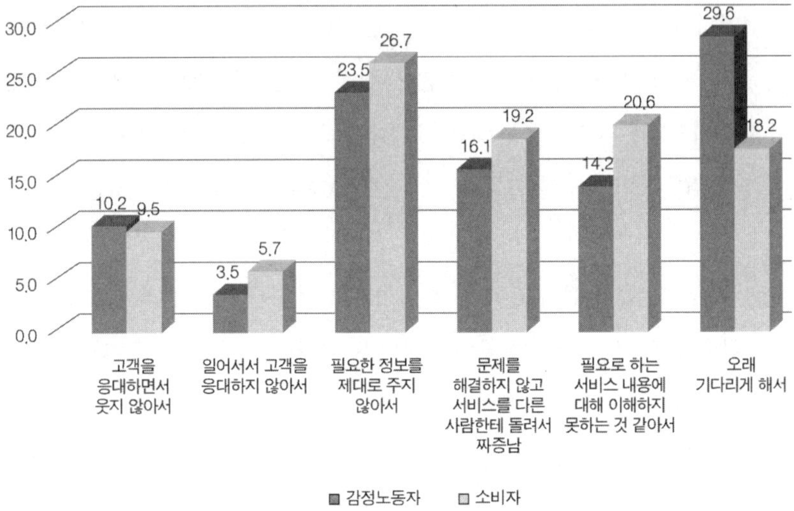

〈그림 12-2〉 서비스를 제대로 못하는 이유

(단위: %)

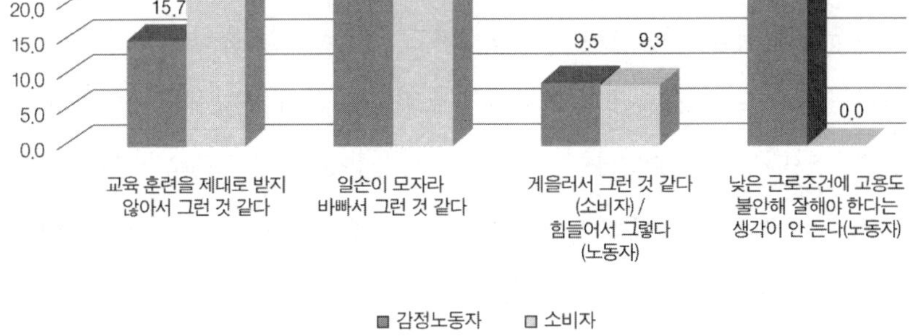

와 '나를 오래 기다리게 해서'가 비슷한 수준으로 높았다. 소비자가 불만을 갖는 이유에 대한 감정노동자들의 응답 결과도 소비자들의 응답 결과와 비슷했다.

여기서 소비자들의 서비스 불만 원인은, 사업주들이 노동자에게 요구하는 '웃음'과 '서서 응대하기'가 아니라는 사실이 확인된다. 소비자 불만의 주된 이유는 획일적인 친절보다는 상품 구매에 필요한 정보가 제대로 제공되지 않는 것이었다. 소비자들은 노동자들이 필요한 정보를 제공하지 못하는 이유로 '교육 훈련의 부족'과 '일손이 모자라서'라고 인식하는 것으로 나타났다. 한편 노동자들은 '교육 훈련 부족'과 '일손이 모자라서'라는 이유 이외에도 낮은 근로조건과 고용 불안 역시 소비자가 불만을 제기하는 원인으로 들었다. 실제 소비자를 대면하는 감정노동자 대부분은 여성 노동자이며, 고용이 불안하고 근로조건이 열악한 비정규직 노동자가 대부분이다. 노동자들은 이런 문제가 해결되지 않으면 소비자의 서비스 불만이 계속된다고 응답했다.

오히려 소비자들은 불편할 정도로 과도한 서비스를 제공받은 경험이 약 70%에 이르고 있다. 노동자들도 이러한 얘기를 고객으로부터 직접 들었던 경험이 35%에 이른다. 소비자들에게 편하고 적절한 서비스를 제공하는 것이 가장 바람직한 방법이나 현재의 서비스는 적절하기보다는 과도하게 이루어지고 있다는 것을 확인할 수 있다.

소비자에게 노동자의 입장에서 생각했을 때 업무 중 받는 가장 큰 스트레스가 무엇일지를 묻는 한편 노동자에게도 실제로 받는 스트레스에 대해 유사한 문항으로 질문한 결과, 노동자와 소비자의 의식에는 거의 차이가 없는 것으로 나타났다. 소비자는 '무시(반말)'를 가장 높은 스트레스 요인으로 꼽았는데(60.2%), 노동자도 역시 가장 큰 스트레스 요인으로 이 항목을 꼽았다(40.1%). 두 번째 순위는 '부당한 요구'였는데 이 또한 소비자(20.4%)와 노동자(37.6%)의 생각이 같은 수준으로 나타났다. 이 결과는 서로의 상황을 잘 알고

〈그림 12-3〉 과도한 서비스 경험

(단위: %)

감정노동자

귀하가 제공하는 서비스에 대해 고객이 불편하고 과도하다는 말을 한 적이 있습니까? (있다: 35%)

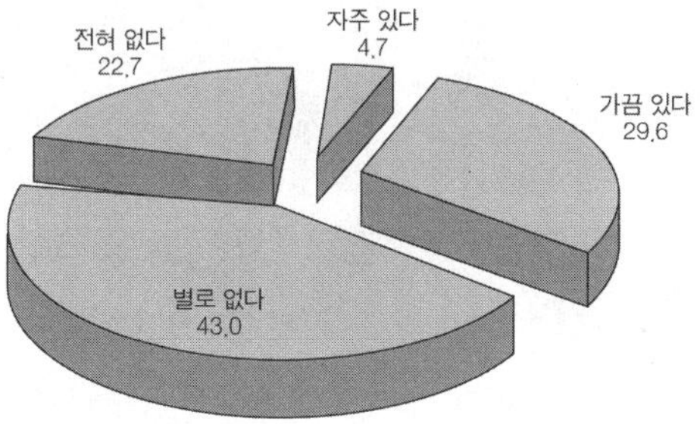

소비자

불편할 정도로 과도한 친절을 경험한 적이 있다 (있다: 67%)

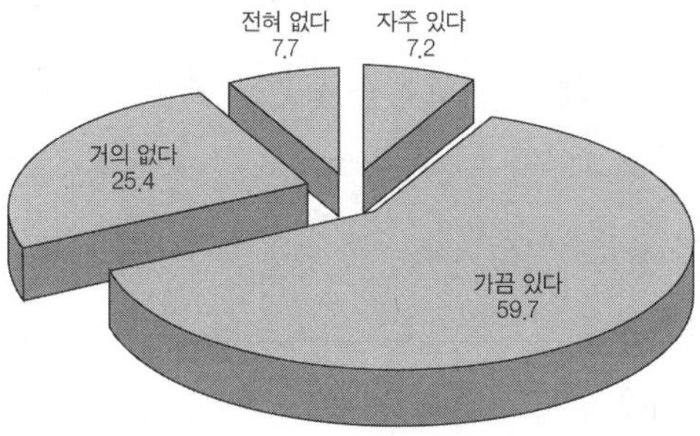

있다는 의미이자 노동자의 생각과 소비자의 생각이 평행선을 달리지 않을 수 있다는 것을 보여준다.

1절에서 필자는 서비스를 제공하는 주체와 서비스를 제공받는 주체가 겪는 고충이 상반된 것인지 아니면 동일한 문제에서 시작되는지, 그리고 소비자의 불만이 서비스를 제공하는 노동자의 어려움과 통합되고 순화될 수 있는지, 아니면 평행선을 그리며 계속되는 갈등을 겪을 수밖에 없는지에 대해 답

〈그림 12-4〉 업무 중 가장 큰 스트레스가 되는 요인

(단위: %)

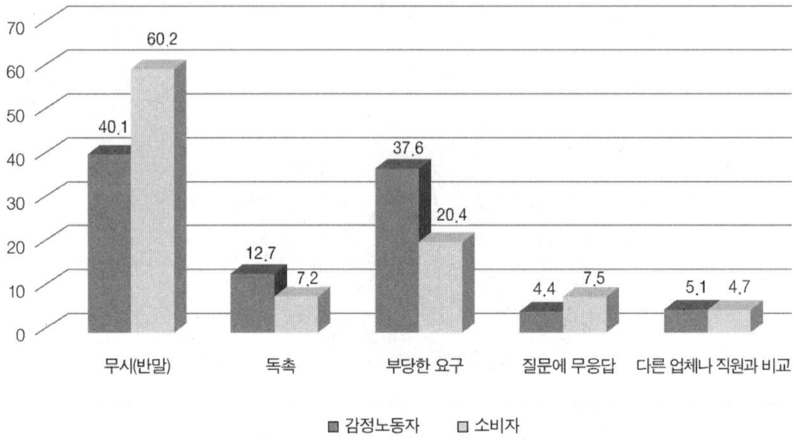

을 구하고자 했다. 설문 조사 결과는 불만을 품은 소비자와 서비스를 제공하는 감정노동자가 각각 다른 이유로 갈등 관계를 형성하는 것이 아니라 같은 이유로 갈등을 겪게 된다는 것을 보여준다.

소비자와 노동자가 공통적으로 원하는 것은 상품에 대한 정확한 정보의 제공이었다. 정확한 정보를 제공하기 위해 노동자들은 이에 대한 교육 훈련을 받기를 원하며, 소비자 역시 마찬가지였다. 또한 소비자들은 과도한 친절이 아닌 적당한 친절을 원하고 있었으며, 노동자들은 좀 더 나은 서비스를 위해 고용 불안, 열악한 근로조건, 인력 부족 등이 해결되기를 원하고 있다. 적어도 기업이 소비자의 만족도를 높이고 불만을 줄이려면 직원들의 언어 사용, 말하는 방식, 태도, 행동 등을 규제하고 관리하는 것이 아니라 어떻게 하면 직원들의 서비스 질을 향상시킬 수 있을지를 고민해야 한다.

3. 감정노동자와 소비자의 연대

1) 기업은 악성 소비자를 어떻게 관리해야 하나

기업들이 고객 만족 경영을 표방하면서 소비자의 권리 의식이 지나치게 강조된 결과, 기업을 상대로 과도한 요구를 일삼는 문제적 소비자가 늘어나고 있다. 특히 최근에는 서비스에 만족하지 못하는 소비자의 불평을 처리해 기존 고객을 유지하는 것이 중요시되면서 이를 고의적으로 악용하는 악성 소비자, 즉 '블랙컨슈머(black consumer)'가 등장했다. 블랙컨슈머란 악성을 뜻하는 '블랙(black)'과 소비자라는 뜻의 '컨슈머(consumer)'가 합쳐진 신조어로, 구매한 상품이나 서비스에 대한 보상금 등을 목적으로 의도적으로 기업에 악성 민원을 제기하는 소비자를 말한다.

우리나라의 블랙컨슈머는 기업 스스로 만들었다고 해도 과언이 아니다. 원칙 없는 고객 서비스나 고객의 과도한 요구도 무조건 수용하는 기업의 경영 방식 때문에 소비자는 '소리 지르지 않으면 오히려 손해를 본다'고 생각해 점점 과도한 요구를 하고, 이것이 결국 블랙컨슈머를 더욱 증가시키는 결과를 낳았다.

블랙컨슈머가 보상금을 목적으로 한다면, 보상금을 목적으로 하지 않는 '불량 고객'이라는 용어도 있다. 이유재(2003)는 불량 고객이라는 용어를 사용해 "의도적으로 혹은 우연히 서비스 조직 및 다른 고객에게 부정적인 영향을 미쳐 서비스를 혼란시키는 고객"이라고 정의했다. 한동안 언론에 오르내렸던 '대한항공 회항 사건', '빵 회장' 및 '라면 상무' 사건 등이 대표적 사례이다. 즉, 불량고객이란 힘의 우위를 차지하는 특수한 고객으로 감정노동자에게 이른바 '갑질'을 하는 소비자를 지칭한다.

베이트슨과 호프먼(Bateson and Hoffman, 1997)은 불량 고객을 다섯 가지 유형으로 구분했으며, 구체적으로 다른 고객이나 서비스 노동자보다 자신의 요구를 가장 우선시하는 '이기주의형', 서비스 노동자와 다른 고객들에게 소리를 지르고 욕설을 퍼붓는 '욕설형', 자신의 의견을 관철하기 위해 소리 지르고 화내는 '고함형', 서비스 기업과 노동자에게 거만한 태도를 보이는 '전제주의형', 요금을 지불하지 않고 서비스를 받기 위해 속임수를 쓰거나 거짓말을 하는 '무임승차형'으로 분류했다.

이은경 외(2013)는 불량 고객과 블랙컨슈머의 차이점을 다음과 같이 기술했다.

첫째, 불량 고객은 구입한 제품에 하자를 발견한 경우 사적 행동 또는 공적 행동을 취하는 반면, 블랙컨슈머는 자신의 목적을 달성하기 위해 소비자 관련 기관을 거치지 않고 기업에 직접 문제를 제기한다. 이들은 통상적으로 판매 업체를 통해 교환이나 반품을 하는 것이 일반적인 해결 방법인데도 제조 업체에 직접 연락해 적정선을 넘어서는 과도한 보상을 요구한다.

둘째, 불량 고객은 만족·불만족에 관련되어 있으나 블랙컨슈머는 반드시 만족·불만족과 관련되어 있지는 않다. 즉, 불량 고객은 제품을 구매한 후 불평불만을 경험해 이에 대해 기업에 문제를 제기하는 이들로, 기업이 이들의 문제를 해결하고자 통상적으로 불만을 제기하는 고객에 비해 서비스 비용을 과다 지출하도록 만드는 고객층이다. 하지만 블랙컨슈머는 불평·불만의 경험과 관계없이 기업 기만에 목적을 두고 사전에 계획하며 문제를 제기하는 고객층으로, 기업의 입장에서는 불량 고객과 마찬가지로 서비스 비용이 과다 지출될 뿐 아니라 과도한 보상 요구 때문에 불필요한 비용이 더 증가한다.

셋째, 기업 활동의 바람직한 방향이라는 관점에서 보면, 기업은 불량 고객의 불만을 해소시켜 불량 고객을 최소화하는 데 그 목적을 두어야 하는 반면,

블랙컨슈머의 경우에는 사회 전반에 걸쳐 이들이 발생하는 원인을 파악해 문제를 해결하는 것이 선행되어야 한다.

즉, 불량 고객과 블랙컨슈머는 각기 대처 방법이 달라야 한다. ≪동아일보≫ 2014년 8월 21일 자 "블랙컨슈머에 당근 대신 채찍 드는 기업들"에 따르면 2011년 9월 대한상공회의소가 국내 기업들을 대상으로 소비자의 악성 클레임 처리 실태를 조사한 결과, 고객으로부터 부당한 요구를 당한 경험이 있다고 응답한 경우가 2007년과 비교해 39.3%에서 83%로 증가했으며, 처리와 관련한 고충으로 인터넷이나 언론 유포 위협(71.0%), 폭언(39.7%), 고소 또는 고발 위협(17.6%), 업무에 방해되는 연락 또는 방문(16.8%), 기타(1.1%) 순으로 나타났다. 이렇듯 블랙컨슈머에서 비롯된 고충을 안고 있는 기업에서 이들 때문에 발생하는 문제를 해결하기 위한 대응 방안이 필요하다고 할 수 있다.

최근 블랙컨슈머 수가 늘어나면서 기업들의 대응 비용도 천문학적으로 늘었다. 기업들도 악의적인 의도가 명확한 경우 적극적으로 고소 및 고발을 하는 쪽으로 대응 방식을 바꾸고 있다. 과거에는 기업 이미지 보호를 위해 최대한 인내할 것을 요구했지만, 더 이상 블랙컨슈머를 용인하지 않겠다는 분위기가 확산되고 있다. 전화로 욕설이나 성희롱을 하는 고객은 상담원이 먼저 전화를 끊게 하고, 증거자료 확보를 위해 CCTV 등을 활용하는 기업도 늘고 있다.

≪조선일보≫ 2013년 10월 4일 자 기사 "'블랙컨슈머 때문에 못살아' …… 기업들, 매뉴얼 대응"도 그 예 중 하나이다. 해당 기사에서는 ○○백화점이 판매 사원에게 나눠준 구체적인 행동 매뉴얼을 보면 1단계로 "고객님 차분히 말씀해주세요"라고 상대방을 진정시키라고 설명한다. 그래도 상대방이 욕설을 하거나 손찌검을 하면 2단계로 "고객님 그런 말씀은 '형법' 제311조 모욕죄에 해당합니다", "그런 행동은 '형법' 제260조 폭행죄에 해당합니다"라고 경고한다. 이후에도 사건이 해결되지 않으면 3단계로 "이제 경찰에 신고하겠습니

다"라고 말하고 신고한다. 실제로 ○○백화점은 8월 말 서울의 한 매장에 나타난 블랙컨슈머를 경찰에 신고했고, 이 블랙컨슈머는 경찰이 출동하기 전에 도주했다. 금융감독원 역시 2015년 9월 말 "민원인이 비합리적 요구나 폭언을 할 경우 민원 응대를 중단하고, 심할 경우 업무방해죄로 고발하는 방안까지 검토 중"이라고 밝혔다. 한 카드사는 악성 민원인이 지점을 방문할 경우 CCTV가 설치된 민원 상담실로 안내하는 방안을 시행하고 있다. 은행연합회도 2015년 3월부터 시중은행 민원 담당 부장들로 구성된 태스크포스(Task Force: TF)를 만들어 블랙컨슈머 대응 방안을 논의하고 있다.

이렇듯 블랙컨슈머에 대한 기업의 관리는 법적 대응을 통해 이루어지고 있다. 고의로 이물질을 넣거나 제품을 파손한 후 금전적인 보상을 요구하는 경우 사기죄로 고발해 형사처분이 내려지기도 했고, 지속적으로 전화를 걸거나 매장에 찾아와 업무를 하지 못하도록 방해해 업무방해죄로 벌금을 받은 사례도 있다. 담당자에게 폭력을 가하거나 물건을 파손하는 경우 폭행죄와 재물손괴죄로 고발하고, 콜센터에서 폭언 및 성희롱을 해 명예훼손죄와 모욕죄로 벌금을 받은 경우도 있다. 잘못이 없거나 매우 경미한 잘못인데도 원하는 만큼 보상을 해주지 않으면 언론에 유포하겠다고 협박해 협박죄로 형사처분을 받은 경우도 있다. 물론 블랙컨슈머에 대해 정확한 기준을 마련하기는 어렵지만, 기업과 정부에서 나름대로 감정노동자를 보호하고 기업의 피해를 최소화하려는 움직임이 있는 것은 다행한 일이다.

언론에 수도 없이 오르내렸던 '대한항공 사건', '라면 상무', '빵 회장', '백화점 모녀' 등 여러 사건은 보상금을 목적으로 하는 블랙컨슈머라기보다는 의도적으로 혹은 우연히 서비스 조직에 부정적인 영향을 미치는 불량 고객이다. 이들 불량 고객의 공통점은 모두 권력(힘의 우위)을 가지고 있다는 것이다. 권력은 오직 타인과의 관계에서 존재하기 때문에 본질적으로 사회관계적인 개념이다. 그러므로 권력은 영향력을 행사할 때 타인의 동의가 그 실현에 필수적인 조건이 아니다(Anderson and Brion, 2014). 이런 특징을 감정노동에 적용한다면, 권력을 가진 소비자는 감정노동자의 정서 등에 대한 인식 수준이 낮을 것이고, 따라서 그들에 대한 배려의 동기 또한 낮을 것이다. "내가 그날 백화점에서 700만 원이나 구매했는데 왜 이런 망신을 당해야 하나"라고 방송 인터뷰에서 당당히 말하는 '백화점 모녀'의 행태는 불량 고객의 전형을 보여준다.

그러면 불량 고객에 어떻게 대처해야 할까? 기업에서는 과연 불량 고객을 블랙컨슈머처럼 대할 수 있을까? 구매력이 높은 불량 고객을 블랙컨슈머와 마찬가지로 법적으로만 대응하기에는 무리가 있어 보인다.

물론 폭력이나 성희롱 등 범법 행위를 할 경우에는 반드시 형사처분을 받도록 해야 한다. 권력이 낮은 감정노동자가 구매력이 높은 불량 고객을 형사 고발하기는 매우 어려운 일이므로 피해자인 감정노동자를 대리해 기업에서 적극적으로 형사 고발을 할 수 있어야 한다. 폭언이나 무리한 요구를 하는 경우 감정노동자를 대신해 전문 관리자가 불량 고객을 응대하는 것이 좋다. 즉, 2차 대응을 피해자인 감정노동자가 아닌 전문 관리자가 하자는 것이다. 이때 피해자인 감정노동자는 고객이 없는 곳으로 가서 휴식을 취하며, 불량 고객의 시야에서 사라지는 것이 중요하다. 전문 관리자는 고객이 화난 이유를 듣고 문제를 합리적으로 해결하면 된다. 고객이 과도한 요구를 하면 기업의 매뉴얼에 따라 들어줄 것은 들어주고 그렇지 않은 것은 들어주지 않는 확고한 방침이 있어야 한다. 그 밖에 노블레스 오블리주(noblesse oblige)를 실현할 수 있는 소비자 교육, 감정노동 서비스를 제공하는 노동자의 정규직화 및 전문화, 받아들일 수 없는 소비자 요구에 대한 확고한 방침 등이 이후 논의되고 확대되어야 할 것이다.

2) 감정노동자 보호를 위한 소비자들의 행동

감정노동자 보호를 위해 소비자들이 나섰다. 이는 한국에만 존재하는 특이한 경우이다. 소비자단체인 녹색소비자연대를 중심으로 기업, 전문가, 노동조합, 소비자단체 등이 '감정노동자를 생각하는 기업 및 소비문화 조성'을 위한 캠페인을 함께 전개하고 있다. 소비자들을 대상으로 감정노동이 무엇인지 설명하고, 감정노동 문제를 해결하는 것이 소비자에게도 유익하다는 것을 알리며, 문제 해결을 위해 필요한 노력이 무엇인지 소비자의 생각을 표현할 수 있도록 하는 캠페인이다. 또한 감정노동자들에게 응원의 메시지를 직접 작성해주기도 하고, 감정노동자를 위한 입법 활동을 지원할 것을 다짐하기도 한다.

소비자들이 주체가 되어 시행하는 캠페인은 소비자와 감정노동자를 가해자와 피해자로 바라보고 있지 않다. 이 캠페인은 소비자의 제품에 대한 욕구와 필요를 감정노동자들로 '덮어버리려고' 하는 기업을 대상으로 한다. '덮어놓고 하는' 친절을 거부하는 것이다. 소비자가 원하는 것은 제품과 서비스에 대한 정확하고 신뢰할 만한 전문적인 지식 위에 더해진 친절 서비스이다. 이 캠페인은 일부이기는 하지만 감정노동자를 대하는 소비자들의 부당한 태도에 대해 성찰적 태도를 요구하는 동시에 감정노동자를 대하는 기업의 태도 변화를 촉구하는 소비자 권리 운동이기도 하다.[2]

녹색소비자연대는 감정노동자들이 안전하고 편안한 환경에서 일할 수 있도록 하는 것이 기업과 소비자 모두에게 이익이 된다는 관점에서 기업과 소

---

2 http://www.gcn.or.kr/news/news_view.php?sc_master_seq=1&pk_seq=5727(검색일: 2016.12.27)

비자단체가 공감대를 형성할 수 있도록 계속적으로 노력하고 있다. 또한 11개 기업과 '감정노동자와 함께하는 기업 및 소비자 문화 확산을 위한 공동 협약'을 체결했고 앞으로도 지속할 예정이다.

'감정노동자와 함께하는 10대 기업 실천 약속'은 ① 감정노동자의 기본 인권을 보장하기 위한 적극적인 지원, ② 업무의 전문성을 인정하고 그에 맞는 처우 보장, ③ 안전한 근무 환경 조성, ④ 적정한 휴게 시간과 휴식 공간 보장 ⑤ 감정노동자를 효율적으로 보호할 수 있는 실질적인 소비자 응대 매뉴얼 마련, ⑥ 부당한 소비자 행동에 대해 자기를 보호할 수 있는 적절한 권한 보장, ⑦ 안전을 유지하기 위한 전문 조직 마련, ⑧ 자기 보호를 위한 정기적인 교육 실시, ⑨ 정신적·신체적 건강을 위한 프로그램 적극 지원, ⑩ 고충 처리 창구의 상시적 운영이다.

또한 '10대 소비자 실천 약속'은 ① 감정노동자의 인권을 존중하고 해당 서비스의 전문가로 인정하기, ② 그들도 내 가족, 내 이웃이라는 것을 잊지 않기, ③ 역지사지의 마음 가지기, ④ 반말·욕설·희롱·무시하는 언행이 아닌 상대방을 존중하는 언행하기, ⑤ 서비스받을 때 감사 인사하기, ⑥ 나의 부당한 요구가 다른 소비자에게 피해가 된다는 것 인식하기, ⑦ 서로 잘못했을 때는 인정하고 사과하기, ⑧ 문제 제기는 합리적으로, 목소리는 부드럽게 하기, ⑨ 감정노동자를 위하는 기업 찾아보고 격려하기, ⑩ 그들을 위한 입법 활동을 위해 노력하기이다.[3]

---

3 http://www.gcn.or.kr/news/news_view.php?sc_master_seq=1&pk_seq=5745(검색일: 2016.12.27)

4. 맺음말

앞서 말한 대로 이 장은 소비자의 불만이 서비스를 제공하는 노동자의 어려움과 통합되고 순화될 수 있는지, 아니면 평행선을 그리며 계속적으로 갈등을 겪을 수밖에 없는지에 대해 답을 찾기 위한 것이다. 결론적으로 소비자와 노동자가 공통적으로 원하는 것은 상품에 대한 정확한 정보 제공이었다. 정확한 정보를 제공하기 위해 노동자들은 이에 대한 교육과 훈련을 받기를 원하며, 소비자 역시 마찬가지였다. 또한 소비자들은 과도한 친절이 아닌 적절한 친절을 원하고 있었으며, 노동자들은 좀 더 나은 서비스를 위해 고용 불안, 낮은 근로조건, 인력 부족이 해결되기를 원하고 있다.

정리하면 감정노동자의 인권 보호와 소비자 권리는 정확히 일치한다고 할 수 있다. 적어도 기업이 소비자의 만족도를 높이고 불만을 줄이려면 직원들의 언어 사용, 말하는 방식, 태도, 행동 등을 규제하고 관리하는 것이 아니라 직원들의 서비스 질을 높이기 위한 방안을 모색해야 한다.

또한 일부 문제가 되고 있는 블랙컨슈머와 불량 고객 등 악성 소비자를 해결하기 위해서는 그 대처 방법이 달라야 한다. 블랙컨슈머에 대해서는 법적 대응을 통한 해결이, 불량 고객에 대해서는 질적으로 높은(전문성이 높은) 서비스 제공과 이외 다양한 방법을 통한 해결이 필요하다.

13

시민사회 활동

감정노동전국네트워크 사례

이성종 민주노총 전국민간서비스산업노동조합연맹 정책 기획 실장 | **공선영** 사회건강연구소 연구위원

1. 감정노동전국네트워크 발족 과정과 취지

1) 발족 과정

감정노동전국네트워크(이하 '네트워크')는 2012년 구성된 '감정노동 산업재해 인정을 위한 공동 사업 추진 연석회의'를 출발점으로 해 이후 활동 영역을 확대하면서 다양한 부문의 여러 단체들과 함께하게 되었다.

네트워크 출범의 배경으로는 2007년 민주노총이 취약 노동 계층(취약 분과)에 대한 지원 활동을 모색하면서 상대적으로 취약한 여성 노동자의 건강 문제를 본격적으로 다루기 시작한 것을 들 수 있는데, 그 첫 번째 운동이 '서서 일하는 서비스 여성 노동자에게 의자를(일명 의자 캠페인)'이었다. 그 이후 사회적 문제로 인식될 만한 감정노동과 관련된 사건(○○ 백화점 협력 사원 투신

사건 등)들이 이어지면서 감정노동과 관련 있는 노동단체들이 모이게 되었고, 이후 외연이 확대되었다.

2012년 당시 감정노동 연석회의에 참여했던 단체는 전국공공운수노조, 사무금융노조연맹, 전국보건의료산업노조, 전국금융산업노조, 전국우정노조, 전국민간서비스산업노조연맹 등으로 노동 부문이 중심이었고, 연석회의의 주요 활동은 감정노동 때문에 발생한 정신적 증상이나 질병을 산업재해로 인정하는 법률을 입법 추진하는 것이었다. 그해 9월에 첫 모임을 가졌으며, 단체의 기본적인 활동 방향을 논의하고 초별 사업 계획을 기획하는 과정으로 진행되었다.

초기 연석회의 활동의 결과로 2012년 10월 감정노동자 보호와 관련된 최초의 법안인 '산업재해보상보험법' 법률 개정안('산업재해보상보험법' 제37조 업무상의 재해의 인정 기준에 '다. 업무상 정신적 스트레스가 원인이 되어 발생한 질병'을 추가)을 발의하게 되었다. 이와 병행해 국가인권위원회와 공동으로 2011년 감정노동 가이드라인('감정노동자가 진짜 웃을 수 있는 일터 만들기', '웃다가 병든 사람들 우리는 감정노동자입니다')과 여성 감정노동자 인권 가이드 실천을 위한 사업주 안내서 발간에 이어 2012년에는 여성 감정노동자 인권 수첩('감정노동자 그리고 여성')을 제작하고 배포했다.

한편 감정노동자 직업군을 조합원으로 둔 여러 노동단체(전국민간서비스산업노동조합연맹/유통 판매직, 전국우정노동조합/우편집배원, 전국보건의료산업노동조합/간호사, 전국사무금융노동조합연맹/콜센터)에서 자체 감정노동 실태 조사를 대대적으로 시행했으며, 실태 조사 결과를 토대로 감정노동자 보호를 위한 법률안을 준비하는 작업을 본격적으로 하게 되었고, 마침내 연석회의 차원의 모범 법률안('근로기준법', '산업안전보건법', '산업재해보상보험법')을 완성하기도 했다. 완성된 법률 개정안은 이후 '일과건강', '노동환경건강연구소'가

〈사진 13-1〉 2013년 감정노동자 보호 입법 마련을 위한 공청회(국회, 왼쪽), 2014년 감정노동자 보호법 통과 촉구 기자회견(국회 앞, 오른쪽)

〈사진 13-2〉 2014년 감정노동을 생각하는 기업 및 소비 문화 조성 공동 협약식(롯데호텔, 왼쪽), 2015년 감정노동전국네트워크 출범식(국회, 오른쪽)

주최하는 '2013년 건강권 포럼(감정노동 부분)'에 소개되기도 했다.

그 후 2013년과 2014년에는 감정노동과 관련된 각종 법률안 발의와 감정노동자 보호 방안 마련을 위한 국회 토론회, 감정노동자 보호법의 입법을 촉구하는 기자회견 등이 이어졌다. 2014년에는 녹색소비자연대 등 소비자단체들과 감정노동을 생각하는 기업 및 소비 문화 조성을 위한 캠페인을 광역 시도에서 수십 차례 전개했다. 또한 감정노동자 보호를 위한 시스템을 모색하거나 구축하고 있는 모범 기업들을 찾아내 시상했고, 네트워크를 포함한 관련 단체들이 모여 노동부(산업안보건공단)와 서울시가 주관한 감정노동자와 함께하는 기업 및 소비 문화 조성을 위한 공동 협약식을 진행하기도 했다.

그리고 2015년 3월 네트워크는 감정노동의 가치와 산업재해 인정, 감정노동자 보호 입법 추진에 동의하는 노동, 여성, 법률, 의료, 종교, 연구소 등 26개 단체가 모여 공식적으로 발족을 선언하면서 감정노동자의 의식 실태 조사, 추가 법률안 발의, 감정노동자 보호 입법 촉구 100만 인 서명운동을 오프라인과 온라인에서 동시에 진행하고 있다.

2) 지향점과 조직 체계

네트워크의 주요 지향점은 표면적으로는 감정노동자 보호를 위한 입법 추진이다. 하지만 그보다는 감정노동에 대한 사회적 인식을 제고하는 것, 즉 상호 존중과 배려의 문화를 만들어가는 것과 유독 한국 사회에서 제기되고 있는 감정노동의 의제에 대해 공익적 관점에서 또는 여성(감정노동자의 다수가 여성이기 때문에)에 대한 젠더적 관점에서 접근하면서 궁극적으로 문제 해결을 위한 사회적 합의를 도출하는 것이 핵심적인 지향점이라 할 수 있다.

사실 네트워크가 활동을 도모한 초기 동기는 감정노동에 대한 대중적인 관심을 확보하기 위함이었다. 유관 사건들이 매년 이어지고 있었지만 감정노동이 일반화된 개념은 아니었기 때문이다. 서비스 업종에서 흔히 볼 수 있는 문제 행동을 하는 고객들과 그 때문에 인권과 정신 건강을 침해받는 감정노동자의 문제를 대부분의 시민들은 잘 모르고, 안다 하더라도 서비스산업이라는 특성을 고려해 당사자들이 스스로 감내해야 하는 상황으로 인식해 대수롭게 여기지 않았다.

사람들의 선입견과 주관을 바꾸기는 쉽지 않다. 특히 한국 사회가 산업구조 재편으로 제조업 중심의 산업사회가 서비스산업 중심으로 이동하면서(서

〈표 13-1〉 네트워크 조직 체계

구분	구성	역할
정책연구팀	연구소, 의료 단체	실태 조사 및 정책 연구 사업 등
조직선전팀	노동·여성·종교 단체	언론 사업 및 홍보 사업 등
법률지원팀	법률 단체	법안 검토 및 법률 연구 사업 등

비스 사회화) 유통 서비스 부문에서 발생하는 일부 컨슈머(소비자, 고객)들의 "손님은 왕이다"라는 과도한 권리 주장이 감정노동을 유발하는 매우 주요한 요인으로 지목되고 있다. 감정노동자가 처해 있는 고용 불안, 저임금, 과도한 업무량, 부족한 휴식 시간, 직장 내 괴롭힘 등 열악한 노동환경도 감정노동 유발 요인으로 추가되고 있다.

한편 네트워크는 발족 당시 조직 체계를 정책연구팀, 법률지원팀, 조직선전팀으로 구성해 운영하도록 의견을 모았고, 각각의 팀에서 담당하는 영역의 활동을 진행하고 있다. 팀별 역할을 살펴보면 정책연구팀은 실태 조사와 사업에 대한 기획·정책·생산을 담당하고, 법률지원팀은 감정노동의 정의, 가치, 산업재해, 방어권, 사업주의 조치·의무 등 감정노동자 보호 법안 검토와 초안을 맡고 있으며, 조직선전팀은 감정노동에 대한 사회적 인식을 제고하기 위한 대국민 홍보 활동과 서명운동에 주력하고 있다.

2. 감정노동전국네트워크 참여 단체

네트워크에 참여하는 단체는 2012년 여섯 개에서 2014년 11개 단체로 늘어났으며, 2015년 26개 단체에 이르게 되었고, 노동, 여성·환경, 의료, 종교, 법률, 연구소 등 다양한 부문에서 참여하고 있다. 다양한 단체가 네트워크에

〈표 13-2〉 감정노동전국네트워크 단체

부문	단체명
노동	전국민주노동조합총연맹, 한국노동조합총연맹, 전국민간서비스산업노동조합연맹, 전국보건의료산업노동조합, 전국사무금융노동조합연맹, 전국공공운수노동조합, 전국금융산업노동조합, 전국우정노동조합, 전국의료산업노동조합연맹, 미래창조과학부공무원노동조합, 희망연대노동조합, 청년유니온, 아르바이트노동조합(13개 단체)
연구소	노동환경건강연구소, 한국노동사회연구소, 한국비정규노동센터, 일과건강(4개 단체)
여성/환경	한국여성민우회, 한국여성노동자회, 여성환경연대(3개 단체)
의료	인도주의실천의사협의회
법률	민주사회를위한변호사모임노동위원회, 노동인권실현을위한노무사모임, 공익인권변호사모임희망을만드는법, 여성노동법률지원센터(4개 단체)
종교	천주교서울대교구노동사목위원회

참여하게 된 데는 각각의 이유가 있다. 노동단체는 감정노동자가 소속되어 있으므로 당연한 일이었고, 연구소는 그동안 감정노동에 관한 연구를 해왔던 경험이 도움이 될 수 있다는 판단에서, 의료 단체는 감정노동을 산업재해 등 산업의학으로 바라보는 관점에서, 여성단체는 감정노동 직업군에 다수의 여성이 일하고 있었으므로 여성 인권이라는 문제의식에서, 법률 단체는 감정노동자 보호법 추진을 위해 법률안에 대한 자문이 필요했기 때문이다.

네트워크 활동 초기에는 노동단체들로만 구성되어 있었고, 그 때문에 각 노동단체별 노동 현안 등에 밀려 감정노동 사안이 조직 내에서 관심을 받아 활발하게 논의되지 못하는 것은 물론 사업이 집행되지 못하는 상황이 지속된 시기도 있었다. 하지만 감정노동과 관련된 사건들이 언론을 통해 사회적으로 알려지고, 감정노동 관련 법안들이 국회에서 발의되기 시작하면서 점차적으로 감정노동 사업이 현안으로 부상하게 되었고, 현재는 정기적인 회합과 정보 공유를 진행하면서 네트워크 활동이 체계적으로 이어지는 중이다.

현재 네트워크는 노동, 연구소, 여성·환경, 의료, 법률, 종교 부문 등의 26개 단체가 참여하고 있다(〈표 13-2〉).

한편 감정노동자 보호 법안을 발의한 한명숙 의원실, 심상정 의원실, 윤재옥 의원실, 이인영 의원실, 김기식 의원실, 황주홍 의원실과 장하나 의원실이 네트워크 활동을 적극 후원해왔으며, 이전부터 감정노동 사업을 추진해온 국가인권위원회도 적극적인 후원자이다.

녹색소비자연대, 주부 교실, YWCA 등과 함께 네트워크에 참여하고 있는 '감정노동을 생각하는 기업 및 소비 문화 조성 전국 협의회'는 서울시와 노동부의 재정 지원으로 감정노동을 생각하는 기업 및 소비 문화 조성을 위한 사업을 하고 있으며, 2014년에 이어 2015년에도 공익광고, 캠페인, 서포터스 사업 등을 다양하게 진행하고 있다. 특히 캠페인 활동을 통해 성찰하는 소비 문화를 만들어가는 데 매우 유효한 사회적 역할을 담당하고 있다고 평가된다.

3. 네트워크 활동과 감정노동자 보호법 추진 현황

1) 네트워크와 유관 단체들의 활동 현황

네트워크(감정노동 산업재해 인정을 위한 공동 사업 추진 연석회의 포함) 활동은 감정노동의 가치와 산업재해 인정, 감정노동자 보호 입법 추진을 위한 기자회견, 토론회, 캠페인, 서명운동, 실태 조사 등을 주로 진행했다. 감정노동 관련 사업을 시행한 단체 등의 활동 내용을 연도별로 정리하면 〈표 13-3〉과 같다.

〈표 13-3〉 네트워크의 연도별 활동(유관 단체 포함)

연도	내용
~ 2011	• 서비스직 종사 근로자들의 감정노동 정도가 근로자의 직무 만족, 노동생산성에 미치는 영향에 대한 연구(한국노동사회연구소, 2006) • 유통업 여성 비정규직 차별 및 노동권 실태 조사(국가인권위원회, 2007) • '서서 일하는 여성 노동자에게 의자를' 의자 캠페인(전국민간서비스산업노동조합연맹, 2008) • 서비스 노동자 감정노동 문제와 대책 토론회(노동환경건강연구소·서비스연맹, 2009) • '웃다가 병든 사람들 우리는 감정노동자입니다' 고객 응대 매뉴얼 가이드라인(국가인권위원회·서비스연맹, 2010) • 서비스 노동자 삶의 질 실태 조사(서비스연맹, 2010) • 서비스 노동자 산업재해 예방을 위한 관련 법 개정 토론회(서비스연맹, 2010) • 여성 감정노동자 인권 가이드 실천을 위한 사업주 안내서 제작(국가인원위원회, 2011)
2012	• 감정노동 연석회의 구성 및 운영 • '산업재해보상보험법' 법률 개정안 발의(심상정 의원) • 감정노동 실태 조사 (전국보건의료산업노동조합·전국사무금융노동조합연맹), 콜센터 상담원 노동 인권실태 및 법제도 개선 토론회(사무금융노조연맹) • 여성 감정노동자 인권 수첩 제작(국가인원위원회·서비스연맹) • 감정노동자 보호 입법 준비(연석회의)
2013	• 건강권 포럼, 감정노동자! 본래의 감정을 밝히다~!!(네트워크·일과건강) • 감정노동 근로자의 건강 관리 방안 연구(안전보건공단) • 콜센터 노동 인권 보장 공동 캠페인 정책 토론회(희망연대, 참여연대 등) • 정신 건강 위험 수준의 감정노동자 실태 조사 결과 보고(네트워크) • 감정노동 힐링 프로그램 연구(서비스연맹) • 서비스산업 감정노동 연구(한국노동연구원) • 감정노동자 근로조건 개선을 위한 간담회(여성가족부) • 감정노동에 대한 사회적 인식 제고와 감정노동자 보호 입법 마련을 위한 공청회(네트워크) • 감정노동 국회 사진전(서비스연맹) • 여자, 노동을 말하다: 감정노동 정책 토론회(서울시여성가족재단) • '산업안전보건법', '남녀고용평등법' 법률 개정안 발의(한명숙 의원) • 한국형 감정노동 및 작업장 폭력 평가 도구 개발, 감정노동 종사자의 안전 보건 활동 기법 개발(안전보건공단) • 감정노동 피해자 소송 승소 판결(서울남부지방법원)

2014	• 건강권 포럼, 감정노동자 보호 입법 추진 경과와 향후 과제(네트워크·일과건강) • 감정노동자 의식 실태 조사(네트워크) • 감정노동에 대한 소비자 의식 실태 조사(녹색소비자연대) • 서울시 다산콜센터 상담사 인권 개선을 위한 정책 권고(서울시 인권위원회) • 감정노동자 보호법 입법 청원서 제출(네트워크) • 감정노동자 보호법 통과 촉구 기자회견 및 환노 위원장 간담회(네트워크) • '남녀고용평등법' 법률 개정안 발의(심상정 의원) • '산업안전보건법' 법률 개정안 발의(한명숙 의원) • '산업안전보건법' 법률 개정안 발의(이인영 의원) • '따뜻한 소비, 배려하는 소비'로 '감정노동자'를 지켜주세요! 대국민 홍보 캠페인(네트워크) • 감정노동을 생각하는 기업 및 소비 문화 조성 캠페인(네트워크·녹색소비자연대) • 백화점에는 사람이 있다! 우리가 간다! 바꾼다! 우다다 액션단 캠페인(한국여성민우회·서비스연맹) • 감정노동을 생각하는 기업 및 소비 문화 조성을 위한 공동 협약식(노동부) • 감정노동자와 함께하는 기업 및 소비 문화 만들기 공동 협약식(서울시) • '근로기준법', '산업안전보건법', '산업재해보상보험법' 법률 개정안 발의(윤재옥 의원) • 우리도 집에 가면 귀한 자식이거든요! 청년 아르바이트 감정노동 실태 조사(청년유니온) • 감정노동 문제 해결을 위한 토론회(노동부·네트워크) • 금융 부문 감정노동 문제와 블랙컨슈머 대처 방안 모색 토론회(전국금융산업노동조합)
2015	• 건강권 포럼 / 감정노동자, 이제 보호의 품 안으로(네트워크·일과건강) • 감정노동 전국네트워크 출범(네트워크) • 감정노동자 의식 실태 조사(네트워크) • 감정노동에 대한 소비자 및 기업 의식 실태 조사(녹색소비자연대) • 감정노동 종사자 보호 등에 관한 법안 발의(황주홍 의원) • '근로기준법', '은행법' 등 법률 개정안 발의(김기식 의원) • 유통 업종 감정노동 실태 연구(서울시 노동권익센터) • 공공 부문 감정노동 조례 제정을 위한 연구(서울노동권익센터) • 항공 승무원 노동 인권 개선 토론회(국토교통위원회 의원실) • 감정노동 공익광고 제작, 송출(안전보건공단) • 감정노동자들의 인권침해 실태 및 인권 보호 방안 세미나(국회입법조사처) • 감정노동과 건강 학술 대회(이화여자대학교 젠더법학연구소) • 감정노동으로 인한 업무상 질병 인정 범위 및 기준에 관한 연구(노동부) • 감정 서비스 노동자를 위한 힐링 프로그램(노동복지센터) • 서울시 공공 부문 감정노동 조례 제정 토론회(네트워크·서울시의회) • 감정노동자 보호 입법 관련 정책 의견서 제출(네트워크) • 감정노동자 보호 입법을 촉구하는 100만인 서명운동(네트워크) • 감정노동자, 소비자, 기업 의식 실태 조사 결과 발표 토론회(네트워크)

2) 감정노동자 보호법 추진 현황

감정노동의 문제를 해결하고 감정노동자 보호를 목적으로 하는 법률안이 2012년부터 16건이 발의되었다. 주로 '노동관계법(근로기준법, 산업안전보건법, 산업재해보상보험법)'과 '남녀고용평등법', 그리고 금융 부문의 감정노동자 보호를 위한 '은행법', '보험업법', '상호저축은행법', '여신전문금융업법', '자본시장법' 등이며, 감정노동 종사자 보호를 위한 법률안은 특별법으로 발의되어 있다(〈부록 1〉 참조).

감정노동자 보호 법률안의 주요 내용으로는 감정노동의 정의, 적정한 수준의 업무 매뉴얼 작성 및 교육, 고객의 무리한 요구 및 폭언·성희롱·폭행 등에 대한 업무 중지(자기방어 권리), 사업주의 심리 상담 서비스 제공, 감정노동에 따른 직무 스트레스의 산업재해 인정, 금융권 감정노동자 보호를 위한 사업주의 조치 의무 등이 포함되어 있다.

국회 내에서 감정노동과 관련된 법률 개정안들이 제출되고 사회적으로도 감정노동에 대한 문제의식이 확산되면서 정부 차원의 움직임도 가시화되고 있다. 노동부는 2014년 말 국회 환경노동위원회에 '산업안전보건법' 제24조의 2에 '고객 응대 업무로 인한 건강 장해 예방'을 추가할 것을 정부안으로 제출했고, 이미 발의된 법률안들은 시행령이나 시행규칙에 반영하겠다고 밝혔다. 이어서 노동부는 2015년 내로 관련 법안을 추진할 것임을 거듭 밝혔고, 해당 사안에 대해 연구 용역 사업까지 진행한 것으로 확인되고 있다.

노동부가 제출한 법안의 주요 내용은 "① 사업주는 고객 등을 주로 상대하는 업무(이하 '고객 응대 업무')에 종사하는 근로자에 대해 고객 등의 폭언, 폭력, 기타 직무 스트레스 등으로 인한 건강 장해를 예방하기 위해 고용노동부령으로 정하는 바에 따라 필요한 조치를 해야 한다, ② 사업주는 고객 응대 업무에 종사하는 근로자가 고객 등의 폭언, 폭력, 무리한 요구 등 때문에 건강 장해가 발생한 경우에는 업무의 전환, 근로시간의 단축, 휴식 시간의 연장 등 필요한 조치를 취하도록 노력해야 한다, ③ 제1항에 따라 건강 장해 예방 조치를 해야 할 사업의 종류 및 규모, 그 밖에 필요한 사항은 대통령령으로 정한다" 등이다.

이는 기존에 발의된 감정노동자 보호 법안보다는 범위가 협소하고 내용이 미흡하지만 일정 부분 의미가 있는 시도로 평가된다. 다만 향후 시행령이나 시행규칙에 세부적으로 담아야 할 내용인 법안을 적용할 사업과 그 규모에 관한 부분은 계속 주의 깊게 지켜봐야 하는데, 특히 페널티(벌칙) 조항에 포함되지 않는다면 결국 기업들은 법을 지키지 않고 벌금 납부로 대신하는 우려스러운 상황이 발생할 수 있으므로 규제가 필요하다.

4. 감정노동전국네트워크의 향후 과제

1) 감정노동 문제 해결을 위한 법제도적 대안 모색

사회적으로 감정노동 문제가 제기되고, 일반 국민들도 감정노동의 존재를 인식하기 시작했지만, 감정노동 문제를 해결하기 위한 법과 제도는 전무한 상황이다. 따라서 감정노동에서 비롯된 직무 스트레스에 대한 산업재해 인정과 감정노동자 보호를 위한 법률이 필요하다는 요구가 높아지고 있다는 판단에 기초해 네트워크 차원의 법제도 개선을 중심으로 대안을 모색하게 되었다.

감정노동으로 인한 감정의 부조화와 감정 소진은 당사자의 정신 건강에 매우 크게 영향을 미치고, 사소한 상황들이 축적되는 과정을 통해 자신도 모르게 어느새 정신과적 증상 및 질병이 생긴다고 한다. 감정노동 때문에 발생하는 정신 건강과 관련된 의학적 소견으로는 소화불량, 수면 장애부터 우울증, 대인 기피증, 공황장애, 외상 후 스트레스 장애 등이 나타나기도 하며, 심지어는 극심한 스트레스를 극복하지 못하고 자신의 생명을 포기하는 일(자해, 자살)도 벌어지고 있어 그 심각성을 더해가고 있다.

2014년 노동부 근로복지공단(업무상질병판정위원회)에서 인정한 산업재해의 대부분은 사고성 재해가 차지했고, 업무와 관련해 발생한 질병으로 인정된 비율은 9%밖에 되지 않는다. 그중에서 1% 정도가 직무 스트레스에 따른 재해였다. 2015년부터 노동부가 연구 용역 사업을 통해 준비했던 업무상 질병 인정 기준이 구체적으로 마련된다면 감정노동 때문에 발생하는 직무 스트레스에 대한 산업재해 인정이 이전보다는 확대될 것으로 예상된다. 다만 산업재해 판정 기관인 근로복지공단(질병판정위원회)에서도 업무상 질병 인정 기준에 대한 적극적인 이해와 해석 노력이 동반되어야 할 것으로 보인다.

2015년에 노동부가 연구 용역 사업을 통해 준비하고 있는 업무상 질병 인정 기준이 구체적으로 마련된다면 감정노동 때문에 발생하는 직무 스트레스에 대한 재해 인정이 이전보다는 확대될 것으로 보인다.

하지만 이 또한 문제가 없는 것은 아니다. 직장인이 정신 질환에 대한 상담 및 치료를 받거나 산업재해로 인정받아 요양하고 난 후 다시 업무에 복귀해 일할 수 있는 권리가 보장되느냐를 놓고 우려가 제기되고 있다. 또한 기업들도 입사 시 이전의 정신 병력을 확인할 가능성이 높아 경미한 정신 질환 경험자의 노동시장 진입이 어려워질 수도 있다는 것이 문제이다. 이는 정신 질환을 바라보는 우리 사회의 잘못된 시각이 보편화된 결과이다. 국제보건기구(World Trade Organization: WHO)의 건강 증진을 위한 '오타와 헌장'(1986)에 나타난 바와 같이 현대인이면 누구나 스트레스를 받고 있고, 스트레스 해소를 위해

국제보건기구의 건강 증진을 위한 오타와 헌장(1986)

정신 건강이란 개개인의 행복한 상태(a state of wellbeing)이며, 다음과 같다.

1. 자신의 능력을 실현하고,
2. 일상적인 스트레스를 극복할 수 있고,
3. 효율적으로 일할 수 있으며,
4. 자신이 속한 공동체에 기여할 수 있는 상태

정신 건강을 지켜주는 보호 요인(protective factor)은 다음과 같다.

1. 사회적 지원(social support)
2. 소속감과 가치 있는 업무(a feeling of inclusion and meaningful work)
3. 자신의 일에서 의미를 찾는 것(finding sense in one's work)
4. 자신의 일하는 방식을 결정할 수 있는 것(being able to decide on a course of action during work)
5. 자신의 페이스에 맞춰 자신의 일을 조직할 수 있는 것(being able to organize work according to your own pace)

치유와 힐링을 위한 활동, 즉 정신과를 찾아가 상담 및 치료를 받아야 하며, 이를 보통 사람들의 정신 건강 유지와 증진을 위한 일상 활동으로 이해하는 것이 필요하다.

이러한 감정노동의 폐해를 해결하기 위해 지극히 당연하게도 기업이 우선적으로 앞장서야 한다. 감정노동자들은 자신이 속한 조직(기업)에서 자신이 얼마나 응원·지지·지원을 받고 있는지를 매우 중요하게 생각하며, 특히 블랙컨슈머 등 문제 행동을 하는 고객을 만났을 때 자신이 속한 기업이 어떤 태도와 조치를 취하는지를 예의 주시하고 있다.

예를 들면 2015년에 발생한 일명 '라면 상무', '빵 회장', '백화점 모녀 폭행',

'땅콩 회항 사건' 등에서 기업들이 사건을 처리하기 위해 어떻게 했는지 하는 것이다. 블랙컨슈머는 사실상 기업들이 재생산하고 있는 것이나 다름없다. 고객의 컴플레인(과도한 요구나 주장)에 대해 기업 이미지 훼손 등을 우려해 금품으로 보상하는 등 잘못된 방식으로 접근하고 다른 기업들이 이를 벤치마킹하면서, 상황을 더욱 악화시키는 악성 고객들이 증가하게 된 것이다. 또한 기업들이 금품으로 보상한 비용은 고스란히 상품 원가에 전가되어 결국 소비자들이 감당해야 하는 결과를 초래한다.

최근 콜센터 기업을 중심으로 기업 내에 감정노동자 보호를 위한 시스템을 구축하기 시작한 것은 매우 고무적이다. 조건 없는 친절을 강요하던 서비스 지침을 수정해 감정노동자들이 자기를 방어할 수 있는 고객 응대 매뉴얼을 만들어 적용하고, 악성 고객을 전담하는 부서를 실치해 운영하며 상습적인 블랙컨슈머 등에 대해서는 사법 처리를 하는 등 적극적으로 대처하는 사례들이 조금씩 나타나기 시작했다.

유통 서비스 부문의 일부 기업들도 고객 응대 매뉴얼을 만들고 감정노동자 보호에 나서는 모습을 보이고 있으나, 유통 업종의 특성상 간접 고용 신분으로 있는 대다수의 협력 업체(입점 업체)나 파견 업체 소속 노동자들에게는 그 매뉴얼이 적용되지 않는다는 것이 문제이다. 이 때문에 하나의 사업장에서 일하고 있는 모든 노동자의 노동 안전에 관한 사안은 원청 사업주가 책임을 져야 한다는 요구가 설득력을 얻고 있다.

이렇게 일부 자발적인 움직임이 있기는 하지만, 전체적으로는 아직까지 매우 미약한 상황이다. 따라서 이와 함께 법제도적으로 기업의 책무를 일정 부분 강제하는 방안이 병행되어야 한다. 2011년 산업안전보건공단에서 감정노동에 의한 직무 스트레스 보호 지침을 만들었지만 기업들이 활용하지 않아 무용지물이 되었는데, 이런 점을 감안했을 때 현시점에서 감정노동자 보호법

〈표 13-4〉 관계 당사자별 역할의 예

감정노동자	• 자기 존중감, 일에 대한 만족, 자가 심리 치료 등 • 스스로 자기 존중감을 높이는 인식을 갖기 • 자기 직업(직무)에 대한 만족(완성)도를 높이는 긍정적 사고 • 감정노동의 사회적 가치를 스스로 인정하고 당당히 표현하며 권리를 찾는 적극적 자세
소비자 (고객)	• 착한 소비, 배려하는 소비, 존중하는 소비 등 • 감정노동자에 대한 인식 전환(감정노동자는 나의 요구를 만족시켜주는 고마운 도우미) • 감정노동자의 노동의 가치를 인정하는 자세(일상생활에서 만나는 감정노동자의 직종에 대한 이해) • 감정노동자에 대한 배려, 존중, 감사, 응원해주는 마음 갖기
기업 (사용자)	• 감정노동 완화 업무 매뉴얼, 감정노동 자기방어 지침 등 • 질 높은 직무 교육 및 기업 내 조직 문화 쇄신 • 안전 보건 전담 부서(안전보건 TF, 안전보건위원회) 설치 • 정신 건강 예방 관리 및 치유 프로그램 운영 • 근로자 지원 프로그램(EAP, ECP) 도입·운영 • 작업 환경에 대한 조사 및 개선 활동 • 휴게 시설 확대 및 휴게 시간 보장 • 사내 물리치료실, 심리 상담실 운영 • 고객에 의한 성희롱 예방 매뉴얼 개발과 보급 • 사업장 내에서의 욕설 및 폭언 방지책 마련 • 노동강도 완화를 위한 적정 인력 산출 및 인력 충원 • 감정노동의 가치를 인정하고 그에 따른 보상(수당, 휴가 등) • 동호회 활동의 지원(우회 방안)
정부	• 공익광고, 교육, 대국민 캠페인, 감정노동자 보호법 제정 등 • 소비자(국민), 감정노동자, 기업이 함께 존중하는 문화 만들기 홍보 • 기업에 대한 관리 감독을 통해서 감정노동의 완화를 위한 노무관리를 할 수 있도록 유도하고 기업이 산업안전보건공단의 감정노동 가이드라인을 이행하도록 적극적인 권고 활동 • 근로기준법, 산업재해보상보험법, 산업안전보건법 등 관련법의 개정으로 감정노동의 가치 및 산업재해 인정을 통해서 감정노동자를 보호 • 공교육 또는 직업 체험 교육에 감정노동 교육을 시행하고 감정노동을 경험하게 하는 프로그램 개발 시행

추진이 적극 논의되어야 한다고 생각한다. 외국의 입법 사례가 거의 없다고 하더라도 한국 사회의 특성을 고려해 적절한 내용을 입법하고 정비할 필요가 있다.

궁극적으로 감정노동 문제를 해결하기 위해서는 사회적 합의를 만들어야 한다. 극히 소수의 블랙컨슈머 때문에 다수의 선량한 소비자들이 피해를 입지 말아야 하며, 기업들이 감정노동자를 보호하는 것은 사회적 책임이라는 점을 인식해야 한다. 감정노동자 또한 강요된 억지웃음보다는 소비자들이 원하는 정보를 제공할 수 있는 전문가가 되어야 할 것이다. 이렇게 한다면 감정노동자, 소비자, 기업, 정부가 행복한 동행을 하게 될 것이라 믿어 의심치 않는다. 〈표 13-4〉는 감정노동에 관계된 주체들의 역할을 정리한 것이다.

네트워크는 사회적 합의를 통한 문제 해결에 중점을 두고 있으며, 특히 보상 이전에 문제 발생 예방을 위해 법제도적으로 접근하는 것을 핵심 과제로 삼고 있다. 이를테면 감정노동의 직무 스트레스를 야기할 수 있는 비상식적인 요구, 폭언, 폭행, 성희롱 등을 자제할 것을 요청하는 내용의 게시물을 부착해 고객이 볼 수 있게 하거나 악성 고객으로부터 그러한 일을 당하게 될 경우 그 자리에서 피할 수 있는 권리(자기방어권)를 부여하는 것 등이 그 내용이다. 그리고 과도한 친절을 강요하는 서비스 지침을 지양하고 고객과 감정노동자, 기업 모두가 행복해질 수 있는, 상대를 배려하는 소비문화 조성이 병행된다면 예방의 효과가 더욱 커질 것으로 기대된다.

2) 기업 차원의 해결 방안

법적인 해결 방안도 중요하지만, 기업들의 평가 제도나 고객 서비스 교육 등도 반드시 개선되어야 할 지점이다. 미스터리 쇼퍼와 같이 감정노동자 당사자들의 인격과 인권이 침해되는 모니터링 제도는 과감하게 폐지되거나 수정되어야 한다. 무조건 친절만을 강요하고 친절도 평가를 인사고과에 반영하는 영업 정책을 전향적으로 바꿔야 한다. 오히려 고객이 원하는 정보를 만족스럽게 제공하기 위한 질 높은 직무 교육을 시행해 맞춤형 서비스를 개발하는 것이 필요하다. 그에 따라 감정노동자는 고객을 위한 전문 직업인으로 평가되어 자존감과 업무 몰입도가 높아지면서 내면에서 우러나오는 자연스러운 친절을 표현하게 될 것이다.

구글, 페이스북, 아마존 등 글로벌 기업들은 업무의 자율성을 높이고 노동환경을 개선하기 위해 추가로 비용을 투입하기도 했지만, 결과적으로 생산성을 상승시킨 것은 일하기 좋고, 일에 재미를 느낄 수 있는 조직 문화를 구현했기 때문이라는 분석이 유력하다. 이는 또한 구성원들이 일과 삶의 균형을 이루는 데 도움이 되기도 한다. 이런 예를 토대로 볼 때 감정노동의 문제를 기업 내에서 해결한다는 것은 결국 기업이 감정노동자들을 둘러싼 비생산적 요소를 정비한다는 의미가 포함되어 있다는 것은 물론이고, 사실상 강요된 감정을 상품과 함께 판매하면서 누적되는 부정적인 인식 및 감정을 해소하고 치유하기 위한 노력이라는 점을 인식해야 한다. 더 나아가 이런 노력이 수익 창출과 일자리 창출만큼 중요한 기업의 사회적 책임 가운데 하나임을 자각하는 것이 중요하다.

3) 노동조합(또는 노사)의 역할

'헌법'과 '노동조합 및 노동관계조정법(노동조합법)'에 보장된 권리, 즉 노동조합이 설립된 사업장(노동조합 설립이 되어 있지 않은 사업장은 노사협의회를 통해)에서는 되도록 감정노동을 협업적인 노사 관계를 통해 노동조건의 하나로 인식해 예방·보호·치유·보상의 단계별 정책을 지속적으로 모색하고 만들어

〈표 13-5〉 감정노동 관련 영역별 내용

영역	주요 내용
예방	• 적정한 고객 응대 매뉴얼(서비스 지침) 작성 및 직무 교육 • 미스터리 쇼퍼 등 인권침해적 모니터링 제도 폐지 • 과도한 업무 목표 조정 등 스트레스 요인 제거 • 서로 존중화고 배려하는 사회문화(소비문화 등) 조성
보호	• 자기방어권(상황 발생 시 피할 수 있는 권리) 부여 • 블랙컨슈머(문제 행동 소비자, 진상 고객)에 대응하는 전담 조직 운영 • 휴게 시간, 휴식 공간, 적정 인력 유지
치유	• 산업재해 인정, 심리 상담, 심리 치료, 치유 프로그램 운영
보상	• 감정 휴가, 감정 수당 등 감정노동의 가치 인정

내야 한다. 이를 위해 가장 실현 가능한 방안은 감정노동자들이 실제로 일하고 있는 환경에 대한 실태 조사를 시행하고(물론 노사가 공동으로 하는 것이 최선), 조사 결과에 따른 대책(개선 방안)을 마련해나가는 것이다.

아울러 노사가 체결하는 단체협약에 감정노동 관련 조항을 신설하고(〈부록 2〉 참조), 감정노동자의 인격과 인권, 건강하게 일할 권리를 보장하는 방향으로 노사 간의 단체교섭이 진행될 수 있도록 노동조합의 적극적이고 다양한 방식의 노력이 필요할 것이다. 또한 문제 해결을 위해서는 사후 대책인 보상과 치유보다는 사전 대책인 예방과 보호의 관점에서 접근하는 자세가 중요하다는 것을 강조해야 한다.

감정노동 문제가 이슈가 되면서 일부 기업들이 선도적으로 매뉴얼(시스템)을 만들고 적용하는 사례가 생겨나고, 노사가 머리를 맞대고 연구를 해서 매뉴얼을 만드는 모범적인 사례도 선보이게 되었다. 감정노동과 관련해 노동조합도 2006년부터 나름의 성과를 내고 있는 중이다(〈부록 3〉 참조). 감정 수당, 감정 휴가 도입, 심리 상담 서비스 제공 등이 그것인데, 물론 사업장에서의 그러한 금전적 보상 정책만으로 감정노동 문제가 해결될 수는 없다. 하지만 노사가 감정노동 문제에 공감한다는 점, 지속적으로 문제 해결을 위해 진화된 노력을 담보한다는 것이 의미 있다고 평가될 수 있다.

4) 향후 네트워크의 활동 방향

지난 수년 동안 감정노동과 관련된 각종 실태 조사, 캠페인, 토론회, 공익광고 등으로 일부 사람들 사이에 공감대를 형성해 감정노동자 보호법이 입법 발의되었지만, 아직까지 감정노동 문제를 해결하기 위한 어떠한 법과 제도도 갖추지 못하고 있다. 그러나 기업 내에서 노사 간 협의를 통해 문제를 해결하려는 노력들이 시작되고 있고, 일부 기업들이 감정노동으로부터 발생하는 문제를 예방하기 위해 시스템을 갖추고자 시도하고 있다는 점이 고무적이다.

네트워크는 기업들의 자발적인 참여와 노력으로 사업장 내에서의 감정노동 예방 활동이 활성화되기를 기대하는 동시에 어느 정도의 법과 제도적인 대책이 필요하다고 생각한다. 따라서 감정노동자 보호를 위한 최소한의 내용으로 법률이 입법될 수 있도록 다양한 활동을 지속적으로 전개해나갈 예정이다. 그 뒤에 사회문화적인 접근으로 상대를 배려하는 소비문화와 사회문화를 확산하기 위한 활동을 준비하고 실천할 것이다.

부록 1: 감정노동자 보호 법안 발의 현황(요약)

대표 발의 (법률) 발의 일자	주요 내용
심상정 의원 (산업재해보상보험법) 2012.10.31	• 감정노동(직무 스트레스)에 대한 산업재해 인정
한명숙 의원 (산업안전보건법) 2013.5.24	• 감정노동 완화를 위한 업무 매뉴얼 작성 및 교육 • 감정노동자를 위한 심리 상담 서비스를 사업주가 제공 • 감정노동이 발생하지 않도록 고객의 자제를 당부하는 내용의 요청 글 게시
한명숙 의원 (남녀고용평등법) 2013.5.24	• 고객에 의한 성희롱 발생 시 수사기관에 고발 • 직장 내 성희롱과 같이 고객에 의한 성희롱 예방 노력과 교육을 시행
심상정 의원 (남녀고용평등법) 2014.3.6	• 고객에 의한 성희롱 발생 시 임금의 손실 없이 업무를 중단
한명숙 의원 (산업안전보건법) 2014.3.18	• 고객의 무리한 요구, 폭언, 성희롱에 대한 사업주의 적극적인 대응
윤재옥 의원 (산업안전보건법) 2014.8.7	• 감정노동의 정의 • 정부의 책무와 사업주의 보건 조치 강화
윤재옥 의원 (산업재해보상보험) 2014.8.7	• 감정노동의 정의
윤재옥 의원 (근로기준법) 2014.8.7	• 감정노동의 정의
이인영 의원 (산업안전보건법) 2014.11.26	• 업무 장소 내에서 위험 요인 및 고객 등으로 인한 산업 재해 발생이 우려될 경우 업무를 중지, 대피하도록 함

황주홍 의원 (제정법) 2015.5.15	• 법률 명칭: 감정노동 종사자 보호 등에 관한 법률(제정) 가. "감정노동"이란 고객 응대 등 업무 수행 과정에서 자신의 감정을 절제하고 자신이 실제 느끼는 감정과는 다른 특정 감정을 표현하도록 업무상 요구되는 근로 형태를 말하고 "감정노동 종사자"란 「근로기준법」 제2조에 따른 근로자로서 감정노동을 수행하는 근로자를 말함(안 제2조). 나. 국가는 감정노동 종사자의 근로 환경을 개선하고 감정노동 종사자를 인격 주체로서 배려하는 시민 의식을 확산시키는 시책을 마련하고 사업주는 감정노동으로 인해 발생하는 정신적 스트레스를 적극적으로 예방하고 감정노동 종사자를 위한 복지시설 등을 마련하도록 노력해야 함(안 제3조). 다. 고용노동부 장관은 감정노동으로 인한 정신적 스트레스의 예방 및 감정노동 종사자에 근로 환경 개선을 지원하기 위해 5년마다 감정노동 종사자 근로 환경 개선 계획을 수립·시행해야 함(안 제4조). 라. 고용노동부 장관은 감정노동 종사자 근로 환경 개선 계획을 효율적으로 수립·추진하기 위해 감정노동 종사자의 고용 현황 및 근로 환경 등에 대해 실태 조사를 실시할 수 있음(안 제5조). 마. 고용노동부 장관은 고객 등의 폭언 등으로부터 감정노동 종사자를 보호하기 위한 교육의 실시 등을 위해 감정노동 종사자 보호센터를 설치할 수 있음(안 제6조). 바. 감정노동 종사자를 고용하는 사업주로서 대통령령으로 정하는 업종 및 사업 규모에 해당하는 사업주는 감정노동 종사자의 업무 스트레스와 이로 인한 건강 장해의 예방을 위해 감정노동 종사자의 고충처리 전담 부서의 설치·운영 등의 사항을 이행해야 함(안 제8조).
김기식 의원 (근로기준법, 은행법, 보험업법, 상호저축은행법, 여신전문금융업법, 자본시장법) 2015.6.15	• 제 조(고객 응대 직원에 대한 보호 조치 의무) ① 사업주(은행, 보험회사 등)는 고객을 직접 응대하는 직원을 고객의 폭언이나 성희롱, 폭행 등으로부터 보호하기 위해 다음 각 호의 조치를 취해야 한다. 1. 직원이 요청할 경우 해당 고객으로부터의 분리 및 업무 담당자 교체 2. 직원에 대한 치료 및 상담 지원 3. 고객을 직접 응대하는 직원을 위한 상시적 고충 처리 기구 마련 4. 형사 고발 또는 손해배상 소송 등 필요한 법적 조치 5. 그 밖에 직원의 보호를 위해 필요한 조치로서 대통령령으로 정하는 조치 ② 직원은 사업주에 대해 제1항 각 호의 조치를 요구할 수 있다. ③ 사업주는 제2항에 따른 직원의 요구를 이유로 직원에게 불이익을 가해서는 아니 된다.

부록 2: 감정노동 관련 기업 내 단체협약안 - 노조 측 요구 협약 사례

제 조(감정노동의 인정)

① 회사는 조합원이 감정노동에 종사함을 인정한다.

② 회사는 감정노동에 따른 직무 스트레스로 인한 산업재해예방에 최선을 다해야 하며, 수당 지급, 휴가 부여, 감정 순화 및 치유 프로그램 도입 운영, 적정한 업무 메뉴 수립, 산업재해 인정 노력 등 감정노동에 대한 예방과 보호, 치유와 보상 조치를 위해 최선을 다한다.

제 조(감정노동 대책 위원회 운영)

① 노사는 감정노동에 대한 대책 마련을 위해 위원회를 노사 동수로 구성해 운영한다.

② 대책 위원회는 분기별 정례적인 회의를 개최하고 감정노동에 관련된 실태 조사 등을 관장하고 그 결과를 바탕으로 감정노동자 보호를 위한 대책을 마련하고 시행한다.

제 조(감정노동 대책 위원회)

① 노사는 감정노동에 대한 대책 마련을 위해 감정노동 대책 위원회(이하 '대책 위원회')를 구성해 운영한다.

② 대책 위원회는 감정노동에 관련된 실태 조사 등을 공동으로 시행하고 그 결과에 따른 대책을 마련해 노동자들의 건강권을 보장하도록 한다.

③ 제1항의 대책 위원회는 노사 동수로 구성하며, 노사 각 ( )명으로 한다. 노동자 위원은 조합이 위촉하는 자로, 사용자 위원은 사업장의 대표자가 위촉하는 자로 하되, 전문적인 의견 제시를 위해 노측 위원은 조합원이 아닌 자를 위촉할 수 있도록 한다.

④ 대책 위원회에 의장을 두며, 의장은 위원 중에서 호선한다. 이 경우 노사 각 1명을 공동 의장으로 할 수 있다.

⑤ 대책 위원회는 매 ( )개월마다 1회의 정기 회의를 개최하며, 의장(공동 의장일 경우에는 그중 1인)이 필요하다고 인정할 경우 임시 회의를 개최할 수 있다. 의장은 임시 회의를 소집하는 경우 회의 개최 7일 전에 회의 일시, 장소, 의제 등을 각 위원에게 통보해야 한다.

⑥ 노동자 위원은 대책 위원회와 관련된 자료를 회의 개최 전에 사용자에게 요구할 수 있으며 사용자는 이에 성실히 따라야 한다. 다만, 그 요구 자료가 기업의 경영·영업상의 비밀이나 개인정보에 해당하는 경우에는 그러하지 아니한다.

⑦ 회의는 노동자 위원과 사용자 위원 각 과반수의 출석으로 개최하고 출석 위원 3분의 2 이상의 찬성으로 의결한다.

⑧ 대책 위원회에서 의결된 사항은 단체협약에 준하는 효력을 가진다.

⑨ 사용자는 노동자 위원의 업무를 위해 장소의 사용 등 기본적인 편의를 제공해야 한다. 사용자는 대책 위원회 활동을 위한 시간은 근로한 것으로 인정하고, 이를 이유로 임금을 삭감하거나 인사상의 불이익을 줄 수 없다.

⑩ 대책 위원회의 위원은 대책 위원회 활동 중 알게 된 비밀을 누설해서는 아니 된다.

제 조(감정 수당)
회사는 감정노동에 종사하는 자에 대해 감정노동 수당을 매월 ○원을 지급한다.

제 조(감정 휴가)
회사는 감정노동에 종사하는 자에 대해 유급 감정 휴가를 연간 ○일을 부여한다.

제 조(감정노동 실태 조사)
① 회사는 조합원의 감정노동(직무 스트레스) 실태를 파악하고 대책을 마련하기 위해 매년 1회 이상 외부 연구 기관 및 전문가를 통한 실태 조사를 실시해야 한다.
② 제1항의 실태 조사를 위한 연구 기관 및 전문가의 선정은 노사 합의로 결정한다.

제 조(산재 예방을 위한 업무 매뉴얼 수립)
회사는 감정노동 종사자의 정신 건강 유지와 산업재해 예방을 위해 업무 매뉴얼을 작성하고 당사자에 대한 교육을 시행해야 한다.

제 조(산업재해 인정)
회사는 직원이 건강진단 등의 결과로 다음에 해당하는 질병이나 재해가 발생했을 경우 산업재해 보상보험법상의 업무상 재해 보상과 단체협약에 의한 보상을 동일하게 지급한다.
1. 채용 시 없었던 질병이 발생한 경우
2. 채용 시보다 질병이 악화된 경우
3. 근무시간, 휴게 시간 중 근무지에서 발생한 재해
4. 노사가 주최 주관하는 행사 참여 중에 발생한 재해
5. 일상적인 출퇴근 동선 상에서 발생한 재해
6. 감정노동으로 인한 정신과적 증상이나 질병

부록 3: 기업별로 합의된 단체협약과 시행 내용*

	사업장	2006	2008	2009	2010	2011	2012	2013	2014	2015
백화점판매직	로레알 코리아	3만 원		5만 원		8만 원				
					EAP 시범 운영	EAP 시행	감정노동 휴가(1일)			
	엘카코리아		3만 원			7만 원	8만 원	감정노동 휴가(1일)		
	한국 시세이도				3만 원		5만 원			
	LVMH					7만 원		감정노동 휴가(1일)	대응 매뉴얼	
	클라란스		3만 원							
면세점판매직	부루벨 코리아					10만 원		감정노동 휴가(1일)		
	엘코잉크		3만 원			7만 원	8만 원	감정노동 휴가(1일)		
	신세계면세점				2만 원		3만 원			
유통	교보핫트렉스				3만 원					
	홈플러스								홍보물 고지	프로그램 운영
	현대백화점							사전 고지 프로그램		
	롯데백화점								프로그램 운영	
	이마트								프로그램 운영	
	애경(AK)								휴식 시간 제공	
	NS홈쇼핑								악성 번호 차단	
식품	CJ 제일제당								프로그램 운영	
호텔	부산 노보텔호텔							감정노동 휴가(3일)		
레저	삼성 에버랜드									프로그램 운영
금융	현대카드							사전 고지 악성 차단		
	전북은행						5만 원			
병원	세브란스 병원								상담실 운영	
	서울 아산병원								고충 처리 운영	
	고대의료원									홍보물 고지
공공기관	서울시 120 다산콜센터								업무 중지 안식휴가	

* 수당 지급, 감정노동 휴가 부여, 고충 상담실 운영, 프로그램 도입, 대응 매뉴얼, 노동자 지원 프로그램(EAP) 도입·운영 등이 시행되었다.

14

지역사회 활동

서울시 여성이 만드는 맘 편한 세상

우성구 두루두루배움터 대표, 한국주민운동교육원 트레이너

1. 사업 배경

감정노동이란[1] 직업상 자신의 감정을 억누르고 정해진 감정 표현을 연기하는 일을 의미한다. 주로 고객을 직접 응대하면서 어떤 상황에서도 친절함을 드러내야 하는 서비스직 종사자들의 노동이 이에 해당한다. 최근 한국에서는 과도한 감정노동으로 노동자와 고객 간의 갈등이 증가하고 있고, 이를 통해 감정노동을 하는 노동자의 실상이 밝혀지고 있다.

감정노동의 문제를 제기했던 혹실드는 개인의 특성으로 여겨지던 감정이

---

1 미국 사회학자 혹실드가 자신의 저서 『감정노동(The Managed Heart)』에서 처음 언급한 개념이다. 그는 고객과 직접 대면 혹은 음성 접촉, 고객의 감정 생성을 위해 노동자를 필요로 하는 경우, 고용주가 교육이나 감독을 통해 직원의 감정을 통제하는 경우를 감정노동을 일으키는 '감정 업무(Emotion Work)'로 보았다.

감정노동이라는 형태로 시장 속에서 상품화되면서 감정노동자와 소비자가 소외되는 현실을 지적했고, 이후 한국에서의 감정노동에 대한 연구와 활동은 백화점, 마트, 콜센터 등 대부분 개별 조직에 속한 노동자를 대상으로 했다.

이런 가운데 서울시는 '지역사회 참여형 여성 건강 사업'을 2012년부터 시작했고, 지역 여성들이 참여해 건강에 영향을 미치는 환경과 행동을 변화시키고자 노력했다. 2014년 서울시의 '지역사회 참여형 여성 건강 사업' 공모의 주제에 감정노동자와 건강이 포함되었고, 이에 강북구 보건소와 민간단체에서는 감정노동에 대한 고민을 시작했다. 감정노동 개념이 지역에서 어떻게 정의될 수 있을까? 지역과 감정노동의 관계는 무엇이고, 지역에서 감정노동을 하는 사람은 누구이며, '지역에서 감정노동 관리'는 어떤 의미일까? 지역 소재 사업장의 감정노동자는 누구일까? 직장을 다니는 감정노동자를 지역에서 찾아 관리해야 하는 것일까 아니면 지역 주민이 말하는 감정노동 개념에서 출발해야 하는 것일까? '감정노동'이라는 개념을 몇 차례 언론에서 접하기는 했지만, 지역에서 '주민 조직 운동'[2]을 하는 필자에게는 흔히 사용하거나 익숙한 개념이 아니었다. 게다가 여성도 아닌 남성으로서 여성 감정노동 관리 사업을 한다는 것은 쉽지 않았다. 그런데도 지역사회 차원에서 감정노동과 건강 사업이 선정되어 2014년 '여성이 만드는 맘 편한 세상' 사업의 첫발을 내딛게 되었다.

그렇게 시작한 지역 근거 감정노동 개선 활동이 2016년에 세 번째 해를 맞이했다. 이 장에서는 감정노동에 문외한인 필자가 서울시의 여성 감정노동

2 주민 조직 운동(Community Organization)은 1940년대 후반부터 미국에서 앨린스키(Saul Alinsky)에 의해 고안된 것으로, 한국에서는 1969년 연세대학교 도시 연구소에서 훈련을 시작해 지금에 이르렀다. 1996년부터 한국주민운동교육원(CONET)에서 체계적인 조직가·지도력 교육 훈련을 진행하고 있다.

관리 사업을 통해 '여성이 만드는 맘 편한 세상'을 꿈꾸게 된 배경과 그동안의 활동을 통해 경험한 것을 바탕으로 지역과 감정노동에 관해 이야기를 나누고자 한다.

1) 배경

사업이 시작되기 전 강북구 지역 활동을 통해 알게 된 사실 중 하나는 해체나 위기를 겪고 있는 가정 대부분이 경제적 빈곤을 경험하고 있으며, 마음의 고통을 동시에 겪고 있다는 것이었다. 이들은 공적 지지 체계보다는 자조 모임을 통해 정서적 지지 관계를 이루고 있었다. 이에 따라 가정을 중심으로 하는 마음 돌봄의 필요성을 절감하고 있던 중 2013년에 마음 돌봄 전문가들과 만날 기회가 생겼다. 그들은 협동조합을 통해 마음 돌봄 서비스를 제공하는 조직을 세우려는 서울여자대학교 가족 상담 전공자들이었다. 이 전문가들은 2013년 이전부터 새로운 상담 문화, 문턱 낮은 상담 문화를 통해 해체 위기에 놓인 가족의 회복을 도우려는 의향이 있었다. 2014년에는 협동조합에 대해 본격적으로 논의가 진행되었는데, 필자도 함께 참여하면서 자연스럽게 마음 돌봄 문제에 관심을 기울이게 되었다.

이때 강북구 보건소에서 협동조합을 준비하고 있는 마음돌봄 전문가들과 협업해 여성 감정노동 관리 사업을 하자고 제안을 했으나, 조직을 설립하던 중인 전문가 집단으로서는 이 제안을 흔쾌히 받아들일 수 없는 상황이었다. 그러자 강북구 보건소는 서울시에서 주최한 '생애주기별 여성 건강관리 시범사업' 자치구 공모 사업에 서울사이버대학교 감정노동 연구팀과 컨소시엄을 이루어 '감정노동 여성 건강관리 사업' 제안서를 제출했다. 그러나 '관(官)'과 '학(學)'만으로는 지역에서 여성 건강 사업을 풀어가기에 부족함이 있다는 지적이 있었고, 지역에서 지속 가능한 활동을 담보할 주체로서 여성 건강 사업을 지역화할 지역 협의체가 필요했다. 이런 배경에서 두루두루배움터 등 지역단체가 지역 협의체로 사업에 본격적으로 뛰어들면서 '여성이 만드는 맘 편한 세상(이하 '여만세')'[3]이 본격화되었다.

이런 사업이 가능할 수 있었던 것은 강북구 보건소와 함께 일했던 필자의 경험, 즉 2012년 건강친화마을만들기 시범 사업의 경험이 있었기 때문이다. 당시 이 시범 사업을 통해 강북구 보건소는 '민(民)'의 역할을 새롭게 인식했으며, 지역도 관의 변화를 경험했다. 자연스러운 협치(거버넌스)의 '좋은 기억'이 이 사업을 민-관 협력 구조로 이어갈 수 있게 했다. 여기에 사업의 특성상 두 전문 집단이 참여했다. '관'은 초기 제안자였던 서울사이버대학교 상담심리학계 교수를, '민'은 협동조합을 준비 중이던 마음돌봄 전문가 집단(해든마음돌봄 사회적협동조합(준))을 초대했다. 이 두 심리학 전문가 집단은 지역에서 사업을 풀어나가는 데 긴장과 협력을 가능하게 한 중요한 축이었다. 특히 '민'의 마음돌봄 전문가 집단의 경우는 다소 생소한 방식인 '주민(집단) 만나기'를 '바닥에서' 성실하게 수행했고, 그 결과 사업이 본궤도에 오를 수 있게 되었다.

2) 사전 논의

사업이 시작되기 전 '여만세'의 민·관·학 세 주체는 여러 차례 미팅[4]을 통

---

3 '여성이 만드는 맘 편한 세상'은 약어로 '여만세'인데, '여성 스스로가 자신의 마음을 조직적으로 돌보고 편한 세상을 만든다'는 가치를 담고 있다. 민·관·학 모임에서 서로 합의해 명명한 것이다.

4 초기에는 지역에 근거한 감정노동의 개념과 이에 대한 접근 방법이 서로 상이했기 때문에 갈등을 빚었다. 차이를 이해하고 상호 존중하기까지 만나고 또 만났으며, 서로 상당한 시간

해 다음 사항을 우선적으로 확인했다.

(1) 기존 마음돌봄 사업의 한계

마음돌봄 사업은 여성 건강의 한 축인 정신 건강을 회복·강화하려는 사업인데, 흔히 '정신 건강 관리 사업'이나 '스트레스 관리 사업'으로 추진되고 있다. 특히 전문가 집단이 주도해 일회성 프로그램으로 진행하는 경우가 많았다. 따라서 지역 주민의 요청이 아니라 전문가의 필요에 의해 시행되기 때문에 효율성과 확장성이 담보되지 못했고, 예산 지원이 끊길 경우 프로그램이 중단되거나 일회성으로 끝나는 경우가 많았다.

(2) 지역 주민의 필요에 근거한 마음돌봄 사업 전개

지역의 주민이 원하고 필요로 하는 것을 알아내고 그것에 근거한 사업을 벌여야만 주민의 참여가 활성화될 수 있다. 우선 주민을 만나 주민들의 필요를 아는 것, 주민들이 겪는 마음의 어려움을 파악하는 것이 중요했다. 기존의 감정노동 개념을 지역에 대입하는 방식이 아니라 지역과 주민의 삶에 근거해 감정노동 문제를 다루기로 했다.[5]

과 인내가 필요했다는 것을 고백한다.

5 주민 조직화 방법론에서 가장 중요하게 여기는 것이 '주민 만나기'이다. 주민을 만나 주민의 필요, 이해, 능력, 언어를 파악해야만 한다. 주민의 참여와 조직화는 주민의 자기 이해관계에서 출발해야 한다. 감정노동으로 주민을 조직하는 것도 마찬가지이다. 주민이 감정노동을 어떻게 이해하고 생각하고 말하는지를 아는 것이 필요하다. 개념을 적용하는 것은 애초에 우리가 원한 방식이 아니었다.

(3) 마음돌봄망 구축의 필요성

마음돌봄 사업을 통해 마마음 돌봄망(網)을 구축하는 것이 필요하다. 일회적인 사업을 지양하고, 마음 돌봄 자조 모임이 만들어질 수 있도록 지원해 지속 가능한 마음 돌봄망으로 확장하며, 지역 주민 주도로 지속적인 마음 돌봄 사업이 이루어질 수 있게 한다.

(4) 민·관·학 공동 전략 수립

전 과정을 민·관·학이 공동으로 참여·협의하고 전략을 수립한 후 진행한다. 민·관·학이 각자의 강점을 살려 역할을 나누고 사업을 수행하는데, '민'은 지역을 중심으로 활동을 펼치고, '관'은 사업의 안정성을 위해 체계화를 시도하며, '학'은 사업의 결과를 토대로 연구 성과를 도출한다는 합의에서 출발했다.

2. 사업 진행 과정

1) 사업 추진 원칙

첫째, 지역 주민의 요구에 기초하고 지역 주민이 주체가 되도록 사업을 추진한다. 위로부터의 요구나 지시가 아닌 지역 주민의 이야기를 경청하고, 그들의 필요와 욕구로부터 사업이 추진되도록 하는 것이다. 공공 부문과 함께하는 사업은 대부분 관 주도나 관의 필요성으로부터 출발하기 때문에 주민의 인지나 참여가 약할 수밖에 없다는 한계가 있고, 이는 종종 저조한 참여와 비효율성을 초래했다. 이를 해소하기 위해 지역 협의체가 이런 원칙을 제안했고, '관'과 '학'이 다소 생소한 접근 방식에 동의해주었기 때문에 이 원칙을 지킬 수 있었다.

둘째, 민·관·학 협의를 통해 사업을 추진한다. 상호 이질적인 접근 방식과 언어를 사용하는 여러 집단이 협력하는 것은 쉬운 일이 아니다. 서로 다른 점을 이해하고 합의해나가는 것은 상호 신뢰를 위해 중요한 부분이었다. 민·관·학 협의 구조는 상호 존중과 신뢰를 바탕으로 사소하고 중요한 모든 문제를 서로 협의하고 합의해 추진하는 원칙을 수립했다.

셋째, 지역사회 감정노동의 특성을 반영하는 사업을 추진한다. 사업의 장은 주민이며, 주민이 살고 있는 지역사회이다. 지역사회 안에 사업장인 일터가 있고, 주민들은 지역사회에서 살아가면서 감정의 소진과 회복을 동시에 경험한다. 따라서 감정노동의 개념도 지역화할 필요가 있다고 보았다. 전문적인 감정노동 개념과 그 양상뿐만 아니라 지역사회 차원에서 감정노동에 접근하는 문제도 동시에 추진하기를 원칙으로 세웠다.

넷째, 지역 내 민간 전문가 집단의 전문 지식과 경험을 활용한다. 외부 전문가 집단보다는 지역 내에서 상시 협력할 수 있는 전문가와 전문가 집단을 우선적으로 사업에 참여시키고 그 경험을 사업에 녹여내는 것을 원칙으로 정했다.

2) 사업 영역과 전략

(1) 역할 분담

여만세 민·관·학은 협력 구조를 구축하고, 〈그림 14-1〉과 같이 역할을 나누었다.

'민'은 지역 협의체를 구성했다. 2014년에는 두루두루배움터, 해든마음 돌봄 협동조합(준), (사)녹색마을사람들, 함께놀자도서관, 마을엔동네씨, 다락방을 구성했고, 2015년에는 건강의집, 인권배움터 봄, 여성학 공부 모임에 참

〈그림 14-1〉 여만세 민·관·학 역할 분담도

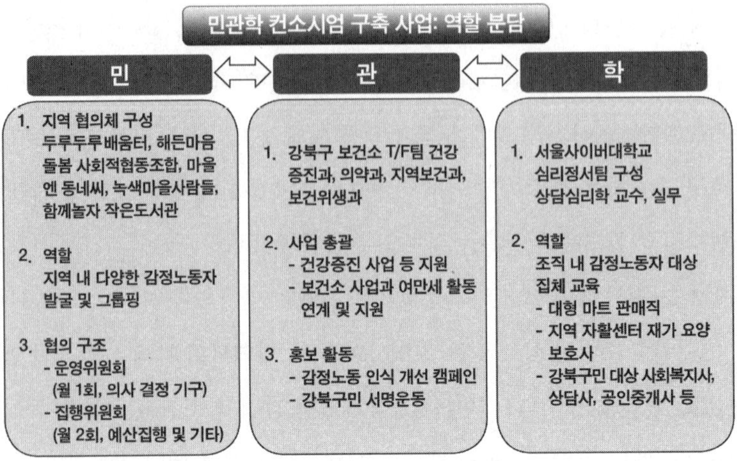

여했다. 지역 협의체는 비정규직 및 취약 계층 가운데 여성 감정 근로자를 일차적으로 발굴하고 그들을 소그룹으로 조직화하는 것을 담당했다. 이를 위해 각 그룹에 적합한 프로그램을 개발하고 실시하는 일도 지역 협의체의 몫이었다. 향후 이 협의체는 소그룹이 네트워킹해 마음 돌봄망을 구축하도록 하는 것을 목표로 삼아 활동을 계속해나가기로 했다.

'관'인 강북구 보건소는 지역 협의체의 활동을 지원하고 사업을 홍보하는 일을 맡았다. 보건소의 건강 증진 사업과 연계해 여성 건강을 지원하고, 강북구민을 대상으로 감정노동 여성 건강관리 사업 캠페인을 펼치기로 했다.

'학'으로 참여한 서울사이버대학교는 지역 협의체 활동을 지원하고, 감정노동 예방 프로그램을 연구하며, 강북구 여성 감정노동자들을 위한 집체 교육을 실시하기로 했다.

(2) 사업 영역

사업 영역은 크게 둘로 분류되었다. 하나는 그야말로 '강북구 지역 여성'이고 다른 하나는 '강북구 내 조직 사업장'이었다. 지역 협의체를 중심으로 감정노동을 하는 지역 주민 소모임을 발굴해 마음 돌봄 소모임의 구축을 추진했고, 조직 사업장은 서울사이버대학교가 강북구 보건소의 도움을 받아 2014년에 집체 교육(공감 스쿨)을 했으며, 2015년에는 공감 일터의 조성을 추진했다. 마지막으로 강북구 보건소는 지역의 도움으로 감정 소진 방지를 위한 구민 홍보 및 캠페인을 진행했다.

각 주체별로 사업 영역을 구분하면 다음과 같다.

'지역 마음 건강 소모임 발굴'은 '민'과 협력하는 전문가 집단인 지역 협의체가 그동안의 지역 활동으로 관계를 맺거나 발굴한 소그룹을 집단 상담 방식으로 만나 그들의 이야기를 듣고 어려움과 문제점, 감정노동이나 감정 소진의 원인 등을 파악하는 것을 기초 작업으로 삼았다. 2014년은 소모임 결성에 집중했고, '지역 여성의 가사 감정노동', '지역 활동가(봉사자)들의 지역사회 공익 노동에서의 감정 소진' 문제를 발견하게 되었다.

'조직 내 감정노동자 집체 교육 공감 스쿨'은 서울사이버대학교에서 지역사회 기관 등을 중심으로 대상자를 모집하여 집체 교육이라는 방식으로 일을 추진해 직장 내 공감 대화를 촉진하는 방식으로 접근했고, 요양 보호사 소모임을 만들기도 했다.

'감정 소진 방지 캠페인'은 일반 주민들을 대상으로 감정노동자들의 존재를 알리고 착한 소비자가 되도록 홍보했으며 서약(서명)을 받는 방식으로 접근했다. 이는 보건소가 담당했다.

(3) 지역 협의체 접근 전략

지역에서 감정노동에 접근하기 위한 지역 협의체 접근 전략을 좀 더 구체적으로 설명하자면, 감정노동 개념을 그대로 적용하는 것이 아니라 지역을 기반으로 한 주민의 언어로 확인해(개념화), 감정 소진을 겪은 여성 주민을 만나고 그룹으로 묶어(조직화), 문제 해결을 위한 행동(사업화)을 수행하도록 하는 것이다. 이는 '주민의 있는 그대로의 모습에서 출발'하는 주민 조직 운동의 경험을 토대로 전략을 수립한 결과이다. 이렇게 주민들이 활동하고 행동하면 변화가 일어나고, 그것을 2~3년 차에 확대 및 내면화하도록 하는 것이 전략이었다.[6]

지역 협의체 움직임의 과정을 자세히 살펴보면, 지역 협의체는 2014년에 수유시장을 중심으로 활동을 공유하고 있던 집단 두루두루배움터, 해든마음 돌봄 협동조합(준), (사)녹색마을사람들, 함께놀자도서관, 마을엔동네씨, 다락방으로 구성했다.[7] 2015년에는 건강의집, 인권배움터 봄, 여성학 공부 모임도 참여해 인권, 여성, 건강 의료, 심리 상담, 지역 조직으로 전문 영역을 설정해 협의체를 구성했다. 매년 지역의 단체가 사업 목표에 맞춰 협의체에 들어가기도 하고 빠지기도 했다.

사업이 시작된 2014년 일차 연도의 목표는 주민들에게 '지역 감정노동'의 개념을 확인시키고 주민의 이야기를 들어 욕구를 파악하는 것이었다. 이를 위해 '해든마음 돌봄 협동조합(준)' 조직의 심리 상담사들이 주민을 만나 감정 소진의 원인을 파악하고 전면적으로 주민과 관계를 맺었으며, 그 결과를

6 2015년에도 이 틀을 유지했다. 지역 협의체는 '지역 여성 감정노동자 모임을 조직'하고, 사이버대학교와 보건소는 '조직 내 감정노동 감소를 위한 캠페인'을 추진했다. 그 결과 지역 협의체는 10개의 소그룹을 조직했다. 소그룹은 자조 모임으로 '바닥의 마음'을 보듬는 근거지였고, '여성마음건강축제'와 '소모임 리더 모임'을 조직해 행동하는 네트워크 연대 조직으로 성장하는 토대를 마련했다. 사이버대학교와 보건소는 지역 내 대형 사업장인 롯데마트, 롯데백화점의 판매직 여성의 감정 소진 감소를 위한 '공감 일터' 협약을 이끌어냈다.

7 사실 지역에는 이름만 넣고 실제 활동에는 참여하지 않는 네트워크 단체가 많은데, 우리는 작고 강한 네트워크로 활동을 시작했다.

<그림 14-2> 2015년 소모임 조직 현황

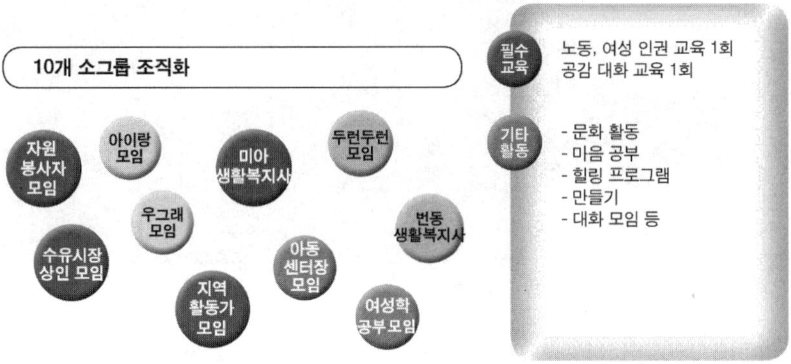

토대로 소그룹을 활성화했다.[8] 2014년에는 콜센터 종사자, 요양 보호사, 시장 상인, 엄마 모임, 지역 활동가, 자원봉사자 그룹 등 총 여섯 개 소모임을 조직해 지역 협의체에서 만들기로 한 그룹을 조직해 지원했다. 2015년에는 10개 그룹으로 확대되었는데 콜센터, 요양 보호사, 엄마 모임은 내부 사정 때문에 일차 연도로 관계가 중단되었지만, 지역 활동가, 자원봉사자, 시장 상인 그룹과 2015년에 조직된 영유아 엄마 모임, 지역아동센터장 모임과 지역아동센터 생활 복지사 모임, 여성학 공부 모임 등이 새롭게 활동했다. 2014~2015년 2년간 총 13개 그룹을 만나고 조직했는데, 2015년 활동한 소모임은 <그림 14-2>와 같다.

2015년에는 자조 활동을 적극적으로 돕는 한편, 여성과 노동 인권 교육, 공감 대화 교육을 소그룹에 필수적으로 제공했다. 이를 통해 이 사업이 추구하는 여성과 감정노동자의 인권적 측면을 이해하는 데 도움이 되도록 했는데,

8 자세한 내용은 「2014년 여성이 만드는 맘편한 세상 감정노동 근로 여성 건강관리 사업 강북구 최종 보고서」(2014)를 참고하면 된다.

〈사진 14-1〉 여만세 제1회 여성마음건강축제

특히 여성 인권 교육을 통해 알 수 있었던 것은 지역에서 여성들 스스로가 자신의 인권 문제에 둔감했고, 인권침해와 감정 소진 상황에 일상적으로 놓이게 된다는 것이었다.

2014년에는 지역 협의체와 주민 소그룹의 참여로 영화 〈카트〉 공동 상영회를 개최했다. 미아사거리에 위치한 CGV 영화관의 상영관 하나를 빌려 상영회를 개최했고, 130여 석이 모두 매진된 가운데 영화를 상영함으로써 감정노동-노동권에 관한 담론을 지역적으로 알리는 역할을 했다.

2015년부터는 '1회 여성마음건강축제'를 개최했다. 소그룹이 모두 출동해 자신들의 끼를 발산하는 장기 자랑과 지역 공동체 라디오(강북 FM) 공개방송에 참여하기도 했다. 보건소와 지역에서는 다양한 체험 부스를 마련해 여성 건강 전반을 위해 체험 한마당 행사도 개최했다(〈사진 14-1〉).

향후에는 이 네트워크가 주민의 조직된 '힘'을 바탕으로 행동하는 네트워크 연대 모임이 될 수 있도록 하는 활동이 필요하다. 이는 '지도력을 세우고', '주민이 직접 행동하는 것'으로 가능하다(주민조직화방법론). 또한 '공감 일터'로 선언한 사업장과의 다면적 접촉을 통해 모임이 좀 더 성장할 수 있을 것으로 예상한다(〈그림 14-3〉).

한편 '공감 일터 만들기'는 지역 내 조직 사업장이 조직 노동 부문에서 감

〈그림 14-3〉 발전 방향 전략도

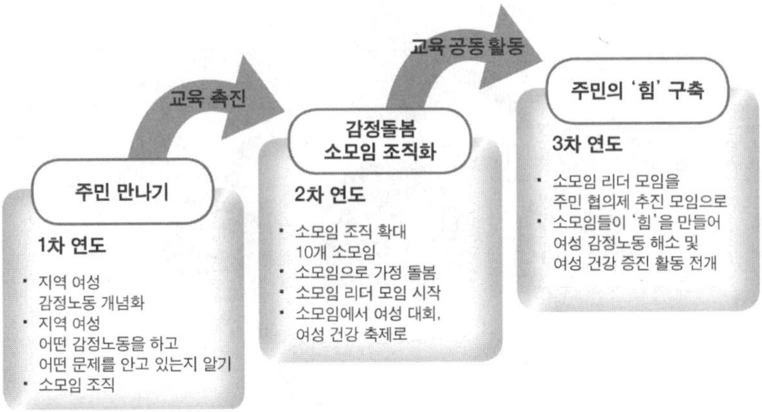

〈사진 14-2〉 공감 일터 협약과 선포

정노동 문제에 접근하는 것이었다. 판매원이 다수 근무하는 롯데백화점을 우선적으로 방문해 공감 일터가 되도록 설득하고 협약을 맺었으며, 이와 동시에 사업장을 감정노동자 배려 문화 사업장으로 선포했다. 이를 위해 사업장과 민·관·학 협의체 간의 태스크포스를 구성해 상시적으로 협력했는데, 롯데백화점의 경우는 사업장 전담팀이 있어 협의가 용의했다(〈사진 14-2〉).

감정노동자와 고객 간의 권력 균형 방안을 논의해 판매 직원에

〈그림 14-4〉 공감 일터 역할도

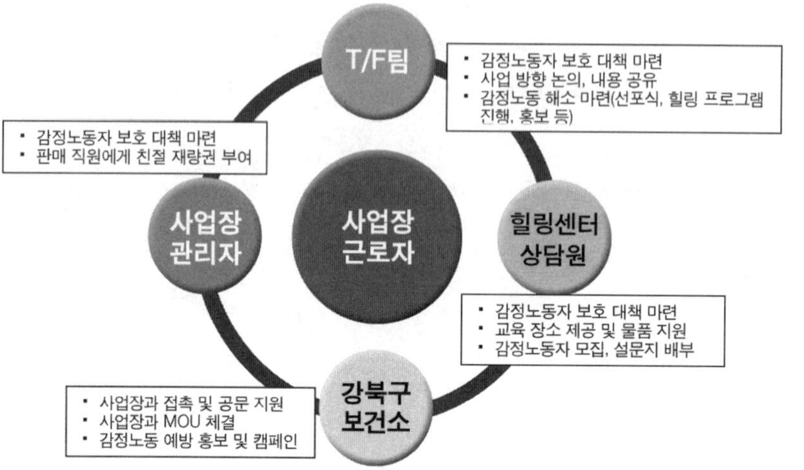

게 '친절 재량권'[9] 부여를 검토해 실행했고, 강북경찰서와 협약해 경찰서 명의로 글을 게시하고 자기 보호 매뉴얼 책자를 비치하기도 했다. 한편 서울시 가이드라인 및 고용노동부 컨설팅 서비스를 소개하고 구체적인 감정노동 스트레스 해소 매뉴얼을 마련하도록 제언했으며, 이후 한국산업안전공단의 감정노동 평가 지침(2014년 11월)에 의한 한국형 감정노동 평가 도구를 제시해 실행하도록 했다. 이뿐 아니라 롯데백화점과 롯데마트에는 원예 치료, 요가, 밸런스 테이핑 요법 등 힐링 프로그램을 실행하도록 도왔다. 프로그램 진행을 위해 롯데백화점은 요가 매트를 구입했고 근무시간 내에 활동이 이루어지도록 했는데, 이는 사업장에 발전적인 변화를 가져와 대단히 고

9 '친절 재량권'은 소그룹 중 자원봉사자 모임에서 제안된 것이었다. '아름다운 가게' 매장에서 활동하는 자원봉사자들이 친절 고객을 상대할 때 고객의 친절 행동을 '정적 강화'하기 위해 커피 스틱 등을 제공하는 것이다. 일종의 감정노동자의 감정노동 방어권이라 할 수 있겠다.

〈그림 14-5〉 감정노동 인식 개선 활동

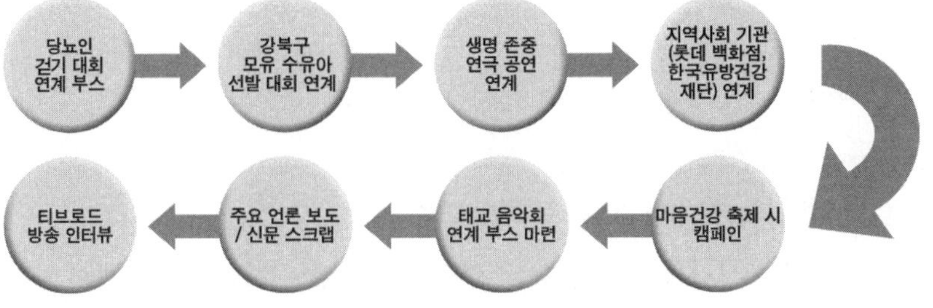

〈사진 14-3〉 여만세 홍보 캠페인

무적이었다(〈그림 14-4〉).

마지막으로 강북구 보건소와 지역 협의체를 중심으로 감정노동자를 배려하는 성찰적 소비자 인식 개선 운동을 확산하기 위해 노력했다. 당뇨인 걷기 대회, 모유 수유아 선발 대회, 생명 존중 연극 공연, 태교 음악회, 마음건강 축제 시 서명 부스를 마련하고 인식 개선 설문 및 약속을 250여 명 이상에게 받았다. 또한 롯데백화점과 연계해 백화점과 연결되는 지하철 통로에 부스를 설치하고 소비자 캠페인을 진행했다(〈사진 14-3〉).

≪서울시정일보≫, ≪서울복지신문≫, ≪전국매일≫ 등에 마음건강 축제 한마당을 홍보했고, 티브로드 방송에 롯데백화점 감정노동자들을 위한 힐링 프로그램인 '원예 치료' 활동을 생방송으로 내보기도 했다(〈그림 14-5〉).

3. 성과와 문제점

1) 성과

(1) 주민 만나기, 지역 감정노동 개념 도출

2014년에는 상담 기법을 활용한 감정 소진의 원인 파악과 조직화를 통한 지역 내 마음 돌봄 네트워크 구축, 집체 교육, 캠페인 등을 통해 지역사회의 감정노동과 건강의 문제를 인식하고 지역 차원의 해결 방안을 모색 및 구축했다. 특히 감정노동 개념을 지역에 근거해 도출했다는 점에서 의미가 있었다.

2015년에는 여성 감정노동자 소모임 10개를 조직했고, 각 소모임의 리더를 선출하도록 했다. 리더를 중심으로 한 소모임이 교육 활동 및 구성원들이 필요로 하는 자조 활동을 펼쳤고, 2105년 말 리더 모임(워크숍)을 개최하기에 이르렀다.

(2) 여성 마음 돌봄 네트워크 구축

2015년에는 2014년 주민 만나기에서 확인된 두 가지 문제를 주민 활동(교육)에 포함시켰다. 여성의 권리, 여성 가사 노동의 차별성에 집중하는 '여성-노동 인권 교육'과 공감하는 대화의 필요성이 대두되면서 '공감 대화 교육'을 필수 교육으로 제안한 것이다. 여성-노동 인권 교육은 소모임 참가자를 대상으로 여성 인권과 노동 인권의 감수성을 향상시켰고, 공감 대화 교육은 타인을 존중하는 대화를 교육함으로써 소모임 대화를 촉진시켰다. 또한 소모임 간 네트워크를 강화하기 위해 '여성 마음 돌봄 축제 한마당'을 개최해 주민 모임을 돈독하게 만들었다.

(3) 공감 일터 만들기

감정노동자들로 조직된 사업장인 롯데마트와 롯데백화점을 찾아가 공감 일터 협약을 맺었고, 사업장에 감정노동자를 위한 프로그램을 만들고 교육 시간을 마련하고, 친절 재량권을 주도록 설득했다. 사업장의 변화로는 근무 시간 내 힐링 프로그램 몇 가지가 진행되고 있다는 점을 들을 수 있으며, 직원들을 위해 담당 직원을 배치하는 등의 노력을 하고 있다.

2) 문제점 및 가능성

(1) 감정노동의 개념 문제

개인이 자신의 감정을 사회적 규범에 적합하게 조절하는 것이 '감정노동'이라고 개념화·체계화한 혹실드 이후 여러 명의 학자들이 감정노동에 대한 개념을 정의했다. 이를 종합해보면, '어떠한 목적을 달성하기 위해 자신의 실제 감정과는 상관없는 감정을 표현하는 것'을 감정노동이라 할 수 있다. 이러한 감정노동 개념은 서비스를 주된 업무로 하는 직업 종사자들에게 적용되어 왔다. 승무원, 콜센터 상담원, 마트 및 백화점 판매원과 같이 서비스 직종에서 고객을 상대해야 하는 노동 형태에서 감정노동 문제가 종종 드러났다.

감정노동을 오랫동안 수행하게 되면 스마일 마스크 증후군(Smile Mask Syndrome)이나 번아웃 증후군(Burn-out Syndrome) 등 우울증을 동반한 심리적·정서적 문제가 생길 수 있다. 자신의 감정을 억누르면서 이를 적절하게 해소하지 못해 정신적으로 지속적인 스트레스를 받기 때문이다. 심할 경우 정신 질환이나 심각한 우울증 때문에 자살에까지 이를 수 있어 사회적 문제로 대두되고 있다.

'자신의 감정을 솔직하게 표현하지 못하고 실제 감정과는 상관없는 감정을 표현할 수밖에 없는 것'이 감정노동이라면, 엄마와 아내, 며느리라는 역할을 수행하고 있는 한국 주부들의 감정노동은 매우 중요하게 다루어져야 하는 영역이라고 할 수 있다. 우리나라는 전통적으로 유교의 영향을 받아 가부장적인 사회문화적 특성을 지니고 있다. 고부갈등이 흔한 한국 사회에서 시댁 식구들의 눈치를 보며 조심스럽게 행동하는 것은 업무 수행 과정에서 고객의 기분을 살피면서 자신의 감정을 조절·통제해야 하는 감정노동과 같은 맥락으로 볼 수 있다. 이처럼 아내와 엄마의 역할을 탁월하게 수행하는 것이 당연하게 요구되는 한국 사회에서 기혼 여성들(특히 주부)은 자신의 감정을 사회적 규범에 적합하게 조절하는 역할을 수행해야 한다. 이는 조직 노동 환경에서 감정노동을 하는 종사자들만큼이나 한국의 주부들이 가족들과의 관계 속에서 강도 높은 감정노동을 수행하고 있다는 것을 의미한다.

따라서 감정노동의 범주를 일반 노동자들에만 한정시켜 적용할 것이 아니라 이를 확대해 지역의 여성들에게 적용해야 할 필요가 있다. 한 주민의 말은 이를 단적으로 보여준다.

> 우리는 자녀와 남편만을 케어하면 끝인 것이 아니라 집안일, 자녀가 속해 있는 공동체 내에서의 관계, 자기 주변의 관계 등 모든 관계 속에서 살아가고 있다. 그리고 사회적으로는 엄마의 역할이 가족 내에서 자녀의 기질에 맞게 자녀를 대하는 것이며, 그런 교육 또한 제공한다. 하지만 어디에도 내 존재에 대한 케어는 없다. 그래서 때로는 나의 감정은 어떻게 다루어야 하고 어떻게 해야 할지를 모르겠는 괴리감이 있고, 그 힘듦이 나도 모르게 가족에게 내비쳐질 때 자책감을 느낀다. 직장에 다니지 않는다고 해서 감정노동이 없다고 보지 않았으면 한다. _ 2014년 7월 1일, 소그룹 참여 주민

이들은 자신이 가정 내에서 경험하고 있는 스트레스가 '감정노동'에서 비롯된 것이라고 보고 있었는데, 자신들의 정체성을 제대로 확립하지 못한 채 맡겨진 역할만 수행하는 것과 연관된다는 것을 깨닫게 되었다. 아내·엄마·며느리 역할을 효과적으로 수행하기 위해 애쓰다 보니, 감정을 위장해야 할 때도 많을 뿐더러 자신의 정서를 어떻게 표현해야 하는지도 모르는 상태에 처하게 된 것이다. 이들이 자신의 감정을 솔직하게 드러내고 표현하기 위해서는 자기 자신에게 좀 더 집중하고 스스로를 인식하는 것이 중요하다고 보았다.

또한 참여자들은 공통적으로 자신들이 경험하는 감정적 소진은 상당한 수준이지만 이를 다루는 방법에 대해서는 잘 모르기 때문에 어떻게 회복해야 할지 모르겠다고 호소했다. 이를 바탕으로 사업 참여자들의 특징을 정리하면 다음과 같다.

첫째, 이들은 자녀를 양육하고 있는 기혼 여성으로 자신의 역할(엄마, 아내, 며느리)에 따른 스트레스를 경험하고 있다.

둘째, 이들이 경험하는 스트레스는 가족 내에서 자신의 실제 감정을 제대로 표현하지 못하는 데서 오는 '감정노동'과 연관된 것이다.

셋째, 이들은 '감정노동'을 다루는 프로그램에 참여해 자신이 현재 경험하고 있는 정서적 어려움을 해결할 수 있기를 바란다.

지역에서는 '노동'의 개념도 전통적인 개념과 차이를 드러낸다. 일반적으로 '노동'은 시장에서 임금을 받고 생산력을 제공하는 '임금노동'을 말하지만, 지역에서는 임금노동 관계가 아니라 지역사회 관계, 가족 관계 등 사회적 관계에서 발생하는 '사회적 노동'을 의미한다는 점에서 특이하다. 실제 여성 지역 활동가는 지역사회를 위한 '사회적 노동'과 '가사 노동'의 이중고를 토로하기도 했다.[10] 더 나아가 지역에서의 노동은 '질 낮은 일자리'가 소규모 조직에서 일하는 노동자에게 제공되는 경우가 많아 지역사회에서 이 일자리들을 어떻게 고양해야 할지도 중요한 과제로 떠오르고 있다는 것을 알 수 있었다.

(2) 민·관·학 협치의 어려움과 가능성

민·관·학이라는 서로 다른 경험의 산물인 주체들의 결합은 각기 다른 고유의 관점과 활동 방식이 있다는 것을 확인시켜주었다. 다양한 주체의 상이함을 해결하고 관계를 형성해나가기 위해서는 매우 긴 시간이 소요된다. 소통의 질이 경험의 양이라고 한다면 적어도 10여 년은 걸릴지도 모른다. 이 사업을 위해 짧은 시간 안에 관계를 형성해야 한다는 데 어려움을 느끼기도 했고 단기간 동안 압축적으로 경험한 공통의 체험으로 실질적 소통을 이루어야 한다는 것을 알게 되었다.

사업에 참여하는 민·관·학 주체의 동기 수준이나 사업에 대한 이해 수준을 충분히 높이고, 이를 통한 관계 형성에 시간을 투자하다보면 실질적 사업이 늦춰지므로 이 두 가지를 병행하는 것은 쉽지 않았다. 또한 사업에 대한 실질적 성과를 요구받기 때문에 관계 형성에 더더욱 많은 시간을 사용할 수 없다는 것이 한계이기도 했다. 이는 '민'에 소속된 지역 협의체 내에서도 존재했다. 지역 협의체가 사업 초기에 결합된 것도 아니었고, 지역 기반 활동의 필요성 제기 이후 여만세의 방향성 설정까지 시간의 제약이 있었다. 그러다 보니

---

10 사회적 노동 개념은 전적으로 안토니오 네그리(Antonio Negri)에게 영향을 받았다. 여성 지역 활동가의 고충은 사실은 삼중고가 맞다. 그는 사회적 노동 형태의 돌봄 노동, 가사 노동, 여성으로서의 감정노동 등 대략 세 가지 형태의 노동으로 감정노동자들이 겪는 '번아웃 증후군'을 설명했다.

지역 협의체 내에서 기존 단체와 후속 참여 단체 간의 시간차와 온도차가 존재했다. 이후에는 결과 산출을 위해 실행에 집중하는 구조로 전환되는 바람에 지역 협의체에 참여한 단체와 충분히 논의하거나 오리엔테이션을 할 수 없었다.[11]

다양한 주체의 결합 사업이라는 특징 때문에 이 주체들을 이끌고 책임질 수 있는 일관된 리더가 없었다. 리더는 컨소시엄이라는 어려운 시스템에 도전하고, 감정노동의 사각지대를 발굴하며, 활동을 진행하는 과정에서 사업을 통찰력 있게 이끌어갔어야 했는데, 그러지 못해 많은 시행착오를 겪으며 합의를 이끌어내야 했다.[12]

감정노동을 예방하고 감정 소진을 치유하기 위해서는 개인의 노력뿐 아니라 조직이나 사회 분위기의 개선, 제도의 보완이 뒷받침되어야 한다. 이는 짧은 시간 안에 구현되기 어려운 과제이므로 충분한 기간 동안 사업이 지속되어야 한다.

한편 새로운 가능성을 찾기도 했다. 하나는 '민' 내부의 역량을 새롭게 해석할 수 있는 기회였고, 다른 하나는 감정노동과 관련된 외부 전문 그룹의 발견이었다. '민'이라고 할 수 있는 지역 협의체에는 여성주의 관점의 활동가, 의사, 인권 교육자, 지역 조직가, 심리 상담 전문가, 심리학자 등이 함께하고 있었다는 것을 새롭게 확인했고, 사업을 모니터링하는 사회건강연구소와 같은 전문가 그룹이 적극적인 관심을 보이며 당해 사업을 지원하고 있는 것을 발견했다. 향후 이런 역량들이 서로의 차이를 넘어 비빔밥처럼 섞이고 '통섭'·'융

11 8월에 시작해 12월까지 5개월간의 활동으로 결과를 산출해야 한다는 압박이 있었다. '관'과 협력할 때는 이런 시간적 제약이 늘 걸림돌이 된다.

12 2015년에는 지역 협의체 대표를 중심으로 컨트롤 타워를 구축했다.

합'한다면 감정노동 개선 방법도 획기적인 전환을 이룰 것으로 예상한다.

(3) 새로운 가능성: 주민 주체

감정노동 문제의 당사자는 누구인가? 감정노동 해결의 당사자는 누구인가? 이 두 질문은 감정노동 문제가 먼 곳에 있는 것이 아니라 '생활터'에서 일상적으로 빈번하게 일어나는 문제라는 인식과 감정노동 문제의 해결은 당사자인 주민으로부터 출발한다는 인식, 바로 이 두 측면에서 주체의 문제를 다루었다.

대개 감정노동 감소 및 해결의 접근 방식은 '개인적 접근'과 '조직 체계적 접근' 두 가지 방식으로 진행된다. 개인적 접근은 심리 상담을 통한 '힐링'이, 조직 체계적 접근은 사업체의 '태도 변화' 요청이 목표라고 할 수 있다.

그러나 우리가 접근한 '당사자-주민 주체'는 사실 두 방식 사이에 존재한다. 문제를 인식하고 행동하는 것은 '주체의 역능' 문제이고, 지역사회라는 비교적 작고 연대 지향적인 장에서 주체의 역능이 작동하도록 '소모임'을 통해 연대·공감하게 하며, 그다음으로는 조직의 체계적 변화를 위해 행동하도록 하는 방식이기 때문이다.

심리 상담이라는 개인적 접근이 가지는 개별적인 문제의 접근, '전문가 의존주의'를 탈피하는 한편, 조직의 체계적 변화를 촉구하는 '정책 주장식 공허'를 넘어 주체가 된 주민의 행동을 통해 문제 해결에 접근하고자 한 것이다. 여만세 사업과 다른 사업의 차이는 바로 이 점에 있다. 주체를 다루는 방식에서 차이가 확연히 드러난다고 할 수 있다.

4. 향후 과제

1) 지역 감정노동 조직화

조직화는 '지도력을 세우는 과정'이고, 당사자 주민이 '직접 행동'해 자신의 경험으로 스스로 변화를 만들어가는 것이다.[13] 따라서 자칫 소모임에 머무를 수 있는 각 그룹을 조직으로 수렴해야 한다. 또한 자신의 힘을 확인하고 자신의 힘에 근거해 자존감을 높이는 것이 조직화 과정에서 필요하다.

이를 위해 2016년에는 소모임 리더 모임을 바탕으로 제2회 여성마음건강 축제를 개최했고, 2016년 12월 10일 세워진 강북구 평화의 소녀상 건립 과정에도 조직적으로 참여하고 기여했다. 2016년 연말 소모임 리더 모임은 정기적으로 모임을 갖고 모임이 잘 운영될 수 있도록 마음산책프로그램 및 조직화를 위한 교육을 진행하기로 했다. 이러한 과정을 통해 발굴된 리더들을 중심으로 '지역 여성(마음)건강주민협의체'의 추진 주체가 형성되어 현재까지 성장하고 있다고 할 수 있다.

2) 공감 일터 만들기

2014년과 2015년에는 롯데백화점, 롯데마트를 중심으로 공감 일터를 만들었다. 일부의 지적처럼 사적 영역인 대기업이 기업 자체의 노력으로 자신의

---

13 주민 조직화 방법론에서 말하는 방법으로는 대화, 주민의 직접 행동, 행동-성찰-행동, 맞서기-직면, 민주적 지도력 등이 있는데, 이 중 지도력과 주민의 직접 행동이 조직을 세우는 근간이다.

사업장을 공감 일터로 바꾸어가도록 해야 하며, 공공 기관이 이를 지원하는 것은 더는 불필요하다고 생각한다.

공감 일터 사업은 2016년에 공공 부문의 감정노동을 중심으로 전개되었다. 강북구 보건소 세 개 그룹의 약 50여 명 정도가 활동에 참여했는데, 보건소 조직 내 지원을 통해 활동할 수 있었기 때문에 조직 내 배려·존중 문화 확산과 직무 내 스트레스 감소에 영향을 주었다고 할 수 있다. 향후 공감 일터 개념은 공공 부문 서비스 제공에 종사하는 지역 활동가, 사회복지 및 사회 서비스를 제공하는 일터와 노동자의 노동 문화로 확장할 수 있을 것으로 예상된다.

앞으로 지역의 사업장이나 시장이 공감 일터가 되도록 하는 데는 '조직된 주민의 힘'이 필요하다. 대형 유통 사업장의 경우, 지역 여성 소비자의 힘으로 감정노동이 개선될 수 있다고 본다. 시장[14]의 경우에는 상인회를 중심으로 공감 일터를 일구려는 노력을 펴나가야 한다. '지역의 감정노동 조직화'를 위해서는 이와 같은 지역 일터의 변화도 함께 이루어야 한다. 이런 관점과 방향을 민·관·학과 주민이 공동으로 논의해 협력의 길을 찾고 실행해가는 것이 지역에 근거한 감정노동 개선 활동의 향후 과제라 할 수 있다.

---

14 수유시장의 경우 상인회에서 2년 동안 여만세 활동을 지켜본 후 수유시장여만세모임을 중요한 여성자조모임으로 인정하기에 이르렀으며 공식적으로 지원과 협력을 하게 되었다. 10개 그룹 중 '수미회'라는 '수유시장아름다운여성들의모임'이 있는데, 이 모임의 리더가 수유시장 상인회 이사로 활동하고 있다. 전통 시장이 공감 일터가 되도록 협력해나갈 계획이다.

참고문헌

감정노동네트워크. 2015. '소비자와 감정노동자가 함께 하는 행복한 동행~!!'

강북구보건소. 2014. '여성이 맘 편한 세상'. 서울시·강북구보건소.

강현아. 2002. 「간호전문직 노동의 변화- 감정노동의 강화」. ≪경제와 사회≫, 55호, 142~168쪽.

고미라. 1995. 「감정노동의 개념화를 위한 일 연구」. 이화여자대학교 대학원.

국가인권위원회. 2011. 「여성 감정노동자 인권 가이드」.

국가인권위원회 조사국 차별조사과. 2011. 「여성 감정노동자 인권 가이드: 실천을 위한 사업주 안내서」. 국가인권위원회.

김경희. 2011. 「서비스 사회의 감정노동에 대한 이해」. ≪국제노동브리프≫, 9(5), 27~37쪽.

김민주. 2006. 「감정노동의 결과에 대한 한국과 미국 간의 비교연구」. ≪호텔경영학연구≫, 15(1), 35~57쪽.

김상구. 2008. 「공공 부문의 감정노동: 일선행정 민원공무원에 대한 실증연구」. 한국행정학회 추계학술발표논문집, 2008(단일호), 1~21쪽.

김성희 외. 2008. 「콜센터 텔레마케터 여성비정규직 인권 상황 실태 조사」. 국가인권위원회.

김수연 외. 2002. 「서비스직 근로자의 감정노동과 우울 수준」. ≪대한산업의학회지≫, 14(3).

김양희 외. 2006. 「서비스직 여성근로자의 직무 스트레스 실태 및 관리 방안」. 한국여성정책연구원.

김왕배·이경용·이가람. 2012. 「감정노동자의 직무환경과 스트레스」. ≪한국사회학≫, 46(2), 123~149쪽.

김유경. 2015. 「항공사 객실승무원의 직무 소진, 지각된 건강 상태, 삶의 질, 그리고 몰입과의 관계연구」. ≪관광연구≫, 29(1), 45~60쪽.
김인순. 2009.「간호사의 감정노동과 소진, 이직 의도와의 관계에서 자기효능감과 사회적 지지의 역할」. ≪간호행정학회지≫. 15(4)
김인아 외. 2013.「정신 질병의 업무 관련성 판단 및 요양방안 연구」. 고용노동부.
_____. 2014.「감정노동 근로자의 건강관리 방안 연구」. 한국산업안전보건공단 산업안전보건연구원.
_____. 2014.「서비스 업종사자의 직무 스트레스와 감정노동 법적 근거 및 개요」. 감정노동 문제 해결을 위한 국회토론회 자료집.
김일성·송계충. 2012.「직무 스트레스 요인과 감정노동의 직무 만족과의 관계에서 직무 소진의 매개 효과 및 사회적 지원의 조절 효과 연구」. 인적자원개발연구, 15(2).
김종진. 2011.「서비스 노동자들은 어떻게 일하는가」. 프리드리히 에버트 재단.
_____. 2013a.「서울시 120 다산콜센터 감정노동과 고용구조 개선 토론회」, 11쪽.
_____. 2013b.「콜센터 상담원 노동과정과 실태」. 노동사회, 172(단일호), 112~129쪽.
_____. 2014a.「서울시 120다산콜센터 고용구조와 노동환경 개선방향 연구」. 한국노동사회연구소.
_____. 2014b. "서울시 120 다산콜센터 감정노동 및 고용 실태" 토론회. 서울시 인권위원회
_____. 2014c.「한국 사회 감정노동 실태와 개선 방향 연구」. 경제사회발전노사정위원회.
_____. 2014d.「2014년 한국노동사회연구소 120 다산콜센터 실태 조사 자료」
_____. 2015.「감정노동과 노동사회」. 고려대학교 노동문제연구소 2015년 하반기 심포지엄 발표 자료, 33~54쪽.
김종진 외. 2015.「서울시 공공 부문 감정노동 실태와 개선 방향」(서울시 감정노동 공청회, 서울시의회·서울연구원 주최).
_____. 2015.「유통업 서비스 판매 종사자의 건강권 실태」. 국가인권위원회.
김진덕·이명종. 2008.「지방행정 공무원의 직무 스트레스 요인이 고객 지향성에 미치는 영향」. ≪지역정책연구≫, 19(2), 47~81쪽.
김태경·박중환. 2014.「호텔종사원의 감정노동과 직무 스트레스가 감정 부조화에 미치는 영향」. ≪관광·레저연구≫, 26(4), 65~79쪽.
김태성·허찬영. 2012. 감정노동이 감정 소진과 직무 만족에 미치는 영향. ≪대한경영학회지≫, 25(9), 3761~3780쪽.

김현주. 2010.「감정노동으로 인한 직업병」. ≪Hanyang Medical Reviews≫, 30(4), 284~289쪽.
_____. 2015.「일하는 여성의 감정노동과 건강」. ≪이화젠더법학≫, 7(1), 33~50쪽.
노동환경건강연구소. 2013. '케이블 노동자 안전보건실태 조사'.
다산콜센터. 2015.「고객 응대 매뉴얼」.
도현옥. 2012.「호텔 종사자의 감정노동에 따른 긍정적 영향에 관한 연구」. ≪관광연구≫, 27(2), 137~159쪽.
롯데백화점. 2012.「고객 응대 매뉴얼」.
문현주 외. 2014.「사회복지전담공무원의 감정노동 경험에 관한 연구」. ≪한국사회복지행정학≫, 16(1), 113~146쪽.
바우만, 지그문트(Zygmunt Bauman). 2009.『액체근대』. 이일수 옮김. 강.
박봉규. 2008.「조직 구성원의 감정노동과 직무태도간의 관계에서 조직 지원과 자기유능감이 미치는 조절 효과」. ≪인적자원관리연구≫, 15(1), 69~85쪽.
박성호. 2001.「상담의 직무환경에서의 위험요소와 사회적 지지가 상담자의 심리적 소진에 미치는 영향」. 이화여자대학교 대학원 석사 학위 논문.
박수미·박옥임·문희. 2013.「종합병원간호사의 감정노동과 이직 의도와의 관계에서 감성지능의 조절 효과」. ≪보건사회연구≫, 33(3), 540~564쪽.
박영배·안대희·이상우. 2009.「호텔기업 종사원의 감정노동이 직무 스트레스와 소진에 미치는 영향」. ≪한국콘텐츠학회논문지≫, 9(12), 853~864쪽.
박용철 외. 2014.「120 다산콜센터 고용구조 개선 방안 연구」.
박찬임 외. 2012.『서비스산업의 감정노동 연구: 판매원과 전화 상담원을 중심으로』. 한국노동연구원.
박홍주. 1994.「판매 여직원의 감정노동에 관한 일연구」. 이화여자대학교 대학원.
박홍주. 2006.「감정노동, 여성의 눈으로 다시 보기」. ≪인물과사상≫, 84~96쪽.
배규식. 2013.『교대제와 노동시간』. 한국노동연구원, 183~233쪽.
배순영. 2013.「소비자의 불량 불평행동 동향 및 시사점」. ≪소비자정책동향≫, 41, 19~38쪽.
보건복지부. 2013.「2011년도 정신 질환 실태 역학조사」.
복미정. 2012.「콜센터 상담사의 감정노동이 직무 소진, 조직 시민행동 및 직장-가정 갈등에 미치는 영향」. ≪한국생활과학회지≫, 21(2), 257~267쪽.
서울시인권위원회. 2014.「다산콜센터 노동자 인권 권고안」.
서울특별시. 2012.「다산콜센터 종사자 직무 스트레스 및 정신심리검사 결과 보고서」.
서울특별시노동정책과. 2015.「감정노동 가이드라인(사용자)」.
서주희·송인숙. 2006.「공적 불만대응행동에서 나타나는 소비자의 문제 행동」.≪소비자정책교육연구≫, 2(2), 65~84쪽.
성연옥. 2013.「감정노동의 개념화 및 선행변수에 관한 연구」. ≪경영컨설팅리뷰≫, 4(1), 63~85쪽.
성영태. 2014.「민원 담당공무원의 감정노동이 자기효능감과 직무 소진에 미치는 영향: 대구, 경북 민원 담당공무원을 중심으로」. 한국인사행정학회보, 13(2), 183~210쪽.
세계보건기구. 2010.「세계적 질병 부담(Global Burden of Disease)」.
송재철. 2012.「업무상 질병 인정 범위 및 기준에 관한 연구」. 고용노동부.
신경아. 2009.「노사 관계와 노동의식: 감정노동의 구조적 원인과 결과의 개인화: 콜센터 여성 노동자의 사례 연구」. ≪산업노동연구≫, 15(2), 223~256쪽.
신순식. 2010.「노인복지관 종사자의 감정노동이 소진에 미치는 영향에 관한 연구」. 순천향대학교 행정대학원 석사 학위 논문.
심명숙. 2015.「서울시 공공 부문 감정노동 가이드라인 마련 지지합니다!」. 서울노동권익센터 연구사업 최종보고발표회 토론문.
양승범·송민혜. 2010.「한국 지방공무원의 감정노동(Emotional Labor)에 관한 연구」. 한국지방자치학회보, 22(3), 219~236쪽.
여만세 지역협의체·강북구 보건소·서울사이버대학교, 2014.「감정노동근로여성 건강지원사업- 여성이 만드는 맘 편한 세상」.
우종민. 2013.「근로자 정신건강 증진 서비스 모델 개발」. 보건복지부.
유상곤 외. 2011.「일부 공공서비스 종사자의 직무 스트레스·감정노동과 근골격계 증상 및 결근·조퇴와 관련성」. ≪대한직업환경의학회지≫, 23(2), 192~202쪽.
윤세준·김상표·김은민. 2000.「노동과정/감정노동: 조직의 감정 표현 규범에 관한 질적 연구」. ≪산업노동연구≫, 6(1), 215~254쪽.
윤시내·이승륜. 2007.「항공사 콜센터 상담원의 감정노동이 소진에 미치는 영향」.

≪관광경영연구≫, 30(단일호), 99~117쪽.
윤진하. 2013.「노동자의 자살 현황」. 대한예방의학회 가을 학술 대회 발표 논문.
은평구. 2014.「요양보호사 자기 돌보기」.
이경용 외. 2015.「고객 응대 업무로 인한 건강 장해 예방 제도 개선 연구」. 한국산업안전보건공단 산업안전보건연구원.
이병훈·이상호. 2011.「서비스 노동 유형별 직무 스트레스의 발생메커니즘에 관한 연구」. ≪산업관계연구≫, 21(1), 65~93쪽.
이상윤. 2015.「병원 인력 확충: 환자 안전 증진을 위한 최우선 과제」. 사회공공연구원 이슈페이퍼.
이성식·전신현. 1995.『감정사회학』. 한울아카데미.
이성종. 2014.「감정노동 환경 개선을 위한 법제도 개선 방안」. 감정노동 문제 해결을 위한 국회토론회 자료집.
이수연·양해술. 2008.「콜센터 근로자의 감정노동과 감정 소진 및 이직 의도의 관계에 대한 연구」. ≪한국콘텐츠학회논문지≫, 8(4), 197~210쪽.
이유재. 2013.『서비스마케팅』. 학현사.
이유재·라선아. 2003.「서비스 품질의 각 차원이 CS에 미치는 상대적 영향에 대한 연구」. ≪마케팅연구≫, 18(4), 67~97쪽.
이은경·이은미·전중옥. 2013.「"블랙컨슈머행동"의 개념화와 척도개발에 관한 연구」. ≪마케팅관리연구≫, 18(4), 183~209쪽.
이정은. 2010.「호텔종사원의 감정노동이 감정 부조화, 직무 소진, 직무태도 간의 영향 관계」. ≪관광연구≫, 25(2), 253~269쪽.
이정훈 외. 2014.「서울시 공공 부문 감정노동 보호 방안 연구」. 서울노동권익센터.
이진석. 2013.「서울시 정신보건체계 개선에 관한 연구」.
일루즈, 에바(Eva Illouz). 2010.『감정 자본주의』. 김정아 옮김. 돌베개.
임상혁 외. 2015.「보건 의료분야 여성 종사자 모성보호 등 인권 실태 조사」. 국가인권위원회.
임효창. 2008.「감정노동의 원인과 결과 및 감성경영 실행 방안」. ≪임금연구≫, 가을호.
장세진 외. 2004.「한국인 직무 스트레스 측정 도구의 개발 및 표준화 연구(2차 연도)」. 한국산업안전공단 산업안전보건연구원.

_____. 2013.「한국형 감정노동 및 작업장 폭력 평가 도구 개발」. 한국산업안전보건공단 산업안전보건연구원.

_____. 2014.「한국형 감정노동 및 폭력(2013년도 연구) 조사도구 적용연구」. 한국산업안전보건공단 산업안전보건연구원.

전겸구·이민규. 1992.「한국판 CES-D 개발 연구 1」. ≪한국심리학회지: 임상≫, 11(1), 65~76쪽.

전국공공운수사회서비스 노동조합의료연대본부. 2013.「병원 공공성 확보를 위한 노동조합의 전략」.

전국금융노동조합. 2014.「금융산업종사자 감정노동 실태 조사 결과」.

전국보건의료산업노동조합. 2015.「2015 보건 의료 노동자 실태 조사 결과」.

정경숙 외. 2015.「콜센터에서 감정 표현규범에 따른 상담사의 감정노동이 감정 부조화, 감정 소진, 이직 의도에 미치는 영향」. ≪대한경영학회지≫, 28(2), 529~551쪽.

정명숙·김광점. 2006.「감정노동과 상사의 감성지능이 간호사의 직무 만족과 조직몰입에 미치는 영향」. ≪한국병원경영학회지≫, 11(4), 1~18쪽.

정무관·임효창·최항석. 2008.「감정노동의 결과에 관한 연구-콜센터 종사자를 대상으로」. ≪서비스경영학회지≫, 9(2), 319~345쪽.

정승국. 2011.「위기의 노동, 위기의 간호: 병원 간호사의 노동 분석」, 1~118쪽. 한국노동조합총연맹.

정신 장해의 산재 인정 기준에 관한 전문가 검토회. 2011.「정신 장해의 산재 인정 기준에 관한 전문가 검토회 보고서(精神障害の労災認定の基準に關する專門檢討會報告書)」.

정진주. 2002.「여성의 일과 건강」. ≪한국여성학≫, 18(1), 143~172쪽.

_____. 2013.「감정노동의 개념과 한국적 특성」. 대한직업환경의학회 2013년 제51차 대한직업환경의학회 가을 학술 대회, 445~449쪽.

_____. 2015.「서울시 생애 주기별 여성 건강관리 시범 사업 모니터링」. 서울시.

정진주·김광기. 2014.「서울시 생애 주기별 여성 건강관리 시범 사업 모니터링」. 서울시.

정혜선 외. 2011.「여성근로자의 보건 관리 매뉴얼」.

정혜자. 2015.「금융부분 감정노동과 블랙컨슈머 실태 조사 및 개선 방안」. 금융경제연구소.

최영호·이규만. 2013.「감정노동과 감정 고갈 및 직무태도간의 관계」. ≪관광·레저 연구≫, 25(2), 115~134쪽.

추상효 외. 2010.「일부 은행업 종사자에서 감정노동과 우울 증상의 관련성」. ≪대한 직업환경의학회지≫, 22(4), 316~323쪽.

한국고용정보원, 2007,『2007 금융 분야 취업 가이드』.

_____. 2013.『한국직업전망』.

한국산업간호협회. 2015.「감정노동 우수 사례 발표 대회 자료집」.

한국산업안전보건공단. 2006. '근로 환경 조사'.

_____. 2011.「감정노동에 따른 직무 스트레스 예방 지침」.

_____. 2014.「한국형 감정노동 평가 도구」.

한국직업능력개발원. 2013.4.30. ≪KRIVET Issue Brief≫, 26호.

한상근 외. 2012.『한국의 직업지표 연구(2012)』. 한국직업능력개발원.

한상근. 2013.「감정노동의 직업별 실태」. ≪KRIVET Issue Brief≫, (26).

한상록 외. 2010.「콜센터 산업 실태 조사 및 정책연구」. 한국능률협회컨설팅.

한인상. 2013.「서비스직 근로자의 근로기준법강화」. 국회입법조사처.

한인임. 2014.「감정노동자와 감정노동을 대하는 소비자 의식/실태 조사 결과의 시사점」. 감정노동 문제 해결을 위한 국회토론회 자료집.

혹실드, 앨리 러셀(A. R. Hochschild). 2009.『감정노동』. 이가람 옮김. 이매진.

Warhurst C. and D. Nickson. 2009. "'Who's Got the Look?' Emotional, Aesthetic and Sexualized Labour in Interactive Services." *Gender, Work and Organization*, 16.

Adelmann, P. K. 1995. "Emotional labor as a potential source of job stress." in Sauter, S. L. and Murphy, L. R.(eds.). *Organizational risk factors for job stress*, Washington, DC: American Psychological Association.

Ahn, D.-H. and J.-C. Park. 2009. "The effect of emotional labor and emotional dissonance on burnout and turnover Intention for the hotel's employee." *The Journal of the Korea Contents Association*, 9(9), pp.335~345.

Ahn, J. Y., E. S. Jeon and H. Kim. 2007. "Effect of job satisfaction and organization behavior from emotional labour." *Tourism Science Society of Korea*, 7, pp.3~19.

Allen, J. A. et al. 2010. "Following display rules in good or bad faith?: Customer orientation as a moderator of the display rule-emotional labor relationship." *Human Performance*, 23(2), pp.101~115.

Allen, J. A., J. M. Diefendorff and Y. Ma. 2014. "Differences in emotional labor across cultures: A comparison of Chinese and US service workers." *Journal of Business and Psychology*, 29(1), pp.21~35.

Ashforth, B. E. and R. H. Humphrey. 1993. "Emotional labor in service roles: The influence of identity." *Academy of Management Review*, 18(1), pp.88~115.

Ashman, I. and C. Gibson. 2010. "Existential identity, ontological insecurity and mental well-being in the workplace." *Contemp. Readings L. and Soc. Just.*, 2, p.126.

Barling, J. 1996. "The prediction, experience, and consequences of workplace violence." V*iolence on the Job: Identifying Risks and Developing Solutions*, pp.2949.

Bateson, J. E. G. and K. D. Hoffman. 1997. *Essentials of services marketing*. USA: Dryden Press.

Boyd, C. 2002. "Customer violence and employee health and safety." *Work, Employment and Society*, 16(1), pp.151~169.

Briner, R. B. et al. 2008. "The nature, causes and consequences of harm in emotionally-demanding occupations." Birkbeck College University of London: Health and Safety Executive(HSE).

Brotheridge, C. M. and A. A. Grandey. 2002. "Emotional labor and burnout: Comparing two perspectives of "people work"." *Journal of Vocational Behavior*, 60(1), pp.17~39.

Bulatao, E. Q. and G. R. VandenBos. 1996. "Workplace violence: Its scope and the issues." in G. R. VandenBos and E. Q. Bulatao(eds.). *Violence on the job: Identifying risks and developing solutions*. Washington, DC: American

Psychological Association.

Cho, S. K. and H. S. Jung. 2006. "A study on response of job stress and emotional labor of the sales workers of department store." *Kor J Occup Health Nurs*, 15(2), pp.83~93.

Choi, J. S. "Effect of the internal marketing on the emotional labor of workers and the level of providing service in hotel companies." *Conv Res*, 4(2), pp.165~188.

Chu, S. et al. 2010. "Association between Emotional Labor and Depression Symptom among Bankers." *Korean J Occup Environ Med*, 22(4), pp.316~323.

Deutsche Gesetzliche Unfallversicherung e.V. "Gefährdungsbeurteilung psychischer Belastungen - Tipps zum Einstieg." IAG Report.

Elliott, R. H. and D. T. Jarrett. 1994. "Violence in the workplace: The role of human resource management." *Public Personnel Management*, 23(2), pp.287~299.

Erickson, R. J. and W. J. C. Grove. 2008. "Emotional labor and health care." *Sociology Compass*, 2(2), pp.704~733.

Erickson, R. J. and C. Ritter. 2001. "Emotional labor, burnout, and inauthenticity: Does gender matter?" *Social Psychology Quarterly*, pp.146~163.

George, M. 2008. "Interactions in expert service work demonstrating professionalism in personal training." *Journal of Contemporary Ethnography*, 37(1), pp.108~131.

Gordon, S. L. 1990. "Social structural effects on emotions." *Research Agendas in the Sociology of Emotions,* pp.145~179.

Grandey, A. A. 2000. "Emotional regulation in the workplace: A new way to conceptualize emotional labor." *Journal of Occupational Health Psychology*, 5(1), pp.95.

_____. 2003. "When 'the show must go on': Surface acting and deep acting as determinants of emotional exhaustion and peer-rated service delivery." *Academy of Management Journal*, 46(1), pp.86~96.

Grandey, A. A., D. N. Dickter and H. Sin. 2004. "The customer is not always right:

Customer aggression and emotion regulation of service employees." *Journal of Organizational Behavior*, 25(3), pp.397~418.

Grandey, A. A., G. M. Fisk and D. D. Steiner. 2005. "Must" service with a smile" be stressful? The moderating role of personal control for American and French employees." *Journal of Applied Psychology*, 90(5), pp.893.

Grandey, A. A., J. H. Kern and M. R. Frone. 2007. "Verbal abuse from outsiders versus insiders: comparing frequency, impact on emotional exhaustion, and the role of emotional labor." *Journal of Occupational Health Psychology*, 12(1), p.63.

Grandey, A.A. and A.S. Gabriel. 2015. "Emotional labor at a crossroads: Where do we go from here?" *Annual Review of Organizational Psychology and Organizational Behavior*, 2, pp.323~349.

Grandey, A. A., D. Rupp and W. N. Brice. 2015. "Emotional labor threatens decent work: A proposal to eradicate emotional display rules." *Journal of Organizational Behavior.* published online in Wiley Online Library.

Han, C. et al. 2008. "Validation of the Patient Health Questionnaire-9 Korean version in the elderly population: the Ansan Geriatric study." *Comprehensive Psychiatry*, 49(2), pp.218~223.

Henderson, A. 2001. "Emotional labor and nursing: an under-appreciated aspect of caring work." *Nursing Inquiry*, 8(2), pp.130~138.

Hochschild, A. R. 1979. "Emotion work, feeling rules, and social structure." *American Journal of Sociology*, pp.551~575.

______. 2003. *The Managed heart: Commercialization of Human Feeling.* Berkely: University of California Press.

Illouz, E. 2007. *Cold Intimacy: Making of Emotional Capitalism.* Polity Press.

ILO. 2003. "Code of Practice on Workplace Violence in Services Sectors and Measures to Combat this Phenomenon". Geneva.

Jaggar, M. Alison. 1989. *Love and Knowledge: Emotion in feminist epistemology*, 32(2).

Jenkins, L. 1996. *Violence in the workplace: Risk factors and prevention strategies.*

US Department of Health and Human Services, Centers for Disease Control and Prevention, National Institute for Occupational Safety and Health, Division of Safety Research.

Kim, S. G. 2009. "An exploratory study on the emotional labor in public sector: focused on street-level bureaucrats in the civil service system." *Korean J Loc Gov Stud*, 13, pp.51~70.

Kim, S. H. 2009. "A study on the emotional labor of police officials in Korea." *The Korean Association of Police Science Review*, 11(2), pp.5~36.

Kim, S. P. and D. R. Lee. 2008a. "The effects of emotional labor and job context on service employees' psychological well-being." *Journal of Human Resource Management Research*, 15(2), pp.79~102.

_____. 2008b. "The effects of emotional labor and job context on service employees' psychological well-being" *Journal of Human Resource Management Research*, 5(2), pp.79~102..

Kim, S. Y. et al. 2002. "A study on the relationship between emotional labor and depressive symptoms among Korean industrial service employees." *Korean Journal of Occupational and Environmental Medicine*, 14(3), pp.227~235.

Kondrasuk, J. N., H. L. Moore and H. Wang. 2001. "Negligent hiring: The emerging contributor to workplace violence in the public sector." *Public Personnel Management*, 30(2), pp.185~195.

Korczynski, M. 2009. "Understanding contradictions within the lived experience of service workers: The customer-oriented bureaucracy". in Korczynski M. and C. Macdonald(eds.). *Service work: Critical perspectives*. New York: Routledge. pp.73~90.

Korczynski, M. and U. Ott. 2004. "When production and consumption meet: cultural contradictions and the enchanting myth of customer sovereignty." *Journal of Management Studies*, 41(4), pp.575~599.

Kruml, S. M. and D. Geddes. 2000. "Exploring the dimensions of emotional labor The heart of Hochschild's work." *Management Communication Quarterly*,

14(1), pp.8~49.

Lively, K. J. 2000. "Reciprocal emotion management working together to maintain stratification in private law firms." *Work and Occupations*, 27(1), pp.32~63.

Lopez, S. H. 2006. "Emotional labor and organized emotional care conceptualizing nursing home care work." *Work and Occupations*, 33(2), pp.133~160.

MacDonald, C. and M. Korczynski. 2008. *Service Work: Critical Perspectives*, 1st ed. Routledge.

Macdonald, C. L. and D. Merrill. 2009. "Intersectionality in the emotional proletariat: a new lens on employment discrimination in service work." in C. Macdonald and M, Korczynski(eds.). *Service work*, pp.113~133.

Macdonald, C. L. and C. Sirianni. 1996. "The service society and the changing experience of work." *Working in the Service Society*, pp.1~26.

Mack, J. A. et al. 1998. "Stress and the preventative management of workplace violence." in RW Griffin, A O'Leary-Kelly and J Collins(eds.). *Dysfunctional Behavior in Organizations: Violent and deviant behavior*. Greenwich, CT: JAI Press. pp.119-141

Mann, S. 1999. "Emotion at work: to what extent are we expressing, suppressing, or faking it?" *European Journal of Work and Organizational Psychology*, 8(3), pp.347~369.

Maslach, C. and S. E. Jackson. 1984. "Burnout in organizational settings." *Applied Social Psychology Annual,* 52, pp.133~153.

Maslach, C., W. B. Schaufeli and M. P. Leiter. 2001. "Job burnout." *Annual Review of Psychology*, 52(1), pp.397~422.

Mattila, A. S. and C. A. Enz. 2002. "The role of emotions in service encounters." *Journal of Service Research*, 4(4), pp.268~277.

Mesquita, B. and E. Delvaux. 2013. "A cultural perspective on emotion labor". *Psychology Press*. Routledge.

Mestrovic, S. 1997. *Postemotional society*. London: Sage Publications.

Morris, J. A. and D. C. Feldman. 1996. "The dimensions, antecedents, and consequences of emotional labor." *Academy of Management Review*, 21(4), pp.986~1010.

Park, B. G. 2008. "Moderating effects of organizational support and self-efficacy on the relationship between emotional labor and job attitudes." *Journal of Human Resource Management Research*, 15(1), pp.69~85.

Park, S. E. 2009. "The effects of emotional dissonance on the employee's job attitudes and the moderating role of job autonomy and social supports." *Korean Management Review*, 38(2), pp.379~405.

Pierce, J. L. 1995. *Gender trials: Emotional lives in contemporary law firms*. Univ of California Press.

Pugh, S. D. 2001. "Service with a smile: Emotional contagion in the service encounter." *Academy of Management Journal*, 44(5), pp.1018~1027.

Pugliesi, K. 1999. "The consequences of emotional labor: Effects on work stress, job satisfaction, and well-being." *Motivation and Emotion*, 23(2), pp.125~154.

Rebecca, J. Erickson and Christian Ritter. 2001. "Emotional Labor, Burnout, and Inauthenticity: Does Gender Matter?" *Social Psychology Quarterly*, 64.

Ritzer, G. and C. D. Lair. 2009. "The globalization of nothing and the outsourcing of service work." in C. Macdonald and M, Korczynski(eds.). *Service work*, pp.31~52.

Rosenstock, L. 1996. *Violence in the workplace*, DHHS(NIOSH) Publication, No.96~100.

Sauter, S. et al. 1999. *Stress at Work*, DHHS(NIOSH) Publication, No.99~101. Cincinnati: NIOSH.

Staw, B. M. and S. G. Barsade. 1993. "Affect and managerial performance: A test of the sadder-but-wiser vs. happier-and-smarter hypotheses." *Administrative Science Quarterly*, pp.304~331.

Trougakos, J. P. 2008. "Making the break count: An episodic examination of recovery activities, emotional experiences, and positive affective displays." *Academy of Management Journal*, 51(1), pp.131~146.

U.S. Bureau of Labor Statistics and U.S Department of Labor. 2006. *Occupational outlook handbook*, 2006~2007 edition. Bureau of Labor Statistics.

Warhurst, C., P. Thompson and D. P. Nickson. 2008. "Labour process theory: putting the materialism back into the meaning of service work". *In Service work*. pp.91~112. Routledge.

Wharton, A. S. 2009. "The sociology of emotional labor." *Annual Review of Sociology*, pp.147~165.

Williams, S. 2001. *Emotion and social theory: Corporeal Reflections on the (Ir) Rational*. London: Sage Publications.

相沢好治·和田耕治. 2013.『医療機関における産業保健活動ハンドブック』. 産業医学振興財団.

독일 직장에서의 정신 건강 증진(psy GA), http://psyga.info/ueber-psyga/materialien/handlungshilfen/(검색일: 2017.2.16).

찾아보기

지은이

정진주 사회건강연구소 소장

공선영 사회건강연구소 연구위원

김성호 공인노무사

김인아 한양대학교 의과대학 직업환경의학교실, 보건대학원 직업환경보건 교수

김종진 한국노동사회연구소 연구위원

김현주 이화여대부속목동병원 직업환경의학과 교수·과장

신경아 한림대학교 사회학과 교수

우성구 두루두루배움터 대표, 한국주민운동교육원 트레이너

이상윤 노동건강연대 공동대표, 직업환경의학 전문의

이성종 민주노총 전국민간서비스산업노동조합연맹 정책 기획 실장, 감정노동 전국 네트워크 집행위원장

이정훈 서울노동권익센터 감정노동보호팀장

임상혁 노동환경건강연구소 소장

장세진 연세대학교 원주의과대학 교수, 직업환경의학연구소장

정혜선 가톨릭대학교 보건대학원 교수, 한국산업간호협회 회장

정혜자 공인노무사, 전 금융경제연구소 연구위원

한인임 노동환경건강연구소 교육팀장

한울아카데미 1967

감정노동의 시대, 누구를 위한 감정인가?
이론부터 대안까지

기 획 | 사회건강연구소
지은이 | 정진주 외
펴낸이 | 김종수
펴낸곳 | 한울엠플러스(주)

편집책임 | 최진희
편집 | 이예은

초판 1쇄 인쇄 | 2017년 2월 20일
초판 1쇄 발행 | 2017년 3월 6일

주소 | 10881 경기도 파주시 광인사길 153 한울시소빌딩 3층
전화 | 031-955-0655
팩스 | 031-955-0656
홈페이지 | www.hanulmplus.kr
등록번호 | 제406-2015-000143호

Printed in Korea.
ISBN 978-89-460-5967-2 93330 (양장)
978-89-460-6297-9 93330 (학생판)

* 책값은 겉표지에 표시되어 있습니다.
* 이 책은 강의를 위한 학생용 교재를 따로 준비했습니다.
강의 교재로 사용하실 때에는 본사로 연락주시기 바랍니다.